À VÉLO JUSQU'AU CIEL
est le cent quatre-vingt-seizième livre
publié par Les éditions JCL inc.

Données de catalogage avant publication (Canada)

Tremblay, Pierre-Yves, 1970-

À vélo jusqu'au ciel: récit d'un tour du monde

(Collection Vers l'inconnu)

ISBN 2-89431-196-6

I. Tremblay, Pierre-Yves, 1970- - Voyages. 2. Cyclotourisme. 3. Voyages autour du monde. 4. Cyclistes - Québec (Province) - Saguenay (Région) - Biographies. I. Titre. II. Collection: Vers l'inconnu (Chicoutimi, Québec).

G465.T73 1999 796.6'4'.092 C99-941332-5

Édition originale: septembre 1999

À Claire.

J'espère que ce livre vous transportera au bout du monde.

Merci

7/10/99

À VÉLO JUSQU'AU CIEL

RÉCIT D'UN TOUR DU MONDE

930, rue Jacques-Cartier Est, CHICOUTIMI (Québec) G7H 7K9
Tél.: (418) 696-0536 – Téléc.: (418) 696-3132 – www.jcl.qc.ca
ISBN 2-89431-196-6

Pierre-Yves Tremblay

À VÉLO JUSQU'AU CIEL

RÉCIT D'UN TOUR DU MONDE

LES ÉDITIONS JCL

DANS LA COLLECTION *VERS L'INCONNU*

St-Sauveur, Annabelle. *L'Échappée Belle*, Chicoutimi, Éd. JCL, 1999, 286 p.

Nous reconnaissons l'aide financière du gouvernement du Canada par l'entremise du Programme d'Aide au Développement de l'Industrie de l'Édition (PADIÉ) pour nos activités d'édition. Nous bénéficions également du soutien de la SODEC et, enfin, nous tenons à remercier le Conseil des Arts du Canada pour l'aide accordée à notre programme de publication.

À Lili et Victor

Attendre d’en savoir assez
pour agir en toute lumière,
c’est se condamner à l’inaction.

Jean Rostand

Remerciements

Dans les moments de profonde solitude comme ceux de joie intense, mon journal, griffonné sur des bouts de papier, a été mon compagnon le plus fidèle. Merci à Lili, qui, en retranscrivant méticuleusement et discrètement mes écrits, a fait naître ce livre. Sans elle, il n'aurait jamais existé. À Caroline, mon amoureuse, qui comprend mon amour pour les défis et qui m'y accompagne. À Victor pour avoir été la lumière dans l'ombre. À Jean-Pierre Doré et Jean-Denis Cantin, qui ont été partenaires de ce rêve fou. À François Gouin pour ses suggestions. À Stéphanie Wells, Jean-Marie Talbot et André Leclerc pour leur regard objectif. À mon oncle Antoine, pour son support moral. À France Fillion, mon professeur du CEGEP, pur m'avoir fait découvrir le plaisir de l'écriture et à tous ceux qui m'ont accueilli sous leur toit durant ce voyage.

Table des matières

Préface

Partir. Faire le tour du monde. Voilà un rêve que tous et chacun partagent. Mais à vélo...!

Bien au-delà de l'effort physique, cette grande aventure est celle d'un être confronté à lui-même, seul, avec son vélo, à la rencontre des sens. Croiser le regard des gens et partager un bout de vie avec des peuples aux cultures si différentes; surmonter tant d'embûches: trop froid, trop chaud, trop de vent, trop haut, voilà un quotidien peu banal. Pierre-Yves a dû puiser au plus profond de lui-même pour réaliser un tel défi.

Ce livre qui contient tant d'émotions nous permettra peut-être de comprendre cette étrange et irrésistible passion qu'est l'aventure. La satisfaction d'avoir réussi à faire le tour du monde n'est pas de courte durée; elle s'inscrit dans le temps.

Nous partons avec toi, Pierre-Yves. Amène-nous là-bas et raconte-nous.

Bernard Voyer
Explorateur

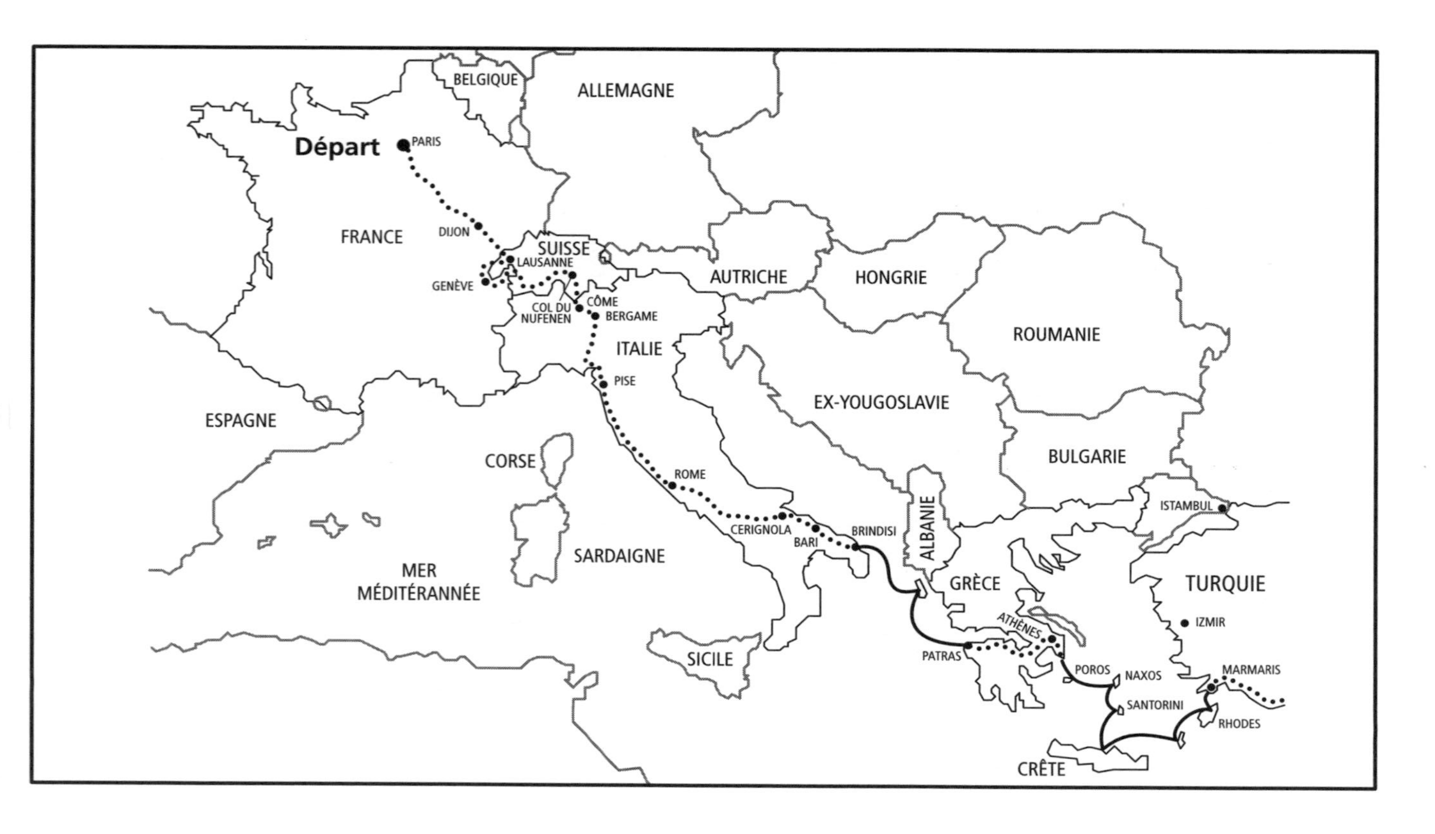
BELGIQUE
ALLEMAGNE
Départ
PARIS
FRANCE
DIJON
SUISSE
LAUSANNE
GENÈVE
COL DU
NUFENEN
CÔME
BERGAME
AUTRICHE
HONGRIE
ROUMANIE
ITALIE
PISE
EX-YOUGOSLAVIE
ESPAGNE
CORSE
BULGARIE
ROME
ISTAMBUL
CERIGNOLA
BARI
BRINDISI
ALBANIE
SARDAIGNE
MER
MÉDITÉRANNÉE
GRÈCE
TURQUIE
ATHÈNES
IZMIR
SICILE
PATRAS
POROS
NAXOS
MARMARIS
SANTORINI
RHODES
CRÊTE

Premier chapitre

Des souvenirs refont surface

Jour 1
Paris, France - Le 15 juillet 1994

À l'issue d'un vol sans incident, l'avion se pose fermement sur la piste de l'aéroport Charles-de-Gaulle. Les passagers débouclent leur ceinture, se lèvent et rassemblent leurs bagages avant l'arrêt complet de l'appareil. Ils sont pressés de quitter l'espace exigu auquel ils ont été confinés pendant plus de sept heures. Mais, c'est inévitable, il leur faudra attendre pour récupérer les bagages et passer à la douane.

Je les observe. J'ai tout mon temps. Je suis au seuil d'un périple qui m'amènera, en vélo, de Paris à Hong Kong avec mes compagnons Jean-Pierre et Jean-Denis.

Notre attirail de sacoches et de vélos - 306 livres selon la balance - fait tourner les têtes. Les douaniers sont plus intéressés par notre itinéraire que par le contenu de nos bagages. Le temps d'une jasette, et on appose sur notre passeport le premier sceau du voyage: Charles-de-Gaulle, Paris, France, 15 juillet 1994. Nos regards se croisent. Une grande aventure commence.

Il n'est pas question d'enfourcher nos bicyclettes; elles sont en pièces détachées et l'assemblage demande au moins deux heures. La navette pour le centre-ville est déjà là. Nous sommes les premiers à monter. Le chauffeur est absent. Heureusement. Il n'y a pas de compartiment à bagages dans ces petits autocars, et nous mettons un temps fou à grimper notre vingtaine de sacoches et nos trois immenses boîtes qui camouflent nos vélos. À son retour, visiblement agacé par l'importance de notre chargement et le nombre de passagers qui devront attendre le prochain autocar, le chauffeur quitte le terminal en maugréant.

Une dame dans la soixantaine, assise à mes côtés, bavarde gentiment avec moi pendant que Jean-Pierre et Jean-Denis surveillent nos nombreux sacs. C'est une religieuse, et le périple que nous entreprenons ne la laisse sans doute pas indifférente puisqu'elle plonge la main au fond de son sac et en sort une médaille de la Sainte Vierge. Elle me la remet en souriant et me suggère de la porter afin qu'elle me protège tout au long du voyage. «Que Dieu vous bénisse!» Cette phrase résonne au fond de ma tête. Sa descente rapide à l'arrêt suivant me laisse songeur. Que vient-il de se produire? Un message? Une mise en garde?

L'arrêt brusque de l'autocar me sort de mes pensées. Nous voilà dans Paris. Le chauffeur, maintenant plus affable et sans doute pressé de repartir, nous offre son aide. À cette heure matinale, au lendemain de la fête des Français, la ville fait la grasse matinée. Quelques cols bleus effacent dolemment les traces laissées par les célébrations de la veille. Ils observent avec amusement ces trois touristes naïfs, qui croulent sous une montagne d'équipement et espèrent trouver un taxi.

Nous essuyons refus après refus pendant deux heures. Puis un chauffeur rusé se pointe. La fatigue de l'envolée, le manque de sommeil et l'attente nous enlèvent tout souci d'économie. Il nous demanderait la lune qu'on la lui donnerait. Vivement qu'on se retrouve à l'appartement de Denise, une amie de la famille qui m'a hébergé en Suisse il y a six ans. Elle nous offre son toit à Paris pendant qu'elle est à Lausanne, chez ses parents. Denise habite une ruelle du VIIe Arrondissement. Comme convenu, la clé est sous le paillasson. À peine arrivés, Jean-Pierre et Jean-Denis s'affalent au milieu des sacoches et tombent dans un profond sommeil.

Je suis fatigué, mais je ne veux pas dormir; je suis plus enclin à la rêverie et aux interrogations.

Mes souvenirs refont surface: le camping, la Floride, les Antilles, les Alpes françaises, la Colombie-Britannique, l'Allemagne, la Suisse, l'Autriche, l'Italie, le cyclotourisme, le Canada, le cégep et l'université. Je suis heureux, apparemment comblé. Apparemment. Car, tout au fond de moi, se terre un sourd besoin de me dépasser outre mesure. Par hasard, se pourrait-il que je cherche, consciemment ou non, une misère que je n'ai pas vécue?

J'ai fait tant de beaux voyages en famille par la magie du camping. Au terme d'une longue journée de route ou d'activités, après un copieux repas cuit sur la braise, nous nous entassons tous les six dans une petite tente, papa, maman, François, Maryse, Bruno et moi. Je ressens la camaraderie et la chaleur familiale, la proximité des personnes que j'aime. Grâce à ces voyages, j'ai le sentiment d'atteindre obscurément un but, de faire des découvertes importantes, enfin bref, d'apprendre, de m'approcher de l'essentiel.

À six ans, je me lie d'amitié avec un jeune Américain lors d'un voyage en Floride. Pendant qu'on se lance la balle, il m'enseigne quelques mots d'anglais. Je suis si fier de les répéter. Je suis bilingue! Une poignée d'expressions et on arrive à se comprendre.

Et comment oublier les trois fêtes de Noël consécutives dans les Antilles où les «steel bands» animent les soirées. Ma mère me permet de les écouter, seul, tard dans la nuit. La musique qui sort de ces immenses couvercles de poubelles m'enivre au-delà des sons. Je suis fasciné, conquis, enchanté par cette culture nouvelle et ces musiciens inspirés. J'invente des scénarios: ils m'invitent chez eux, en amis, je partage leurs repas et ils me parlent de leur vie d'artiste, de leurs peines et de leurs misères, mais aussi de leur amour de cette musique de vacances et de soleil et des grandes joies qu'elle leur apporte.

La musique... Combien de fois m'a-t-elle réveillé pour marquer le début d'une journée de ski en famille. Deux longues heures de route dans l'obscurité matinale pour atteindre Grand-Fonds, dans Charlevoix, où je passe la majeure partie du temps dans les sous-bois à débusquer de nouvelles pistes. Déjà, je suis incapable de me contenter des sentiers battus. La facilité et la simplicité ne sont pas pour moi. L'habitude et la répétition, encore moins. Mes tripes me poussent bien au-delà.

À treize ans, un voyage dans les Alpes françaises organisé par ma mère est comme une révélation. Nous arrivons au milieu d'une formidable tempête. Tout est oblitéré. Au matin, en écartant les rideaux de ma fenêtre, je suis saisi d'admiration, émerveillé, par les immenses rochers pointant agressivement vers le zénith et par le ciel d'un bleu éclatant. Ce matin-là, je pars dans ce décor à la fois fabuleux et inquiétant pour découvrir les pistes avant tout le monde. Je fais tant de découvertes que je deviens le guide attitré du groupe. Je flotte. À partir de ce jour, mon désir d'aller toujours plus loin et plus haut devient viscéral et mon amour pour les montagnes n'a jamais cessé de croître.

L'été de mes douze ans, je pars pour deux semaines dans une famille d'accueil de la Colombie-Britannique. Mon premier voyage sans les miens.

Je réalise bêtement que quelques mots d'anglais ne font pas de moi un interprète polyglotte. Il me faut plonger pour apprendre. Cette immersion, c'est mon premier pas vers l'indépendance et la confiance.

À quinze ans, j'entreprends avec mon copain Patrick mon premier périple à vélo: 600 kilomètres aller-retour entre Chicoutimi et Québec, via La Malbaie, pays de montagnes.

Partir à l'aventure, c'est à la fois de la planification et de l'improvisation. Au soir de notre première journée, nous sommes fatigués, le crépuscule s'installe et nous n'avons toujours pas choisi d'endroit pour dresser notre tente. Le bord d'un lac paraît attrayant, mais le vent est tel que nous n'arrivons pas à allumer un feu. Nous frappons aux portes jusqu'à ce qu'un bon Samaritain nous laisse utiliser son barbecue extérieur. La cuisson est infecte, mais nous partageons la joie du résultat. Nous nous adaptons au trajet, aux impondérables.

À seize ans, pour pousser un peu plus loin, j'entreprends, toujours à vélo, une randonnée de 1 200 kilomètres, de Chicoutimi à Montréal, en passant par La Tuque, au grand désespoir de ma mère qui trouve toutes les raisons imaginables pour me décourager. Au sud du lac Saint-Jean, je pédale dans une zone où il n'y a que des arbres et des ours. Une canicule sévit depuis maintenant quatre jours, la température atteint les 42°C et je dois éviter l'épuisement. Le trafic routier est inexistant. Seul au milieu de cette forêt qui me terrorise, je dresse ma tente. Au petit matin, pour la première fois, je sens l'importance du contrôle de soi et de la force qui s'en dégage.

Cinq jours plus tard, je roule sous une pluie diluvienne. Certains se souviendront de l'inondation de l'été 1987. Trempé jusqu'aux os, j'arrête à une maison pour demander de l'aide. On me refuse la permission d'installer ma tente. Déçu et triste, je retourne sous la pluie et me contente d'un terrain vague, à l'écart de la route. À l'abri, je prends conscience d'une évidence fondamentale: si je me crée une misère, il faut m'en sortir seul.

Un mois plus tard, dans le cadre d'un programme interculturel, je m'envole pour un séjour d'un an à Bonn, en Allemagne, où l'on m'assigne une famille d'accueil. Les trois premiers mois sont extrêmement difficiles, non seulement parce que je suis dans une classe où je ne comprends pas un traître mot, mais surtout parce que le père de famille n'a aucune envie d'héberger un étudiant étranger. C'est l'idée de son épouse. Il me réprimande à tout moment. J'habite au grenier dans une chambre à peine chauffée. Je me sens extrêmement seul.

Un soir, au souper, le père vocifère... en allemand. La famille me regarde, visiblement mal à l'aise. Si seulement je pouvais comprendre, je pourrais m'expliquer, m'ajuster. On peut m'attribuer tous les torts, je suis une cible sans défense. J'ai l'impression d'assister à mon procès. Je reste impassible, en apparence... jusqu'à ce que j'éclate en sanglots. Ce soir-là, je me réfugie dans ma chambre et je pleure. Je dois absolument m'endurcir et apprendre à ne pas me laisser abattre, je dois me convaincre qu'il y aura une solution, une conclusion heureuse.

Et voilà que tout juste avant Noël, on me transfère dans une famille fort sympathique. Leurs vacances étant déjà planifiées, je dois m'occuper jusqu'à ce qu'ils reviennent. J'en profite pour voyager à travers la Suisse, l'Autriche et l'Italie. Je m'amuse comme un petit fou à sillonner cette partie de l'Europe et l'angoisse des trois derniers mois s'estompe. Pour respecter mon budget de cinq dollars par jour, je joue les vagabonds, je dors dans les gares, dans les parcs, à la belle étoile. Les itinérants m'adoptent. J'ai le goût d'expérimenter cette vie parallèle qu'est la leur. Je vois le plaisir de l'aventure et non sa frugalité.

Le reste de l'année scolaire se passe à merveille. Je rencontre des gens formidables et j'apprends l'allemand rapidement, au-delà de mes espérances. Je rentre au Québec le cœur rempli de joie et la tête pleine d'histoires et d'aventures à raconter.

La rentrée au cégep est difficile. N'ayant pas complété mon secondaire au Québec, je suis accepté sous probation. En début de session, je rencontre mon professeur de chimie et lui explique que j'ai de la difficulté à suivre ses explications. Il n'est pas étonné et doute même que je puisse reprendre le temps perdu. Cette fois, le défi m'est imposé.

Je suis le cadet de quatre enfants et la marche est haute. François, Maryse et Bruno ont toujours obtenu d'excellents résultats scolaires. Mes parents n'exercent aucune pression, mais les études ont préséance sur tout. Chez nous, celui qui étudie est maître de son temps et libre de toutes les corvées domestiques. Les exploits sportifs ne parviennent jamais à supplanter les résultats scolaires. Je suis fouetté par le commentaire de mon professeur qui m'a ni plus ni moins abandonné à mon propre sort, et je me promets de lui prouver qu'il a tort. Je donne à mes études toute la priorité et mon effort est récompensé: je termine la session avec 19 points au-dessus de la moyenne.

J'entre ensuite à la Faculté de génie de l'Université McGill. Je me consacre à mes études avec acharnement tout en travaillant l'été sur des projets de reboisement dans l'extrême nord de l'Ontario. Après de longs mois de travail intellectuel, ce boulot me revitalise. En plus d'améliorer ma condition physique, il me permet de couvrir mes frais scolaires, mes dépenses annuelles, sans compter un surplus qui servira à financer un autre projet: traverser le Canada à vélo! 5 205 kilomètres en 29 jours, à raison de 180 kilomètres par jour. Je franchis la distance le plus rapidement possible pour ne pas manquer la rentrée scolaire. J'ai l'impression de n'avoir vu que des paysages.

J'ai eu une belle jeunesse; je suis fasciné par l'ingénierie, les constructions, la mécanique. J'ai voyagé, je me suis amusé, le temps est maintenant venu d'être sérieux: études, diplôme, travail, famille. Cependant, à peine un an plus tard, le besoin de vivre de nouvelles expériences devient persistant. Mon cœur me dit que je suis prêt pour un autre projet, plus long et plus difficile que tous les autres. Je pense à l'Orient. Peut-être à vélo? Je me suis pourtant promis qu'on ne m'y reprendrait plus après ma course folle à travers le Canada. Force m'est d'admettre que le vélo est un moyen de transport exceptionnel si on sait l'adapter, l'apprivoiser. Il nous sort des circuits touristiques pour nous plonger au cœur de la vie des gens. Je n'ai qu'à songer à cette montagne, à ce village lointain, qui se dessinent lentement à l'horizon, à cette sensation du tableau qui précise petit à petit ses formes et ses couleurs. Il y a aussi la pleine satisfaction d'atteindre l'objectif, l'euphorie de toucher le sommet d'une montagne et de découvrir l'autre versant. À vélo, on ressent le palpitement de la nature parce qu'on s'accorde le temps.

Mais le vélo c'est aussi le ruban de bitume qui se déroule parfois sans fin. Certains paysages sont tellement similaires, plats et interminables qu'on se demande si on avance. On perd contact avec la réalité. On soupçonne que la vie nous a oublié, qu'elle nous a cloué quelque part dans un paysage figé et perdu. Il nous confronte à la rage des éléments: la pluie, le vent, le froid et même la neige. Le vélo nous confronte surtout avec nos limites.

J'éprouve la curiosité de voir au-delà de mon monde feutré, mais il me faut trouver un partenaire, car une telle expédition comporte beaucoup trop de risques. Je veux partager la peur de l'inconnu, savoir que je ne suis pas seul. Je dessine l'image du candidat idéal qui épouserait ma folie. Il doit posséder une bonne condition physique, la force mentale, le désir de vaincre, le contrôle de ses peurs et l'expérience de l'adversité. Il doit être capable de prendre des décisions rapides. Cette description me fait sourire. J'exige tant de l'autre, est-ce que je peux offrir l'équivalent?

Je pense à Jean-Pierre, mon compagnon de classe du primaire jusqu'au cégep, ancien champion canadien de judo. Il désire lui aussi partir à l'aventure. Sa faible expérience du cyclotourisme est largement compensée par ses qualités physiques et mentales. Il me fait entièrement confiance.

En janvier 1993, nous confirmons notre ferme intention d'entreprendre, dès l'été 1994, une odyssée d'une année qui nous mènera de Paris jusqu'à Hong Kong. Une poignée de main et un regard confiant scellent une entente qui fait désormais de nous des partenaires indissociables. En juin, notre duo devient un trio. Jean-Denis, également un ancien confrère de classe, se greffe à notre aventure. Sportif, dynamique et compétitif, il constitue un atout majeur pour la préparation du voyage.

Je connais l'Europe. Ailleurs, pour moi, c'est l'inconnu. Je n'ai aucune information précise si ce n'est que toutes les cartes géographiques prouvent qu'il y a bien une route qui mène à l'Orient! Nous ajusterons le trajet au fur et à mesure. Première esquisse: France, Suisse, Italie, Grèce, Turquie, Iran, Pakistan, Inde et Chine, en passant par le Tibet.

Je l'admets: j'ai peur de l'inconnu. Je prends conscience de la dimension du risque et je cherche un réconfort que je ne trouve pas. J'aurais aimé me référer à une expérience antérieure, mais les difficultés remontent d'abord à la surface. Puis j'essaie de me convaincre que la gestation, les contractions et l'accouchement sont choses du passé. Le projet est né; il faut maintenant le réaliser.

Nous entreprenons des démarches pour nous aider à financer le projet. Les commanditaires potentiels nous bombardent de questions: Écrirons-nous un livre? Tournerons-nous un court métrage? Participerons-nous à des séances d'information sur les pays visités? Accorderons-nous des entrevues téléphoniques régulières? Soumettrons-nous des chroniques aux journaux? Impossible de répondre avant même d'avoir donné le premier coup de pédale. On veut la peau de l'ours? Quel ours? On ne l'a pas tué. On ne l'a même pas encore vu!

Nous obtenons malgré tout une commandite complète pour nos vélos et un tarif réduit pour nos sacoches: une économie de plus de 6 000 dollars pour le groupe. La vente de t-shirts portant notre effigie nous rapporte près de 5 000 dollars, et le reste du financement, soit environ 8 000 dollars chacun, vient de nos économies. Mes étés de travail sur les projets de reboisement contribueront en bonne partie à me fournir la somme requise.

La préparation matérielle prend toute une année. Nous procédons à une étude des produits, analyse qui porte sur le poids, la résistance, la fiabilité, la compatibilité, la polyvalence et l'emboîtement. Pour les vêtements, je pense à la technique de l'oignon: une superposition de couches que je peux facilement enlever et remettre. Puis il y a l'étape des achats: gamelles, poêles à essence multiples, ustensiles, tente, sac de couchage, matelas de sol, médicaments, trousse de premiers soins, vêtements pour la chaleur, le froid et la pluie, espadrilles et bottes, cartes routières, sacs imperméables, outils, pièces de rechange pour le vélo et articles personnels. Il faut étudier précisément la façon d'organiser, de remplir et de disposer les sacoches. On doit éliminer toute forme de manipulations inutiles, éviter la réorganisation quotidienne de notre attirail. À ce chapitre, mes expériences précédentes me sont d'un grand secours.

Le nombre et le coût des vaccins nécessaires suffisent presque à rendre malade. L'encéphalite japonaise, la rage, les hépatites A et B, le choléra, la diphtérie, la coqueluche, le tétanos et la fièvre typhoïde m'ont coûté près de 600 dollars, sans compter les pilules contre la malaria et les assurances médicales.

Pour notre départ, on nous prépare une fête. Mon matériel est étalé au sous-sol. Les invités sont curieux de voir tout ce dont j'aurai besoin. Les questions me surprennent. On s'inquiète même de mon approvisionnement de crème à raser! Je me sens privilégié. On aurait voulu être à ma place mais sans faire d'efforts. On réitère les mises en garde que j'ai trop souvent entendues. Inconnu... Danger... Bien sûr... Mais je pars justement pour le trouver sur mon chemin, cet inconnu. Pour apprendre à le connaître, l'apprivoiser. Tout le monde me croit; personne ne comprend très bien.

Ma peur est justifiée. Lors de ma traversée du Canada,

un Australien, peu habitué à conduire à droite, a fauché le rétroviseur que j'avais fixé sur mon guidon. Un ami de la famille, moins chanceux, a perdu une jambe dans une situation similaire. Combien de fois avons-nous doublé des cyclistes sur des routes étroites en faisant état du danger qu'ils courent? Il ne faut surtout pas croire que la qualité des conducteurs s'améliore plus on s'approche de l'Est!

À vélo, le vent est un facteur important. Les bagages sur les roues avant et arrière provoquent un effet de parachute: une trappe à vent. Le rétroviseur, indispensable, m'évite de tourner constamment la tête et de perdre l'équilibre. Le vélo, chargé de 300 livres, devient beaucoup moins manœuvrable. Quand un camion me dépasse, il me pousse vers l'extérieur, mais aussitôt après, l'effet de succion me ramène sur la chaussée. S'il est suivi de trop près par un autre véhicule, je n'ai aucune idée des réflexes de cet autre conducteur. Je dois compter sur ma seule capacité de réaction. Et quand deux camions se croisent, je dois évaluer la largeur de la route, parce que je sais que je suis, à leurs yeux, une quantité négligeable.

Je parle de risques sans faire état des incertitudes politiques, linguistiques ou religieuses. En fait, il y aurait eu trop de raisons de ne pas partir. Si je m'étais fié aux histoires, aux films, aux nouvelles, je serais resté dans ma cour. Ma détermination est inébranlable.

Derrière la clôture bordant la piste du petit aéroport de Québec, nos proches se sont réunis pour nous saluer une dernière fois. Caroline, la sœur de Jean-Pierre et ma compagne des dernières années, me sourit, mais je sais que son cœur est sur le point de fendre. Elle aurait préféré que je reste, mais elle n'en laisse rien paraître; elle cache sa peine et sa douleur. Une année semble si longue lorsqu'on a vingt-deux ans. Mes idées se bousculent, et, du minuscule hublot de l'avion qui s'élance sur la piste, je jette un dernier coup d'œil vers ceux que j'aime. Déjà, je rêve de les revoir.

Paris, 18 juillet 1994: le grand départ.

Deuxième chapitre

Payer pour apprendre

Jour 4
Paris, France - Le 18 juillet 1994

C'est en véritables touristes que nous affrontons l'enfilade effrénée des automobilistes parisiens pour atteindre les Champs-Élysées. Dans cette mêlée, où la courtoisie n'a pas sa place, nous apprenons à manœuvrer nos vélos chargés. Quelle perspective! Non pas celle de la tour Eiffel, mais celle de vouloir traverser l'Europe et l'Orient alors que nous avons peine à sillonner les rues de Paris.

Nous sommes tous les trois accroupis au pied de la tour Eiffel pour la photo officielle de départ. Nos vélos brillent au soleil. L'éclat de notre équipement est aveuglant. Notre linge n'a pas encore absorbé une seule goutte de sueur. Nous sommes vierges. Les gens s'informent de notre destination. La réponse est brève, timide et fuyante: Hong Kong. Nous sommes confiants et gonflés à bloc, mais du même coup intimidés par l'ampleur de notre défi. Peignés, frais rasés et le visage fraîchement crémé, nous avons l'allure de jeunes gamins partant en guerre, une rose à la boutonnière.

En regardant une dernière fois la tour Eiffel qui disparaît dans mon rétroviseur, mes craintes et mes inquiétudes refont surface. Je saisis sur mon guidon la médaille de la religieuse. Un frisson me traverse. J'ai peur de la mort. J'ai l'impression qu'en entreprenant cette folle aventure, je cours à ses côtés en la narguant. Je tiens à la vie, même si je suis un brin téméraire. Je me répète que la chance sera avec moi. Si seulement on pouvait savoir ce qui nous attend... et s'arrêter tout juste en bordure du précipice. À vélo, chaque véhicule est un «précipice». Nous sommes à la merci des conducteurs et je déteste cette évidence. Mais si je suis sur la route aujourd'hui, c'est par besoin de voir et de vivre. Il est aussi grand que ma peur de la mort. Non. Plus grand.

Nous roulons jusqu'à la brunante et nous nous arrêtons dans un parc choisi au hasard, à l'abri des curieux et du bruit. Notre premier repas de camping n'a rien de la gastronomie française, mais le bon vin arrange tout.

Jour 5 et suivants
Campagne française - Le 19 juillet 1994

Nous avons déjà eu cinq crevaisons au cours de cette première semaine. Nos chambres à air «miracles» souffrent d'un défaut de valve et nous revenons aux bonnes vieilles «tripes» moins sophistiquées mais plus fiables. Mon odomètre, avec lequel j'ai parcouru le Canada, vient de rendre l'âme. Comme un malheur n'arrive jamais seul, la flotte a détrempé tout notre matériel. Nous réaliserons trop tard que nous n'avions pas scellé correctement nos sacs imperméables! Nous trouvons malgré tout le moyen d'en rigoler. Nous ne sommes pas encore au bout du monde et certainement pas au bout de nos peines. Tous ces incidents se produisent en territoire hospitalier, mais qu'en sera-t-il sur une montagne ou dans un désert?

Cette première semaine nous permet de constater

certaines petites réalités. Nous avons divisé équitablement le matériel commun au groupe, mais chacun demeure responsable de transporter ses caprices. Lors de notre première vraie montée, nous assistons au grand ménage de Jean-Denis. Dans son style colérique particulier, le nez plongé dans ses sacoches, il balance par-dessus bord tout le superflu. Jean-Pierre va l'imiter; il fait même cadeau de sa cafetière à un paysan. Ses matins risquent d'être ainsi plus difficiles.

Ces ajustements sont acceptés et effectués avec beaucoup d'humour. La colère momentanée de l'un résiste rarement aux rires retenus des autres. Notre complicité se bâtit. L'aventure est belle.

Jour 12
Dijon, France - Le 26 juillet 1994

Mon voyage se joue aujourd'hui. Je viens d'étirer ou peut-être même de déchirer le ligament interne de mon genou droit en jouant au soccer. Jean-Pierre m'avait pourtant dit de ne pas participer au match; j'ai fait à ma tête. Dans le feu de l'action, quelqu'un m'a botté le pied, accidentellement, et mon genou a encaissé. Je ne peux plus marcher. Jean-Pierre, physiothérapeute de profession, estime qu'il faudra attendre quelques jours avant de connaître les conséquences de cet accident.

Je suis couché sur mon lit à l'auberge de jeunesse et je fixe le plafond. Je ne peux rien faire sinon appliquer de la glace toutes les demi-heures pour empêcher l'œdème. Je m'en veux. C'était une partie intense entre Français et Italiens et je n'aurais jamais dû y prendre part. Je n'ai pas traversé l'Atlantique pour jouer au soccer. Je prie les saints du ciel. Je ne demande qu'une seconde chance. S'il vous plaît...

Jour 17

Arbois, France - Le 31 juillet 1994

Pendant que je purge ma peine sur mon lit, Jean-Pierre et Jean-Denis jouent les touristes sous un soleil radieux. Ils visitent la ville, les vestiges du passé et, bien sûr, les vignobles!

Après cinq jours, il faut repartir. Je n'arrive toujours pas à marcher mais, miraculeusement, le mouvement requis pour pédaler ne me cause qu'une légère douleur. Les arrêts sont pénibles; par bonheur, j'ai deux coéquipiers magnifiques qui me prêtent main-forte pour démonter ma tente et charger mon vélo.

Jour 18

Le Jura franco-suisse - Le 1er août 1994

Aujourd'hui, c'est le vrai test. Nous sommes dans une cuvette au pied du Jura, une chaîne de montagnes qui sépare la France de la Suisse. Dès les premiers kilomètres, nous affrontons un mur. À part les chèvres et quelques cyclistes entêtés, je n'en vois pas d'autres qui voudraient s'y aventurer autrement qu'en voiture. Nous campons aux trois quarts de la montée; mon genou tient le coup.

Je respecte à la lettre les consignes de mon physiothérapeute. Mes efforts sont mesurés; les saints semblent m'avoir entendu. Ouf...

Jour 23

Lausanne, Suisse - Le 6 août 1994

Depuis quatre jours, nous sommes installés comme

des rois chez les parents de Denise. Ils ont une charmante maison à deux pas du lac Léman. Un paradis pour les cygnes. Je passe mes journées à admirer, de l'autre côté du lac, des sommets montagneux, dominés par la cime du mont Blanc qui culmine à 4 807 mètres d'altitude. J'arrive à marcher. J'ai des fourmis dans les jambes. La beauté de ces montagnes m'inspire le courage de les affronter.

Aujourd'hui, je suis allé au marché où j'ai acheté pour Caroline un bracelet tressé. Je le porterai pour la traversée du col du Nufenen et lui ferai parvenir par la suite. Je pense à elle qui accepte cette séparation, qui me laisse vivre. Laisser partir pour mieux garder...

Jour 30
Col du Nufenen, Suisse - Le 13 août 1994

Après ce repos apprécié, nous remontons la vallée du Rhône. Une route étroite nous mène au pied du Nufenen. Du haut de ses 2 478 mètres, ce col routier est le plus haut de toutes les Alpes suisses.

Cette ascension de 1 100 mètres s'échelonne sur une distance de 14 kilomètres. La route est à l'image de la Suisse, impeccable, mais la circulation est gênante. C'est un long week-end. Les autocars, qui grimpent comme des tortues, obligent les conducteurs impatients à négocier des dépassements serrés. Les virages en épingle ne sont protégés des précipices que par un muret de béton. Comme disent ironiquement les Suisses: «La sélection naturelle se charge des mauvais conducteurs!»

Les cinq premiers kilomètres laissent croire que la montée sera un jeu d'enfant. Subitement, comme une ligne tracée au crayon, des rochers dégarnis remplacent l'épaisse forêt. L'ombre et l'humidité disparaissent pour faire place à l'ardeur du soleil. Nous voyons très clairement où nous nous dirigeons, trop clairement! Une interminable pente s'étire juste devant nous. Essoufflés, nous multiplions les arrêts. Nos réserves d'eau sont presque à sec. Le découragement nous gagne puis s'évanouit lorsque nous apercevons les lacets qui mènent au sommet. Notre odomètre indique qu'il reste encore sept kilomètres. La route est de plus en plus abrupte et le sommet loin d'être conquis. Mes cent livres de bagages me paraissent plutôt cent kilos. Je monte depuis plus de trois heures et chaque poussée a l'effet d'un coup de poignard dans mes cuisses. Mes jambes n'en peuvent plus malgré l'orgueil qui leur ordonne le contraire.

Le col du Nufenen en Suisse. Un décor fabuleux sur une route sortie de l'enfer.

C'est sans eau et sans une once d'énergie que nous atteignons le dernier virage. Les sanglots montent dans ma gorge lorsque j'approche de l'affiche indiquant le sommet: «Col du Nufenen, altitude 2 478 mètres». Il y a moins de trois semaines, j'étais allongé sur un lit, incapable de marcher, et me voilà sur le plus haut col de la Suisse, un décor à couper le souffle, c'est le cas de le dire! Les galettes de neige contrastent étrangement avec le bleu du ciel. L'air est frais, mais le soleil intense insiste pour nous réchauffer. J'ai une vue plongeante sur la vallée du Rhône, de même que sur toutes les vallées environnantes. Comme par hasard, mon épuisement disparaît!

Jour 35 et suivants
Italie - Le 18 août 1994

Ce matin, en cassant les œufs pour notre omelette matinale habituelle, j'aurais dû me méfier des traces de sang qui la coloraient. L'absence de problèmes et de soucis, la bonne humeur, la température clémente et le rythme soutenu que nous avions adoptés m'ont fermé les yeux sur ce détail. Cependant, nos estomacs et nos intestins ne l'ont pas vu de la même façon. Cyclotourisme et maux de ventre ne font pas bon ménage. Cet épisode projette ma pensée en Orient.

Jour 53
Cerignola, Italie - Le 5 septembre 1994

Hier, une gentille famille de paysans italiens nous recevait à bras ouverts pour une nuit sur leur terre et un succulent repas bien arrosé. Aujourd'hui, après une journée de 123 kilomètres et une douche sous l'arrosoir d'un terrain public, nous ne trouvons rien de mieux qu'un champ de tabac terreux, à l'écart de la route. La nuit s'annonce chaude et humide mais nous dormirons sans double toit. Le ciel est dégagé et je serais surpris qu'il pleuve. Nos vélos sont cadenassés le long du grillage qui délimite le champ et nos sacoches sont bien installées sous nos tentes. Il ne nous reste qu'à nous allonger sur la surface duvetée de notre sac de couchage. Après une journée de vélo, le lit est un véritable cadeau.

Dès les premières heures du matin, nous avons l'habitude d'entendre Jean-Denis, notre coq. Il multiplie généralement les commentaires jusqu'à ce que nous lui répondions à tour de rôle. Cette fois, au beau milieu de la nuit, c'est Jean-Pierre qui nous réveille. Il prétend avoir reçu quelques gouttelettes de pluie. Il installe son double toit... par précaution. Nous en faisons autant, à notre grand désespoir, car la tente se transforme en véritable sauna.

Jean-Pierre avait raison. La pluie se met à tomber et son crépitement sur la tente agit comme une douce berceuse. Nous nous rendormons jusqu'à ce que les éclairs et le tonnerre se mettent de la partie. Cette fois, il est impossible de fermer l'œil, l'orage déverse sa furie. Heureusement que le plancher et les côtés sont imperméables. Mais pour combien de temps encore? Ma tente flotte littéralement, j'ai l'impression d'être couché sur un lit d'eau! Jean-Pierre panique: la sienne est une piscine. Il sort à la pluie battante pour essayer de construire une rigole. C'est alors qu'il se rend compte que nous sommes couchés dans le canal de drainage!

Un champ de tabac est fait d'une succession d'ondulations parallèles sur lesquelles poussent les plantes. Les parties basses servent de canaux d'évacuation qui se déversent à leur tour dans un autre canal, celui-là beaucoup plus large et plus profond et c'est précisément à cet endroit que nous avons astucieusement posé nos tentes. Jean-Pierre se promène avec une galette de boue sous les pieds et j'éclate de rire en le voyant atterrir chez moi. «Difficile de faire un tabac par un tel coup de tabac dans ce champ de tabac!» Sa tente est inutilisable et il emménage dans la mienne, une cinq étoiles comme il dit! Pendant ce temps, Jean-Denis empile les sacoches les unes sur les autres, de façon à ne sacrifier que celle du dessous.

Une mince consolation: jamais dans ma vie je n'ai vu une telle succession d'éclairs. À chaque seconde, une décharge électrique transforme la nuit.

Deux dans une monoplace, un sac de couchage à moitié sec, et nous nous rendormons quand même. Les kilomètres avalés dans la journée sont des somnifères puissants.

Jour 61
Le Pirée, Grèce - Le 13 septembre 1994

Mon odomètre marque 3 000 kilomètres au moment où nous franchissons les limites du Pirée, ville portuaire située au sud d'Athènes. C'est d'ici que partent les bateaux pour les Cyclades, ces îles paradisiaques de la mer Égée. Après avoir roulé douze jours consécutifs à des températures dépassant les 35°C, nous sommes fatigués. Les îles tombent à pic. Deux semaines de vacances en pleine mer avant d'entreprendre le Moyen-Orient.

Des dizaines de bateaux bondés de passagers, de voitures et de camions sont alignés les uns contre les autres.

C'est l'anarchie totale. Les kiosques à billets n'y échappent pas et sont organisés de façon à ce qu'on ne fasse jamais la file au bon endroit à moins d'être un habitué. Après deux tentatives ratées et une attente d'une heure sous un soleil de plomb, nous mettons finalement la main sur trois billets à destination de Paros. On nous suggère de mettre les vélos sur le bateau et de revenir quinze minutes avant le départ. Excellente idée: le nombre de voitures au centimètre carré rend la circulation quasi impossible.

Piétons allégés et affamés, nous choisissons un petit restaurant abordable où j'ai mangé il y a quelques années. Nous avons deux heures à tuer dans cette oasis de climatisation. Le restaurant est plein, et si nous mangeons trop rapidement, on nous chassera pour servir et rafraî-

Un petit repos bien mérité sur *l'Acropole d'Athènes après 3 000 kilomètres de vélo.*

chir d'autres clients. Il n'est pas question de nous payer à nouveau le four à pain dehors avant le départ.

Satisfaits et repus, nous nous rendons au quai une demi-heure avant l'heure prévue. Mais! Malheur! Notre bateau! Disparu! Je cours à la recherche d'un contrôleur qui m'annonce qu'il est parti à l'heure prévue. Furieux, je retourne à la billetterie. «Pas responsables du retard des passagers!» me répond le préposé. «Nous sommes en avance!» L'homme regarde sa montre. «Retard d'une heure, vous voulez dire.» Sceptique, convaincu qu'on se paye ma gueule, je demande l'heure au premier venu. Sa réponse me scie en deux morceaux. En Grèce, on a changé de fuseau horaire. Aucun de nous trois n'a songé à modifier l'heure sur sa montre.

Nous n'avons que nos cuissards cernés par la transpiration, un t-shirt qui pue la sueur et, heureusement, nos papiers. Tout le reste navigue au loin sans surveillance.

Un bateau express fait la navette jusqu'à Paros mais, selon l'horaire ajusté, il a déjà quitté. Un Grec sorti de nulle part nous offre miraculeusement son aide. Il est le seul qui parle anglais parmi tous ceux que nous accostons. Après s'être décarcassé comme s'il s'agissait de ses propres biens, il parvient à communiquer par radio avec le capitaine du bateau qui nous apprend qu'il ne reviendra pas au Pirée avant une semaine. Il chargera un matelot de débarquer nos affaires au port de Paros. Rien ne nous garantit qu'ils y seront toujours à notre arrivée, mais c'est la seule solution. Conscients que notre Samaritain ne peut rien faire de plus, nous le remercions mille fois pour son aide précieuse. Douze heures plus tard, dans le bateau qui nous amène à Paros, je rumine nerveusement divers scénarios. Il me reste bien peu d'espoir. Je n'ai pas les ressources financières pour tout remplacer. Nous avons été négligents. Au restaurant, nous voulions prendre notre temps, profiter du confort? Voilà la véritable addition!

Nous arrivons au quai à la tombée de la nuit. Pas de vélos. Mon cœur est en panne. Puis j'aperçois un autre débarcadère plus loin. Jean-Denis fonce; Jean-Pierre et moi marchons lentement, loin derrière, pour faire durer l'espoir, pour retarder l'heure du verdict.

Jean-Denis reste muet et incrédule: appuyés les uns contre les autres, nos précieux vélos sont là, intacts, offerts à la vue des passants.

Et je me prends à croire aux miracles, à croire que le destin me fait signe: non seulement je peux, mais je dois continuer ce que j'ai entrepris.

Jour 78
Lindos, Rhodes, Grèce - Le 30 septembre 1994

Les trois îles grecques que nous visitons, Paros, Santorin et Rhodes, se résument en quelques mots: repos, soleil et plages. Nous troquons nos vélos pour des mobylettes et nous nous joignons à la horde des vacanciers. Nous nous baladons des journées entières sur des sentiers de sable et de galets à la recherche de trésors: un petit bistrot sympathique, une plage déserte, une ancienne forteresse en ruines, un petit port de pêche.

Santorin nous fascine tout particulièrement. Autrefois le centre d'une grande civilisation, elle a été complètement ravagée par une éruption volcanique vers 1500 avant notre ère. À cause de la force érosive de la mer Égée, il ne reste plus, aujourd'hui, qu'un demi-cratère en forme de croissant sur lequel les habitants ont ingénieusement construit leurs petites maisons blanches aux portes et fenêtres multicolores. Sur la face interne du cratère, là où la pente est le plus abrupte, des sentiers recouverts de pierres joliment taillées permettent de circuler à pied ou de grimper à dos d'âne pour rejoindre la ville accrochée à flanc de falaise.

Voilà déjà dix-sept jours que nous vivons à ce rythme. Debout sur la muraille du fort de Lindos, nous apercevons les côtes de la Turquie et sommes troublés par les rumeurs d'une épidémie de choléra qui affecterait tout le pays. Comme personne ne semble avoir l'heure juste, nous décidons de poursuivre et de respecter notre itinéraire. Nous devons traverser la Turquie avant l'arrivée de l'hiver et nous ne pouvons nous permettre d'attendre que la rumeur se dissipe.

Un autre défi nous attend.

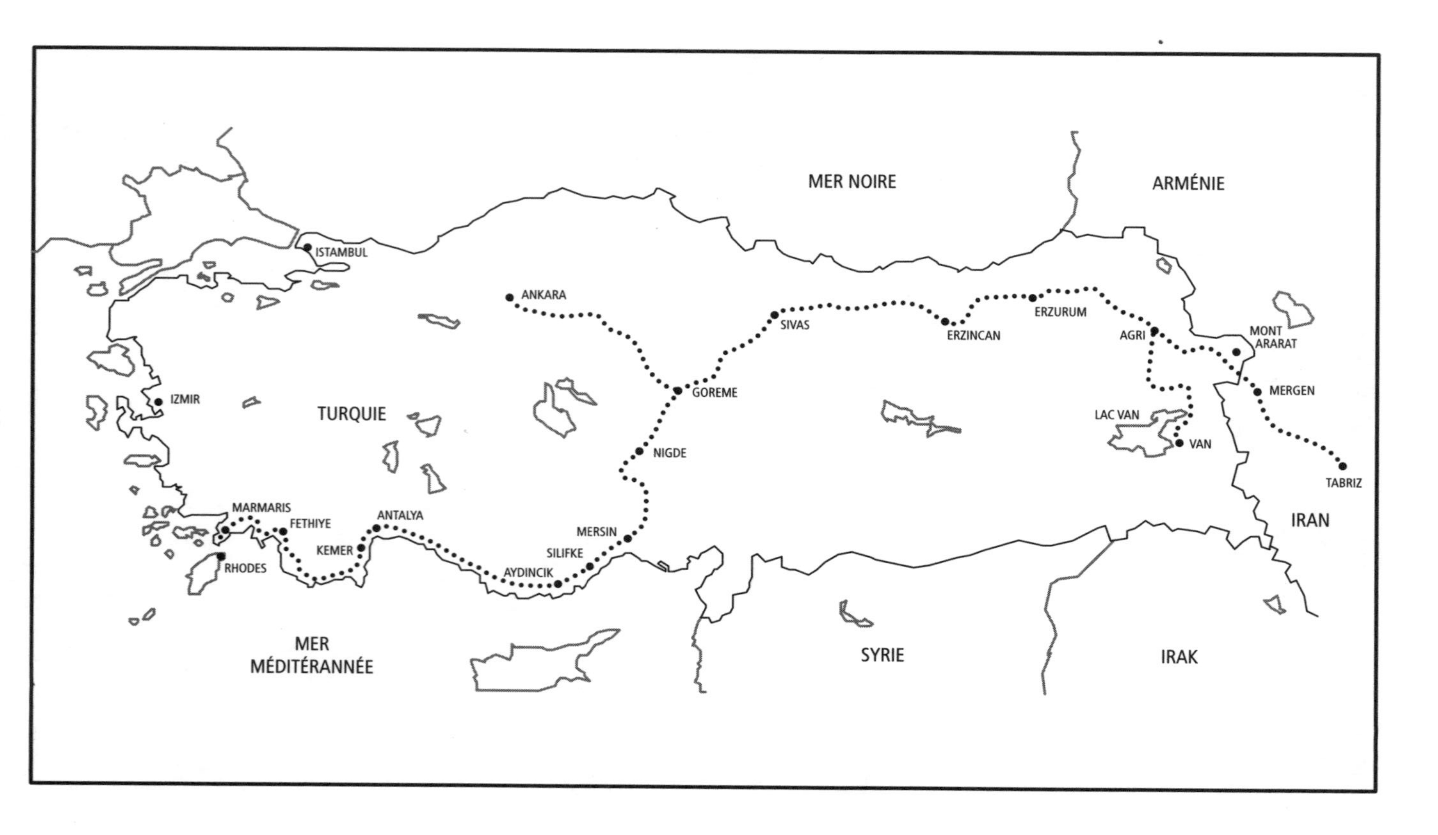
MER NOIRE
ARMÉNIE
ISTAMBUL
ANKARA
SIVAS
ERZINCAN
ERZURUM
AGRI
MONT ARARAT
MERGEN
IZMIR
TURQUIE
GOREME
LAC VAN
VAN
NIGDE
TABRIZ
IRAN
MARMARIS
FETHIYE
ANTALYA
KEMER
MERSIN
SILIFKE
AYDINCIK
RHODES
MER MÉDITÉRANNÉE
SYRIE
IRAK

Troisième chapitre

Des hauts et des bas qui n'en finissent plus

Jour 78 et suivants
Marmaris, Turquie - Le 30 septembre 1994

Quarante-cinq minutes d'hydrofoil suffisent pour nous transporter vers cette autre civilisation. L'accueil des douaniers est très aimable. On dément tout de suite la rumeur. Notre décision était la bonne.

L'Europe est un voyage, l'Orient une aventure! Comment deux voisins si proches ont-ils su garder intact leur caractère distinct? Mes premières images de la Turquie sont des corridors sans fin de bazars dans une atmosphère de vente de trottoir; c'est aussi l'odeur de la nourriture qui émane des échoppes le long des rues. Le «pide», version turque de notre pizza, est très populaire et délicieux. Pour à peine trois dollars, on se remplit la panse.

Notre première nuit, nous la passons couchés sur le toit d'une auberge pour fuir la chaleur accablante de notre petite chambre. Nous sommes réveillés à l'aube par les prières coraniques qui retentissent dans toute la ville tel un écho.

Le moral des troupes est à son meilleur, mais chacun a conscience de l'ampleur du défi.

Et moi qui rêve en silence d'un tour du monde... Mais chaque chose en son temps.

Jour 80 et suivants
Vers Kemer, Turquie - Le 2 octobre 1994

Pour notre première nuit de camping, un garagiste nous offre non pas un toit mais le toit de sa maison où l'on pose nos tentes pour la nuit. On dirait que le bâtiment vient à peine d'être achevé, mais l'homme nous explique que la construction date de plusieurs années déjà et que tant qu'elle restera dans cet état, le remboursement de son prêt fera l'objet d'un traitement fiscal avantageux. Les tiges d'acier qui sortent à la verticale du pourtour de la toiture nous donnent l'impression d'être en cage. En fait, nous sommes heureux de l'être, car après une journée à nous faire bombarder de questions par tous les passants, nous ne rêvons plus qu'à notre tente, notre bulle.

Partout le long des routes, on retrouve d'immenses robinets surélevés que l'on actionne à l'aide d'une longue tige de métal. Nous avons cru qu'ils servaient à la purification des fidèles qui se rendent à la prière comme c'est le cas dans les pays arabes, mais non, ce ne sont que de vulgaires lave-autos! Et dire que nous nous cachions pour nous en servir de peur de les insulter ou de commettre une offense. L'idée de se retrouver dans une prison turque ne laisse personne indifférent. *Midnight Express* a laissé des marques profondes, qu'on le veuille ou non.

Depuis Marmaris, nous roulons, chargés comme des mulets, sur une route montagneuse, par des températures dépassant les 35°C. À cela s'ajoute un élément qui complique l'aventure: la nourriture. Nous ne sommes plus dans des villes touristiques, et les postes d'essence, conçus également pour la restauration des camionneurs, sont de plus en plus espacés. Les villages pauvres que nous traversons nous offrent une alimentation peu variée et parfois même avariée.

Forcés par la perspective d'une longue distance sans nourriture, nous arrêtons dans un bled perdu, où il n'y a rien d'autre que deux pauvres commerces. En voyant l'hygiène pour le moins douteuse de ce qui semble être un restaurant, Jean-Pierre et Jean-Denis préfèrent acheter un pot de miel et du pain chez le voisin. Vu que je déteste rouler avec un si pauvre carburant, je me résous à faire confiance au cuisinier. Comme je ne comprends pas un traître mot à ce qu'il raconte, il me conduit dans sa cui-

Chargé comme un mulet sur ces routes de montagnes sans fin, j'attire la sympathie et la curiosité des paysans.

sine. J'aurais préféré ne pas voir. Il ouvre une armoire non réfrigérée dans laquelle se trouvent quelques pièces de viande empilées les unes sur les autres. Il me fait signe qu'il ne prendra pas la tranche du dessus, sur laquelle dînent les mouches, mais plutôt la suivante. J'accepte. De toute façon, je ne suis pas sûr de pouvoir lui expliquer que sa viande ressemble à un vieux chien écrasé sur le bord de la route. Je ne suis plus certain d'avoir pris la bonne décision, mais j'ai tellement faim que la première tranche ou la deuxième...

Il me sert la viande avec son plus beau sourire et ajoute une petite salade de concombres et tomates, probablement pour me faire oublier le reste. Jean-Denis est presque jaloux, jusqu'à ce qu'il repère des poils, beaucoup de petits poils semblables à ceux laissés par un rasage. L'assiette en est parsemée, comme si c'était du persil frais! Aux grands maux les grands moyens: j'enlève mes lunettes pour éviter de voir trop clairement ce que je mange tandis que Jean-Denis, le sourire en coin, retourne à son pot de miel.

Je digère l'épreuve, si on peut dire. Mes compagnons, eux, sont malades comme des chiens, peut-être pas écrasés au bord de la route, mais ils ne sont pas très beaux à voir: crampes, nausées, vomissements et diarrhée. Mauvais calcul. Le miel était-il plus dangereux que la viande? On ne le saura jamais. Je peux dire merci à mon estomac de plomb sans croire qu'il pourra toujours corriger mes imprudences.

Après une nuit éprouvante, Jean-Pierre décide sagement de prendre un autobus jusqu'à Kemer. Jean-Denis refuse de l'accompagner malgré son état lamentable. Il est incapable de manger et de garder quoi que ce soit. La route ne nous fait pas de cadeau et chaque montagne nous en cache une plus grosse.

Jean-Pierre n'a pas eu la vie plus facile. Conscient de la déshydratation qui accompagne ses diarrhées, il a bu deux litres d'eau avant son départ. Il n'y a pas de toilette dans les autobus en Turquie et, pire, le trajet se fait sans escale. Après six heures à souhaiter un bris mécanique, une panne d'essence, une crevaison, il se demande encore comment sa vessie a pu tenir le coup. Deux jours plus tard, lorsque nous le rejoignons, il n'arrive toujours pas à en rire, malgré nos taquineries.

Kemer, situé sur le bord de la Méditerranée, est un lieu touristique fréquenté surtout par les Allemands. Nous sommes hors saison, et Jean-Denis, notre négociateur, déniche une pension incroyable: salon, cuisine, salle de bain et trois chambres pour six dollars la nuit. Nous y resterons deux jours, le temps que mes deux malades récupèrent. C'est au marché qu'un cultivateur m'apprend qu'on ne doit jamais consommer un œuf qui flotte. Alors que je m'apprête à faire mon omelette, je fais l'expérience et, bingo, l'œuf flotte comme un ballon de plage.

Jour 87 et suivants
Vers Goreme, Turquie – Le 9 octobre 1994

Nous quittons Kemer en santé apparente. Je ne crie pas victoire trop vite car je soupçonne une autre épreuve à venir. Nous franchissons un terrain très accidenté qui nous met constamment à l'épreuve physiquement: trois fois trois cents mètres de dénivelé par jour, c'est le col du Nufenen tous les jours.

Pourquoi n'existe-t-il pas un bouton pour arrêter la gravité? Paris – Hong Kong à vélo est une bien courte phrase pour décrire autant d'efforts. Je commence à penser que je n'ai pas fini d'en voir et d'en manger! Avant le départ, j'énumérais les différents pays en prenant soin d'ajouter un point de motivation pour chacun: la traversée de la France sera rapide, la Suisse nous offrira des décors fabuleux, l'Italie sera le dernier pays avant d'aller nous reposer dans les îles grecques, la Turquie marquera le début du Moyen-Orient, l'Iran constituera le cœur de l'inconnu, et après, le Pakistan, l'Inde... Je plongeais dans le rêve avant même d'avoir fini de les énumérer. Ces simples mots, Paris–Hong Kong, me revenaient à l'esprit, et la fierté m'envahissait. Aujourd'hui, je n'ose plus les prononcer de peur de m'écrouler.

Ce soir, je suis sous la tente et je meurs de faim. Nous avons pédalé jusqu'à la tombée du jour pour aboutir au milieu de nulle part. Les fausses informations des cartes routières et notre manque de vigilance nous coûtent cher. Nous n'avons rien à manger et rien à boire et nous sommes à 40 kilomètres du prochain village. Depuis notre départ de Kemer, nous transportions toujours des provisions d'urgence: de l'eau, du riz, du thon en conserve et du chocolat. Épuisés par ce poids additionnel que nous jugions inutile, nous nous en sommes débarrassés. Nous devions être dans un état d'esprit aussi inspiré que la fois où nous avons «navigué» dans le champ de tabac en Italie. Jean-Pierre est furieux et je partage sa frustration, mais je préfère ne rien dire de peur de m'ouvrir l'appétit davantage! Notre jeûne forcé durera vingt-six heures...

Deux jours plus tard, à Aydincik, l'état de santé de

Jean-Denis se détériore et nous sommes contraints de l'amener à une clinique médicale. Le médecin de garde ne parle ni anglais ni français, mais, à notre grande surprise, il se débrouille en allemand. Il ne peut toutefois poser un diagnostic rapide avec si peu de données. Il recommande de ne manger que du riz et des bananes, et lui prépare l'ordonnance d'usage, de l'imodium. Jean-Denis a déjà pris cinq comprimés dans les dernières vingt-quatre heures! Nous décidons pour lui. Il se rendra à Goreme en autobus mais, comble de malheur, on lui refuse d'embarquer à cause de son équipement trop volumineux. À bout de force, il enfourche son vélo, et déclenche, à toutes fins pratiques, «le pilote automatique». Pauvre lui, il dépérit sous nos yeux et nous ne savons que faire. Peut-il en mourir?

De son côté, Jean-Pierre exprime, pour la première fois, sa fatigue et les douleurs qu'il éprouve aux genoux. Il porte le poids de ses années de judo. Le moral du groupe n'a jamais été aussi bas.

Jour 95
Goreme, Turquie - Le 17 octobre 1994

Nous atteignons Goreme en Capadoce et je dresse un bilan de l'effort physique fourni: la côte turque a été aussi formidable que pénible. Sur douze jours de route, huit d'entre eux ont nécessité plus de 1 000 mètres de montée par des températures dépassant les 35°C. Le contraste est violent depuis que nous avons quitté la côte et gravi les 1 500 mètres de dénivelé qui nous séparaient du plateau anatolien. La température descend au point de congélation la nuit et ne monte guère à plus de 10°C le jour. C'est comme arriver à Mirabel en plein mois de janvier après deux semaines de vacances en Floride. Les vêtements d'été sont jetés aux ordures pour faire place aux gants, à la tuque et au foulard. Dire que je me plaignais de la chaleur...

Jamais je n'aurais anticipé de telles froidures si tôt en automne. On dit que la température de l'air diminue d'un degré pour chaque tranche de 100 mètres et je suis à même de le constater. Nous pensions avoir tout prévu. Le climat s'arrange toujours pour régler le cas de ceux qui croient avoir tout prévu.

Jour 100

Goreme, Turquie - Le 22 octobre 1994

Si la chaleur, le vent, les montagnes, les blessures et la maladie ont été des obstacles, l'obtention du visa iranien a été l'objet de bien des inquiétudes.

Si le chemin le plus court entre deux points est la ligne droite, la bureaucratie est sans contredit le plus long! L'Iran n'a pas d'ambassade au Canada, nous n'avons donc pas pu obtenir de visa avant le départ. À Rome, nous avons fait des pieds et des mains pour obtenir photos, confirmations de passeports et lettres d'intégrité par l'ambassade canadienne pour être finalement référés à l'ambassade d'Athènes. Là-bas, nous nous sommes tapé 80 kilomètres dans une ville bruyante, surpeuplée et polluée pour nous laisser dire d'une façon désinvolte de nous fier aux douaniers iraniens, d'avoir confiance.

Craignant le sort qui nous attend à la frontière, nous décidons d'aller en bus à Ankara, la capitale, à 300 kilomètres d'ici, pour tenter une fois de plus d'obtenir cette précieuse estampe. C'est là que nous reprenons tout le processus de Rome et d'Athènes. Les différents services sont situés aux extrémités de la ville, le système de transport est inadéquat et la langue incompréhensible. Deux jours de démarches pour aboutir à quatre jours d'attente. Un acte de confiance. Un vrai.

Je séjourne à Ankara pendant que Jean-Pierre et Jean-Denis retournent à Goreme pour remettre nos vélos en condition. Ankara est une grande métropole qui a gardé son côté rustique. Le rythme de vie est lent, beaucoup plus lent que celui des grandes villes européennes. Je passe plusieurs heures assis le long des murs, perdu dans le décor, à observer la vie quotidienne des travailleurs: le cireur de souliers qui s'acharne à faire scintiller le cuir pour seulement quelques sous, le commerçant qui nettoie tranquillement son portail entre chaque client, l'ouvrier qui taille minutieusement ses pierres pour rapiécer le macadam...

À défaut de chauffer les chambres adéquatement, mon hôtel bon marché fournit d'épaisses couvertures de laine bouillie. Comme la chaleur de mon sac de couchage s'annonce insuffisante pour les mois d'hiver, je demande à l'hôtelier de me vendre une de ses couvertures. Sa réponse est catégorique: non. Je lui mets une liasse de billets turques sous le nez. Il reste froid et inébranlable. En désespoir de cause, je sors un petit billet vert de dix dollars que je dépose soigneusement sur la vitre du comptoir. Il le saisit, le regarde à la lumière et me dit sans attendre: «How many you want?»

Après de longues et laborieuses démarches, je vois enfin apparaître dans nos passeports le sceau officiel nous permettant l'entrée en Iran. Nous avons consacré neuf jours au total pour obtenir cette permission, et je nous considère chanceux malgré tout, car les deux Anglais et l'Américain qui me précédaient n'ont pas eu le même privilège. Ils devront faire marche arrière ou survoler le pays.

De retour à Goreme, je retrouve mes compagnons et nous profitons pleinement de la Cappadoce. Située sur le plateau anatolien, cette région de la Turquie est reconnue pour ses cheminées de fées. Ces imposants massifs rocheux en forme de cône se dressent les uns contre les autres pour former un décor lunaire. Pour ajouter à l'exotisme, les habitants ont construit leur maison à la base et créé des sanctuaires religieux décorés de fresques admirables. Entre ces dentelles de pierre, qui donnent l'illusion de personnages tous plus surprenants les uns que les autres, se nichent des jardins, des vignes et des vergers. La roche friable qui durcit au contact de l'oxygène a même permis de creuser des villages souterrains de plusieurs étages où les habitants se réfugiaient pour échapper aux envahisseurs.

Nous écourtons notre séjour dans ce paradis, car la neige risque de nous surprendre. Cinq cols nous attendent dont trois dépassent les 2 000 mètres. Nous longerons ensuite le pied du célèbre mont Ararat, avant d'entrer dans la République iranienne. Nous ne savons pas ce qui nous attend. Aucune idée, sinon que la température sera très froide dans la chaîne de l'Elbourz, au nord-ouest, et qu'elle devrait s'améliorer à mesure que nous nous rapprocherons de Téhéran.

Les gens ne cessent de nous répéter que l'est de la Turquie, le Kurdistan, est dangereux et que nous sommes «crazy» d'aller en Iran. Ces propos sont copie conforme de ceux que j'ai entendus chez nous; mais ma décision est prise: je veux juger sur place. Rien ne me fera reculer. Je me sens d'attaque. Le défi des prochains jours n'est plus de faire du vélo mais simplement de survivre.

Avant de partir, je poste un collier à Caroline et une petite fiole de verre dans laquelle on retrouve mon nom gravé sur un grain de riz. Les lignes téléphoniques sont très mauvaises depuis un mois et nous avons beaucoup de difficultés à communiquer. Les envois postaux restent le moyen le plus sûr pour transmettre les nouvelles.

Il y a à peine cinquante ans, les paysans vivaient encore dans ces habitations troglodites taillées à même les roches.

Jour 101 et suivants
Vers Sivas, Turquie - Le 23 octobre 1994

Le froid, omniprésent, nous attendait à la sortie de Goreme. Ça me fait peur. Le soir me retrouve vidé de mes énergies. Je dresse ma tente, je cuisine et je me couche en grelottant. J'apprécie ma nouvelle couverture de laine et j'accepte de transporter ce poids additionnel pour un plus grand confort. Les nuits sont humides et le mercure tombe maintenant sous le point de congélation. Je regarde droit et loin devant, question de garder le moral.

Jour 107
Sivas, Turquie - Le 29 octobre 1994

À notre grand désespoir, Jean-Denis prend la décision de retourner au Québec. Malgré une ordonnance de

Le décor magique de la Cappadoce et de ses cheminées de fées n'aura pas suffi... le voyage de Jean-Denis se termine ici.

nydazol, le virus continue de faire ses ravages. Il a été malade à plusieurs reprises depuis notre entrée en Turquie et nous espérions toujours qu'il finisse par guérir. Il n'a jamais baissé les bras. Son cœur l'aurait porté au bout du monde, mais son corps, affaibli par des diarrhées chroniques, ne peut plus continuer. Son système immunitaire est devenu si faible que la moindre nourriture le rend malade. Ce matin, après une nuit que je me passerai de décrire, Jean-Pierre conduit notre compagnon de guerre à l'hôpital. C'est la fin de son voyage. La mort dans l'âme, il nous fait cadeau du matériel dont nous pourrons avoir besoin pour poursuivre.

Quatrième chapitre

L'hiver anatolien frappe de plein fouet

Jour 107 et suivants
Sivas vers Agri, Turquie - Le 29 octobre 1994

Le trio a cessé d'être. Nous quittons trois jours avant le départ de Jean-Denis. Novembre ne nous laisse pas sans angoisse. J'ai quelques picotements dans le nez. Je me jure de respecter le principe de l'oignon: porter le strict minimum lors des ascensions pour éviter que la transpiration ne me glace le corps dans la descente. Quelques feuilles de papier journal posées entre mes vêtements, à la hauteur du torse, absorbent l'excédent d'humidité tout en constituant une barrière contre le vent. Cette même technique se révèle tout aussi efficace pour garder les pieds bien au chaud.

Les villages se font rares et le mot d'ordre est d'atteindre Agri le plus rapidement possible. Nous ne pouvons plus nous payer le luxe de jouer les touristes. Nos chances de succès reposent sur une sortie rapide de la zone hivernale. Notre course contre le froid nous rend solidaires plus que jamais.

Jour 114
Agri, Turquie - Le 5 novembre 1994

Nous avons mis sept jours consécutifs, dans un froid glacial, pour franchir les 650 kilomètres qui nous séparaient d'Agri. Sept jours sans se laver, sept jours à manger et à dormir dehors.

Le froid nous vide et pourtant il faut toujours pédaler. Très tôt le matin, il nous sert de réveil. La goutte glacée au bout du nez, les mains paralysées, le dos traversé par des frissons incontrôlables, nous plions bagages à vive allure pour sauter sur nos bécanes. Il nous faut une dizaine de kilomètres avant de chasser les tremblements et être en mesure d'arrêter pour préparer le déjeuner: du pain, du miel, des œufs et de l'eau en grande quantité.

Par une journée ensoleillée, la température deviendra tolérable vers midi, sinon il nous faut encore composer avec le froid. Vu que les jours sont courts, nous pédalons jusqu'au crépuscule avant de choisir un emplacement à l'écart de la route, si possible près d'un ruisseau. Nous montons les tentes et, après avoir enfilé tous nos vêtements, nous préparons un souper qui se résume à du riz au thon mélangé à un sachet de soupe. Ainsi il ne nous reste qu'à nous réfugier sous la tente en espérant quelques heures de répit.

Au cinquième jour de cette course, Jean-Pierre est surpris de devoir me tirer de mon sommeil. J'ai vomi, j'ai eu la diarrhée toute la nuit et je venais à peine de fermer l'œil. Des ballonnements et d'horribles crampes me transpercent le ventre. Dois-je continuer ou prendre une journée de congé? Jean-Pierre démonte les tentes en prenant bien soin de ne pas poser les pieds sur l'une des nombreuses «mines» que j'ai déposées ici et là durant la nuit. Je laisse mon sort entre les mains de celui qui voudra bien s'en charger et c'est en véritable zombie que je pédale jusqu'au prochain village. Un effort de 30 kilomètres.

La fin de cette journée relève du miracle. Mes douleurs

au ventre ont disparu après un copieux dîner et j'ai retrouvé mes forces. Nous avons parcouru 115 kilomètres et, selon ma montre qui additionne les ascensions, nous avons gravi 1 295 mètres, une montée record pour une seule journée. Il est tard et nous nous arrêtons dans une station d'essence. Jean-Pierre est assis devant moi, frigorifié. Il a négligé de retirer une couche de vêtements lors de la dernière montée de 3 kilomètres et le froid l'a transpercé lors de la descente. La tuque enfoncée jusqu'aux yeux, les épaules tassées, le dos voûté, le regard fixé sur le plancher, les dents qui ne cessent de claquer, il sirote un thé bouillant qu'il tient entre ses mitaines. Il est épuisé. J'avoue que nous sommes allés au-delà de nos forces, mais je tente de le rassurer en lui rappelant que nous ne sommes plus qu'à deux jours d'Agri et que nous sortirons bientôt du froid. Il ne répond rien. Il n'a plus la force de me croire, ni même de me sourire.

Pourtant, la dernière nuit passée sur le col à une altitude de 2 315 mètres et les -10°C n'allaient pas refroidir nos ardeurs. Ralentis par un vent de face, c'est à pas de tortue que nous franchissons les interminables kilomètres qui nous séparent de la dernière ville turque et, pour nous, lieu de repos bien mérité. Nous avons été privés d'eau à cause de nos gourdes glacées et nous sommes déshydratés. Couchés sur le lit d'une petite pension crasseuse d'Agri, nous enfilons chacun cinq litres d'eau légèrement salée pour rétablir l'équilibre électrolytique du corps.

Je sens la chaleur pour la première fois depuis longtemps. Jean-Pierre somnole à côté de moi et je reste éveillé pour savourer ce moment.

Jour 116
Agri, Turquie - Le 7 novembre 1994

Je suis à Agri depuis deux jours et ma joie cache une nervosité. Le calme et le repos sont difficiles à supporter après plusieurs jours sur la corde raide. J'ai peur que ce répit ne se convertisse en inertie et que je ne puisse plus jamais repartir. L'énergie physique et mentale requise pour franchir de telles épreuves et l'idée de retourner au combat est suffisante pour m'écraser. C'est comme si je vivais au présent un futur transposé du passé. Bien au chaud dans mon sac de couchage, je me surprends par exemple à crisper mes membres comme si j'étais encore au froid sous la tente. Je sais par expérience que cet état est causé par une fatigue excessive. Il faut reposer le corps et l'esprit en se déconnectant de la réalité, ou plutôt, du fardeau qu'engendre cette réalité. Sinon, inutile d'espérer repartir.

Jour 120
Agri, Turquie - Le 11 novembre 1994

Nous sommes ici depuis le 5 novembre et nous attendons toujours notre colis du Canada. Précieux colis, avec lettres de nos proches et vêtements très chauds. Autrement, nous serions déjà repartis. L'hiver nous talonne et une autre bordée de neige pourrait s'ajouter aux cinq centimètres qui couvrent déjà le sol.

La clé de mes communications repose sur de brefs appels téléphoniques pour indiquer ma position géographique et mon état de santé. Je poste mon journal personnel à intervalles réguliers. Pour recevoir du courrier, nous disposons heureusement d'un système utilisé partout dans le monde et qui consiste simplement à écrire le nom de la personne, suivi de «poste restante» et du nom de la ville et du pays. Pour réclamer le paquet, il suffit de se présenter au bureau de poste central de la ville avec deux pièces d'identité, dont le passeport. Les lettres et colis non réclamés dans les trois mois de leur réception sont retournés sans frais à l'expéditeur.

Mes parents, mes plus fidèles collaborateurs pour cette grande aventure, se chargent de rassembler toutes les lettres de mes copains. Ils en profitent pour glisser des vitamines, des rouleaux de film, une seconde combinaison thermale et quelques photos récentes. Caroline, pour sa part, m'écrit toutes les émotions qui la traversent. Une conversation régulière qui constitue, depuis mon départ, l'essence de notre relation.

Agri est une ville de 50 000 habitants, sale, pauvre et ennuyeuse. Heureusement, par l'entremise d'un jeune homme rencontré dans la rue, nous nous lions d'amitié avec un groupe de professeurs turcs. Nous communiquons en anglais ou en allemand. Je spécifie qu'ils sont turcs, car depuis que nous avons quitté Sivas, nous sommes dans la région du Kurdistan, donc chez les Kurdes, un peuple ayant une langue et une culture qui lui sont propres. Ils vivent depuis des siècles à l'est du plateau anatolien, coincés entre les pays limitrophes de l'Arménie, l'Iran, l'Irak et la Syrie. La cause des conflits chroniques a pris naissance lorsque le général Mustafa Kemal, appelé aujourd'hui Ataturk (père des Turcs) a fixé les frontières de la Turquie en les abandonnant. À l'époque de la chute de l'empire ottoman, en 1923, il a donné naissance à la Turquie moderne en s'appropriant les terres comprises entre la mer Égée à l'ouest, la mer Noire au nord, la Méditerranée au sud, jusqu'au mont Ararat à l'est. Une bonne partie de ce territoire était habitée par les Kurdes, mais aucun droit ne leur a été légué. Aujourd'hui, ils se rebellent parce qu'ils ont été privés de l'État souverain que le traité de Serres (1920) leur avait promis. Ce redécoupage géographique en a fait un peuple sans pays. De plus, le gouvernement les empêche maintenant de parler leur langue et oblige les jeunes à s'inscrire dans les écoles d'assimilation turques spécialement conçues pour eux. Les Kurdes ont fondé le Parti des travailleurs du Kurdistan (PKK) pour assurer la défense de leurs droits fondamentaux. De ce parti politique a émergé un groupe de rebelles qui utilise la force pour arriver à ses fins.

Depuis 1984, les combats entre l'armée et les rebelles ont fait plus de 17 000 victimes. Même si je me trouve au cœur de cette ligne de feu, je dois dire que la situation conflictuelle n'est pas apparente. On est plus effrayé par ce qu'on nous raconte que par ce que l'on perçoit réellement. À moins de se trouver à l'endroit précis et au moment exact où éclate une bombe, les villes nous paraissent relativement calmes. Erzurum a été le théâtre de manifestations terroristes, mais rien n'était perceptible lorsque nous sommes passés, deux semaines plus tard. La guerre frappe sans que personne sache où et quand. On nous assure qu'aucun touriste n'a jamais été victime d'attentats; trois Suisses par contre ont déjà été pris en otage pour forcer le gouvernement turc à négocier.

La situation est bien différente pour nos amis, les professeurs turcs. Condition obligatoire pour l'obtention du diplôme, le gouvernement les envoie une année dans une école turque du territoire kurde. Ces pauvres instituteurs, qui incarnent les destructeurs de la culture kurde aux yeux des rebelles, sont des cibles civiles de choix. Trois d'entre eux viennent d'ailleurs d'être tués dans un village plus au sud. Il va sans dire qu'ils sont terrorisés et attendent avec impatience la fin de leur contrat pour repartir à l'ouest.

Jour 122
Agri, Turquie - Le 13 novembre 1994

Jamais aucun touriste ne sera resté aussi longtemps dans cette ville qui détient le record de froid en Turquie: -54°C! Nous sommes devenus si connus que nous entendons le mot «bicyklet» partout où nous allons. À la poste, où nous nous rendons désespérément chaque jour, on nous offre quotidiennement notre tasse de thé au milieu des employés qui s'affairent à l'ouvrage.

Nous profitons de nos temps libres pour visiter nos amis dans le petit village où ils enseignent. Situé à 17 kilomètres, ce hameau nous plonge dans la véritable pauvreté. Les terres environnantes produisent à peine de quoi survivre. Les maisons délabrées, fabriquées de pierres et de terre séchée, sont éparpillées le long des rues boueuses, et il n'y a que deux puits d'eau potable pour desservir ses 800 habitants. Mais le pire, c'est ce froid incessant à 1 800 mètres d'altitude. Aucune maison n'est isolée et l'école n'est pas chauffée. Et l'on s'étonne que les élèves manquent de motivation! Sur une banquette congelée, la concentration et le désir d'apprendre se résument à claquer des dents. Ça me crève le cœur. De retour à ma pension crasseuse, j'ai l'impression d'être dans un château.

Jour 124
Agri, Turquie - Le 15 novembre 1994

Nous sommes à Agri depuis maintenant dix jours et

notre colis n'est toujours pas arrivé. Le froid s'intensifie. Nous n'avons plus le choix, nous quitterons demain.

Les arrêts prolongés poussent à la réflexion. Lorsque j'ai planifié ce voyage, je me répétais que ma préparation mentale était tout aussi importante que ma préparation physique. Il est fondamental d'emmagasiner ce que j'appellerai «une énergie du désespoir». C'est dans les moments les plus éprouvants que je puise dans cette énergie. C'est elle qui me pousse à continuer, c'est le carburant principal qui me conduira au bout de mon rêve. Après les sept jours qui m'ont amené à Agri, mon énergie du désespoir a fait défaut. Cette panne temporaire a été le signal d'alarme envoyé par mon corps au subconscient pour le prévenir qu'un épuisement total allait se produire. Sous l'effet de l'adrénaline, on ne ressent pas la fatigue, et sans un message clair du subconscient, on risque de surtaxer son système. Ce message agit donc comme un disjoncteur qui empêche de faire sauter la boîte, si je puis m'exprimer ainsi. Il me faudra dorénavant déceler les fatigues avant qu'elles soient extrêmes. Mais comment ne pas tomber dans la complaisance, la facilité? Toutes les raisons seraient bonnes pour arrêter puisque toutes les journées sont épuisantes!

Cette énergie du désespoir est quasi inépuisable pour celui qui s'est longuement préparé et pour celui qui arrive à la recharger. Comment? Voilà ma technique: en refusant de m'apitoyer sur mon sort après une journée de pluie, de vent et de froid, je me sens fier d'avoir vaincu les éléments de la nature. J'apprécie les rencontres enrichissantes, je me régale des plus beaux décors et des mets nouveaux, et j'essaie de conserver ma capacité d'émerveillement. L'énergie du désespoir, c'est la préparation mentale que j'ai mis deux ans à construire, et c'est elle seule, je le répète, qui me conduira là où je le veux. Avec cette technique, je vois la lumière dans le noir, le confort dans la misère, le résultat plutôt que la difficulté, le chemin qui mène à la victoire, je sens mon corps prêt à affronter l'épreuve. Je brûle du feu de l'aventure, et je me répète que mon ange me protégera partout où cette flamme me portera.

Il me semble que plus j'approche de l'Est, plus il s'éloigne! L'éloignement n'est quantifiable que s'il existe un point de référence fixe. L'Iran est peut-être loin, mais loin de quoi? Ce pays est loin de mon salon à Chicoutimi, mais dans ma réalité présente, il n'est qu'à 200 kilomètres. De la même façon, le Québec, pour un Iranien de Tabriz, c'est le bout du monde. Alors finalement, c'est peut-être le Québec qui est loin!

Mon esprit s'emplit d'images de la Turquie: ses montagnes, ses cols, ses rivières, ses plages désertes et paradisiaques encastrées dans des falaises qui viennent choir dans le bleu azuré de la mer. La Turquie, c'est l'accueil chaleureux des habitants ruraux, un contact privilégié causé, bien sûr, par la particularité de notre aventure. Je n'ai pas vu d'attroupements autour des autobus bondés de touristes, mais nos bicyclettes ont l'effet d'un aimant si puissant, que le soir venu, nous nous réfugions à l'écart pour nous offrir un peu de solitude.

L'Iran me paraît plus accessible maintenant. On me déconseille toujours d'y aller, mais ma lente progression vers ce soi-disant danger fait que j'en ai moins peur. Bonne chance, mon vieux.

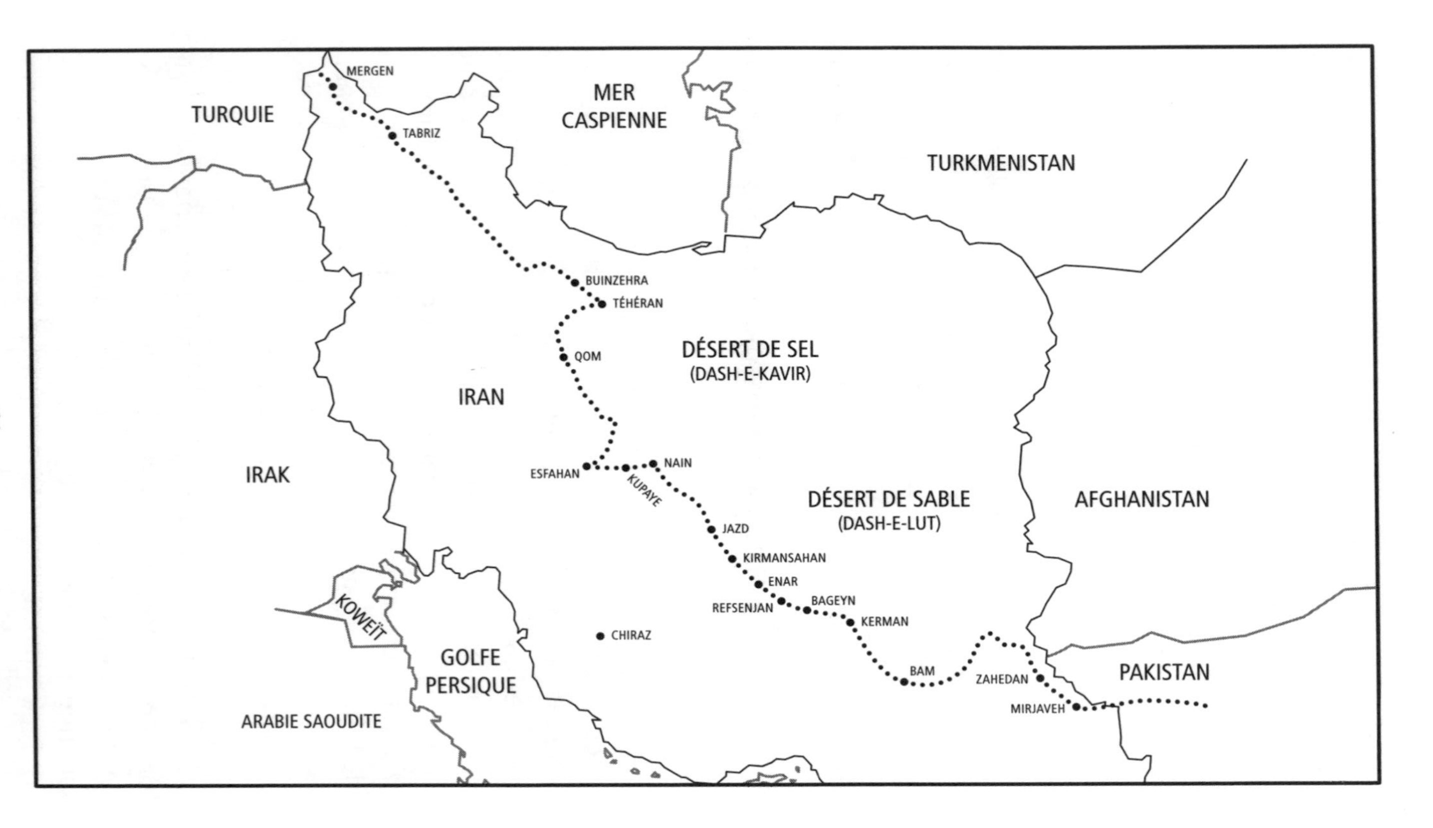

TURQUIE
MERGEN
TABRIZ
MER
CASPIENNE
TURKMENISTAN
BUINZEHRA
TÉHÉRAN
QOM
DÉSERT DE SEL
(DASH-E-KAVIR)
IRAN
IRAK
ESFAHAN
KUPAYE
NAIN
DÉSERT DE SABLE
(DASH-E-LUT)
AFGHANISTAN
JAZD
KIRMANSAHAN
ENAR
REFSENJAN
BAGEYN
KERMAN
KOWEÏT
CHIRAZ
GOLFE
PERSIQUE
BAM
ZAHEDAN
PAKISTAN
MIRJAVEH
ARABIE SAOUDITE

Cinquième chapitre

Une journée à la fois

Jour 127
Mergen, Iran - Le 18 novembre 1994

Nous avons rejoint la frontière iranienne en longeant le célèbre mont Ararat, là où se serait échouée l'Arche de Noé après le déluge. Du haut de ses 5 165 mètres, il domine majestueusement la région, et bien que nous soyons à 120 kilomètres, ce géant occupe entièrement l'horizon. Quelle incroyable impression le mont Everest doit déga-

Au centre de la zone trouble du Kurdistan, le célèbre mont Ararat (5 165 mètres) marque notre départ de la Turquie.

ger avec ses 8 848 mètres! Je note la comparaison avec un sourire, plus haut, plus gros, plus loin, plus difficile, plus tard...

La douane iranienne est très stricte: interdiction formelle d'importer des magazines, de la musique étrangère, des photos de femmes sans tchador, de l'alcool, des cigarettes, en somme tout ce qui symbolise l'Occident. Des files interminables de camions de marchandises attendent les vérifications d'usage, tandis que les autobus et les voitures sont inspectés à la loupe. Un camionneur me dit qu'il patiente depuis déjà une semaine pour obtenir son permis de circulation. Voyageant en groupe, les routiers acceptent cette situation parce qu'elle fait partie intégrante de leur travail et de leur rémunération. Les camions sont bien équipés pour des attentes prolongées et la frontière ressemble davantage à un immense terrain de camping pourvu d'installations rudimentaires: toilettes, eau non potable et magasin général. C'est un rassemblement de toutes les nationalités où l'anglais demeure la langue clé.

Nous avons un visa de transit d'une semaine, et si j'avais suivi les paresseux conseils donnés en Grèce par les gens de l'ambassade, je devrais joindre la horde des camionneurs et attendre. Après avoir mis plus d'une heure à obtenir l'estampe qui nous donne la permission de quitter la Turquie, nous décidons de nous faufiler à travers la cohue en direction de la douane iranienne pour le contrôle final. Les gens, avec leurs immenses valises, sont partout sur notre chemin, mais, miraculeusement, sans rouspéter, chacun s'écarte pour nous laisser passer. Au bout de la file, les douaniers, le nez plongé dans les bagages, inspectent systématiquement tout ce qui passe. Jean-Pierre ouvre ses sacoches par mimétisme; or le préposé lui fait aussitôt signe de passer. Il me regarde sans trop comprendre. D'instinct, je le pousse avec ma roue pour qu'il disparaisse avant que le douanier ne change d'idée; j'enfile derrière lui comme si j'étais son ombre. Nous sommes libres. Rien n'échappe à la douane iranienne, sauf nous! Étrange.

Une chaîne de montagnes enneigées de plus de 4 000 mètres nous souhaite la bienvenue et nous accompagne pour les 30 kilomètres suivants. Le temps est glacial, mais je suis aux anges. De petites échoppes rudimentaires bordent les rues des villages. De vieilles voitures, semblables à celles que j'ai vues en Russie, sillonnent les routes. Je suis dans un autre monde.

Les pires scénarios que j'avais imaginés ne sont pas au rendez-vous. Au contraire, les gens nous sourient et nous envoient timidement la main. Mes craintes s'estompent peu à peu. Nos peurs originent de notre propre conception de l'inconnu. Sur place, on apprivoise cet inconnu et on apprend à le regarder d'un œil plus juste. Regarder vivre, comprendre, apprendre, repousser mes limites, c'est l'essence même de ce périple, et aujourd'hui, je suis récompensé.

À part les quelques villages que nous traversons, la route est bordée de part et d'autre par une plaine rocailleuse qui s'étend sur plusieurs kilomètres avant de se buter sur les contreforts de sommets enneigés. Une végétation dégarnie assure quand même la vie des moutons qui se promènent accompagnés de leur berger. Le soir approche, et sans trop savoir si nous avons le droit de camper où bon nous semble, nous nous réfugions derrière un abri qui sert au bétail. À l'horizon, comme s'ils s'échangeaient la garde, le soleil cède sa place à la pleine lune. La nature respire le calme. Il n'y a aucun bruit.

À voix basse, Jean-Pierre me confesse que ses douleurs aux genoux sont intolérables, qu'il sent la fin proche. Il souffre du syndrome fémoro-patellaire généré par toutes ses années de judo. La rotule mal alignée provoque une usure anormale des cartilages qui se caractérise par de l'œdème et de l'inflammation. Il se déplace de peine et de misère.

Pour les jours qui suivent, il adopte un rythme infernal. J'ai le sentiment qu'il me tire, aussi loin que ses genoux le lui permettront, qu'il me donne son énergie pour que je conserve la mienne. Il ouvre la marche, me coupe le vent et refuse que je lui rende la pareille. La tristesse m'envahit peu à peu. Je sens qu'il se détache du périple, qu'il se réfugie dans sa bulle. Tout en laissant sur le bitume d'Iran ses dernières onces d'énergie, il a compris qu'il n'y a pas de solution, pas de guérison possible. Au contraire, il crée aujourd'hui les séquelles de demain.

Jour 131
Tabriz, Iran - Le 22 novembre 1994

Lorsque nous traversons un village, notre accoutrement provoque des attroupements et celui qui parle anglais se fait un plaisir de devenir notre guide et notre interprète. Nous cherchons un hôtel abordable pour demeurer à Tabriz, lorsque Reza vient nous accoster. Il s'exprime dans un anglais impeccable et nous apprend qu'il est propriétaire d'une manufacture de pièces de caoutchouc. Il nous offre son aide. Nous avons le réflexe de soupçonner l'arnaque. Un Samaritain providentiel dans une ville comme Tabriz, c'est trop beau pour être vrai. Il nous laisse à l'hôtel et nous annonce qu'il passera nous prendre demain matin. Nous sommes encore sur un pied d'alerte.

Reza est au rendez-vous à l'heure prévue. Nous avons droit à une visite de la ville et il nous invite chez lui, chez ses parents. Murs dénudés, tapis persans, quelques meubles d'appoint, une télévision et plusieurs coussins. Un éclairage léger amplifie la blancheur des murs. Nous mangeons avec son père. Sa mère, qui a préparé le repas, disparaît dans une autre pièce. Elle mangera seule les restes de table... après les hommes.

Quatre jours ont passé. Reza est un gentilhomme. Il s'occupe de nous sans relâche. Nous renouvelons notre visa de transit qui expire dans quelques jours. Comme nous voyageons à vélo, nous obtenons facilement une prolongation supplémentaire d'un mois. Toutefois, le problème le plus sérieux demeure celui de ma roue arrière, sur le point de rendre l'âme. Depuis deux semaines, je passe en moyenne une heure chaque soir pour la défausser sans obtenir de résultats durables. Aujourd'hui, Reza m'amène chez le meilleur réparateur de la ville. Miracle, tout s'arrange.

En Iran, les relations internationales sont coupées, de sorte qu'aucune banque n'accepte les cartes de crédit. Nous sommes pris dans un étau: nous n'avons plus d'argent et ne connaissons aucun moyen légal de nous en procurer. Reza nous aide à convertir nos lires turques en rials iraniens sur le marché noir. Le stress qui accompagne la transaction est insoutenable. Si nous sommes pris, c'est la prison parce qu'en Iran, les lois existent pour être respectées. Pour se couvrir en cas d'échec, il nous laisse seul avec le trafiquant qui nous trimballe vers des coins de plus en plus retirés du bazar. Nous sommes les seuls étrangers et notre présence dans cette partie pauvre de la ville fait tourner les têtes. Un complice, le nez pointé derrière une multitude de tapis persans, nous fait signe de le rejoindre. Il sort une liasse de billets et disparaît en vitesse. Sans même savoir s'il nous a remis la bonne somme, nous courons rejoindre Reza pour qu'il nous ramène en lieu sûr.

Nous avons joué à un jeu dangereux qui n'a jamais fait partie de notre planification. Je n'ai pas le cœur à répéter de telles intrigues et je me promets d'être économe. Avec des repas de poulet, riz, salade et yogourt pour un dollar, boisson comprise, j'y arriverai sûrement.

Avant de partir, Reza nous dit que le désert de sel (Dash-e-Kavir) débute tout juste au sud de Téhéran et qu'il sera suivi du désert de sable (Dash-e-Lut). Pour nous encourager, il mentionne qu'il ne nous reste plus que sept cents kilomètres avant que la température devienne plus clémente! Quoi qu'il en soit, nous aimerions bien passer Noël ou le jour de l'An à la chaleur, quelque part au Pakistan.

Reza nous a tellement aidés que je lui demande les raisons de sa gentillesse et de sa générosité. Un réflexe bien occidental. Il m'offre pour toute réponse la pratique de l'anglais et la possibilité d'avoir des nouvelles d'outre-frontières non filtrées. Devant mon insistance, il me demande de l'inviter au Canada si jamais je lui écrivais. C'est la seule justification pour laquelle un Iranien peut quitter son pays et il s'empresse d'ajouter que, malheureusement, sa situation financière ne lui permettrait pas un tel voyage. Mais qui sait, peut-être un jour...

Jour 137
Buinzehra, Iran - Le 28 novembre 1994

Les genoux de Jean-Pierre continuent de se détériorer de jour en jour. Un mal chronique ne recule pas, malgré une période de repos. Toutes les tâches qui impliquent une flexion sont effectuées avec une lenteur extrême, à la recherche de points d'appui.

Hier, nous avons roulé sous une pluie glaciale, et ce matin, je n'ai plus d'énergie pour combattre. Le froid nous colle aux fesses comme une amibe à l'intestin! Nous sommes perchés sur ce plateau depuis 41 jours. Je ne trouve plus de charme à la montagne. Pas aujourd'hui. Nous arrivons à Téhéran demain. Enfin.

Jour 138 et suivants
Téhéran, Iran - Le 29 novembre 1994

Nous avons rencontré un autre Reza à Téhéran. Il a passé dix-sept ans en Angleterre, parle un anglais sans faute et nous prend sous son aile pour nous faire visiter cette ville de 17 millions d'habitants. Je suis en mesure d'utiliser ma carte de crédit pour obtenir des rials, à mon grand soulagement. Quoique le prix de la chambre d'hôtel dépasse notre budget, les repas sont copieux, agréables et toujours pour un dollar.

Pour réduire la congestion, il y a très peu de voitures

admises au centre-ville, et le système de transport public est inadéquat. Pour se déplacer, les piétons s'arrêtent donc le long des artères et agitent la main à la hauteur de la hanche, comme nous le ferions pour demander à un automobiliste de ralentir. Les conducteurs circulent lentement, la vitre baissée, et font monter, pour un prix fixe, les passagers ayant une destination similaire. C'est une combinaison d'auto-stop, de covoiturage et de taxi, et tout le monde y trouve son compte.

Dès 6 h ce matin, Reza et ses copains nous convient à un petit déjeuner typique dans un restaurant de banlieue. À l'entrée, quatre grandes marmites bien alignées reposent sur des poêles à gaz. On y cuit toutes les parties d'un mouton, même les coussinets plantaires. Le service est effectué selon un rituel éprouvé. Depuis notre arrivée au Moyen-Orient, nous avons développé un sens de l'hésitation et du doute qui nous sert bien ce matin. Je comprends maintenant ce qui les amuse tant: c'est qu'une partie de l'animal est destinée exclusivement aux invités: les testicules! Comme il n'y en a que deux, on ne peut les partager. Un refus de nourriture en Iran est un manque de politesse. Le cuisinier observait du coin de l'œil notre répugnance mal contenue, voyant bien que nous nous étions résignés à être polis. Heureusement, il a pouffé de rire.

Jour 142
Téhéran, Iran - Le 3 décembre 1994

Une journée de constat, de courage, de décision et de tristesse.

Jean-Pierre retourne au Québec. Il n'en peut plus. Le relief montagneux de la Turquie et le froid intense auront eu le dernier mot. La douleur aiguë provoque un état nauséeux, embrume sa pensée et le prive des quelques plaisirs passagers que nous pouvons nous offrir. Le rêve n'est devenu que douleur et souffrance. Il voudrait tant poursuivre. Il craint que son départ ne m'incite à abandonner. Je le rassure en lui disant de ne pas s'en faire, qu'il a été le meilleur compagnon de voyage qu'on puisse rêver d'avoir et que je suis heureux que l'on se soit rendus si loin ensemble. Mais aujourd'hui, le destin nous sépare. Il est soulagé de voir que je ne lui en veux pas. Comment le pourrais-je?

Il fait ses bagages en prenant bien soin de me laisser les meilleurs éléments, dont un sac de couchage qui est plus chaud que le mien. Je lui remets un pendentif en argent, serti de pierres, qu'il remettra à Caroline la nuit de Noël. «Peut-être pourrais-je encore continuer et ne partir qu'à la frontière du Pakistan?» Il se lève et se rassoit aussitôt. Il arrive à peine à se tenir debout. Il se prend la tête à deux mains. «Au départ, nous étions trois, aujourd'hui nous ne sommes plus que deux. Demain, tu seras seul. Seul pour surmonter tout ce qui arrivera. N'abandonne pas. Je veux que tu te rendes au bout de ton rêve. Fais-le pour toi, mais aussi pour moi.»

C'est sur les ailes de British Airways qu'il s'envole. Moi, c'est sur les ailes de mon ange que je partirai de Téhéran. J'ai le cœur gros, gros de son départ, gros de la solitude qui vient de me rejoindre, gros du défi qui m'attend, gros du poids de mes ambitions. C'est décidé, je pars dans deux jours.

Jour 144

Téhéran, Iran - Le 5 décembre 1994

Ma mère écoute ce que j'ai à lui dire sans broncher.

Elle était d'accord avec mon projet à condition que je parte accompagné. Aujourd'hui, elle est forcée de réévaluer ses restrictions. Elle me réitère sa confiance, son soutien et son appui, mais je la sens morte de peur. Elle souhaitait tout sauf de me savoir seul. Du même coup, elle se sentirait coupable de me forcer à abandonner. Son sommeil déjà léger sera perturbé, mais elle vivra avec ce surplus d'inquiétude pour le succès de mon voyage. Mon père cache mal son tourment. Caroline est bouleversée.

Ma décision est prise et ils le savent. Je ne peux rien ajouter sinon leur promettre que je demeurerai prudent. Toujours.

Après six jours à Téhéran, je quitte la ville sous la neige. Les viaducs sont couverts de glace. Les véhicules et les motocyclettes n'ont aucune adhérence et l'étroitesse de mes pneus ne me rend guère la vie plus facile. J'ai à peine roulé que déjà deux motos percutent la voiture qui les précède. À la sortie de la ville, les conditions routières se stabilisent mais un fort vent du nord fait baisser la température à -15°C. Je franchis une montée de 300 mètres, et en redescendant, mes mains et mon visage sont congelés. Je n'en peux plus, je m'arrête pour dîner. Ma seule consolation est le sac de couchage que Jean-Pierre m'a laissé et ma seule motivation est de conclure cette première journée, seul. Je me dirige franc sud en rêvant de tomber, du jour au lendemain, dans une belle vallée fleurie. Rêver fait oublier.

Après le dîner, le vent tourne. J'arrive à la jonction de deux routes et, comble de malheur, on me refuse l'accès au nouveau tronçon. On m'oblige à prendre une vieille route secondaire déserte. Puis je fais des erreurs en enfilade. Ma première est de croire que je peux me rendre à la ville suivante. Ma deuxième, d'oublier que la distance sur la carte correspond à la nouvelle route et non à l'ancienne. Ma troisième, de ne pas avoir suffisamment de nourriture en cas de besoin. Et ma quatrième, de n'avoir aucune information concernant les haltes intermédiaires avant la prochaine ville. À deux, on peut se permettre quelques erreurs, mais seul...

Je me retrouve sur une route abandonnée. Le vent est toujours aussi atroce et le col plus haut que je ne le croyais. Je n'ai aucun indice qu'il existe une ville au bout de cette route. La fatigue s'installe sournoisement. Mes erreurs pèsent lourd. La journée avance à grands pas et je n'ai

Il faut profiter de tout ce qui tient tête au désert. Un dîner à l'abri du vent est certes un cadeau du ciel.

toujours pas d'alternative. Je n'ose croire que personne ne vit sur cette route de misère. Tout ce que je vois, ce sont de vieux abris en pierre, quasi détruits. La panique s'installe. J'augmente la cadence malgré les éléments qui s'acharnent contre moi. Je commence à transpirer et je m'arrête. Le vent me glace aussitôt. Je n'ai rien de plus chaud que ce que je porte. Si le froid me pénètre davantage, je devrai arrêter ici et camper sans souper, pour repartir demain sans déjeuner. Je me sèche et, inquiet, je reprends la route. Le décor n'est toujours pas rassurant. Du désert, encore du désert. Et ce vent qui me ralentit et m'assourdit, on dirait le démon de ce décor lugubre.

Le soleil s'apprête à se coucher et me laisse seul dans l'angoisse. La froidure de la nuit s'incruste. Je n'ai aucune envie de dormir seul dehors. L'hypothermie me guette. J'ai peine à contrôler les idées noires qui me traversent l'esprit. Malgré mes efforts, j'avance comme un escargot. J'ai les doigts comme des saucissons et une engelure au poignet droit. J'ai mal au genou gauche. C'est la pleine obscurité.

N'osant plus espérer un miracle, j'aperçois le scintillement d'une lumière au loin. Je m'en approche, les sanglots dans la gorge, pour me rendre compte qu'il s'agit bel et bien d'une halte pour voyageurs. Voyant mon état, le préposé allume rapidement le poêle qu'il devra éteindre avant de quitter. Il me sert un repas et m'offre de coucher à l'intérieur. L'odeur du kérosène me sort de ma torpeur. J'ai l'impression d'avoir jonglé avec ma vie l'espace de quelques heures. Je dois refaire mes forces pour demain. Aurai-je le temps avant le lever du soleil? J'ai pédalé plus de six heures à -15°C. Il est 19 h et le vent souffle toujours.

Je me sens extrêmement seul et je ne suis qu'au premier jour du départ de Jean-Pierre.

Jour 145
Esfahan, Iran - Le 6 décembre 1994

Il n'aura suffi que de vingt-quatre heures pour que je ressente cet horrible poids: je ne fais plus partie d'une équipe, je ne peux plus compter sur le support physique et moral d'un compagnon.

Je ne sais plus où j'en suis. Je n'ai pas de raisons physiques pour arrêter. Mes genoux et mon estomac tiennent le coup, mais j'ai peine à trouver ma motivation. Je m'étais convaincu qu'il ferait plus chaud après Téhéran et j'ai eu tort. Je suis présentement au milieu d'une vague de froid exceptionnelle qui fait descendre la température à moins 20°C la nuit.

Aujourd'hui, j'ai la malchance de rouler dans une tempête de neige, là où l'on retrouve habituellement des tempêtes de sable. Une journée «toute spéciale» pour un cycliste québécois qui s'ennuie de la neige. Je n'en demandais pas tant. Bas de goretex aux pieds, papier journal me serrant la nuque (surprenant mais efficace), deux épaisseurs de sacs de plastique aux mains et mon foulard autour du cou: voilà comment je suis accoutré pour affronter 60 kilomètres de tempête.

Je roule bon train jusqu'à ce qu'une voiture interrompe ma randonnée sous la neige. Le conducteur, accompagné d'un autre homme, m'offre, dans un anglais de circonstance, de m'amener à Esfahan, ville antique de l'Iran. Je refuse, car ce détour me rallongerait de 70 kilomètres. Ils insistent fortement et l'un d'eux m'offre l'hospitalité chez lui avec sa famille. Mon désir de vouloir rencontrer de nouvelles personnes dans leur environnement vient à bout de ma résistance.

Moi qui croyais être invité dans sa propre maison comme il me l'avait promis. Je me retrouve plutôt dans une misérable pièce où il «remise» son vieux père. Le pauvre homme s'ennuie à mourir, il égrène un collier de boules, regarde le feu du poêle à gaz et attend je ne sais trop quoi. La mort, sans doute. On m'offre de prendre une douche, dans une cabane en bois sans porte... à l'extérieur! Le thermomètre indique -11°C. On m'explique qu'il faut allumer le feu du réservoir à eau chaude et attendre 30 minutes. Après avoir suivi ses instructions à la lettre, je me lance sous le jet d'eau fumant. L'air froid entre et forme un nuage au sol qui me glace les pieds. Malgré ce léger inconvénient, la pièce se transforme en vrai sauna. Quelle joie! Je profite de cette trêve pour savourer le moment présent. Je me savonne vigoureusement et me lave les cheveux jusqu'à ce que l'eau tourne du chaud au froid en moins de temps qu'il ne faut pour le dire. Ma douche tropicale prend une allure de bain polaire. Sous le choc, le corps et les cheveux pleins de savon, je joue avec le robinet en espérant améliorer mon sort. C'est peine perdue. Le souffle coupé et le nuage d'air froid envahissant la pièce tout entière, je tente le plus rapidement possible d'enlever le savon qui colle à mon corps. Je suis frigorifié. Sans prendre le temps de m'essuyer, je cours dehors jusqu'à la chambre et me réfugie dans mon sac de couchage. Au diable le souper, je n'ai plus faim. Je suis couché auprès du grand-père qui attend patiemment la mort. Je serai au moins une présence pour lui cette nuit.

Jour 146
Esfahan, Iran - Le 7 décembre 1994

Lorsque l'on voyageait à deux ou à trois, je pouvais communiquer mes états d'âme. Maintenant, je n'ai qu'un miroir. Je ne sais plus s'il s'agit d'un caprice ou d'une souffrance réelle, je ne sais plus où se situe ma limite, j'ai perdu ma mesure. Je dois pouvoir m'évader, oublier et rêver pour retrouver une certaine paix. Je dois me battre pour chaque centimètre, et ce n'est pas facile.

Je passe malgré tout une journée sereine à Esfahan. Je me promène dans cette vieille cité hautement surprenante. La rivière qui coule doucement au centre de la ville lui confère une atmosphère de calme malgré la cohue causée par la circulation. Contrairement aux autres villes iraniennes, celle-ci semble plus soucieuse de son aspect. Tout est propre et bien aménagé. Le bord de la rivière est ombragé et entouré d'un sentier pédestre de plusieurs kilomètres. Esfahan est le joyau de l'Iran, et ses habitants en sont bien conscients. Après le dîner, je me réfugie sur un banc pour savourer quelques pâtisseries et je m'endors bien enveloppé dans ma veste. Je me réveille reposé, comme si le cours de la rivière avait emporté un peu de ma solitude.

Je suis à 308 kilomètres de Jazd, 659 kilomètres de Kerman, 1 192 kilomètres de Zahedan et à 1 272 kilomètres de la frontière pakistanaise. Pourquoi toute cette énumération? Parce que rêver à la chaleur du sud me rassure. Je ne comprends pas d'où me vient cette difficulté à avancer. Ma mère me conseillerait sûrement de prendre l'autobus au lieu de me torturer ainsi, mais ce n'est pas si facile, car une fois rendu à destination, on rencontre d'autres difficultés. Que faire alors? Reprendre l'autobus? De cette façon, je ne passerais pas une seule journée sur mon vélo, puisque des problèmes et des difficultés, il y en a chaque jour. De toute façon, j'ai choisi le vélo, j'apprécie les avantages qu'il m'offre et je dois vivre avec ses inconvénients.

Je suis ébranlé et je n'arrive pas à trouver l'énergie pour affronter tout ce qui s'en vient. Depuis mon arrivée sur le plateau anatolien en Turquie, il y a de cela 45 jours, et surtout après la rencontre avec Reza, j'étais convaincu que le froid cesserait dès mon entrée dans le désert de sel au sud de Téhéran. Je ne me sens plus la force de combattre. Les derniers jours, voire les dernières semaines, ont été si exigeants que je suis vidé. Je ne vois pas la fin. Le froid, à lui seul, me gruge tant d'énergie qu'il m'en reste à peine pour alimenter mon moral.

Je me sens devant un mur, un mur si haut que j'en perds l'équilibre rien qu'à le regarder. Je suis prisonnier de mes rêves les plus farfelus, d'une ambition démesurée. Je visais la liberté sans frontière et je n'ai trouvé que l'esclavage de l'esprit.

Demain, je quitterai le vieux grand-père avec tristesse. Après mon départ, il se retrouvera de nouveau seul, seul pour affronter sa solitude. Demain, je me retrouverai seul, seul pour affronter mes démons.

Sixième chapitre

Prisonnier d'un rêve

Jour 147
Kupaye, Iran - Le 8 décembre 1994

Je ne devrai jamais oublier la difficulté, la misère et la douleur mentale qui m'habitent en ce 8 décembre 1994. Je souffre et je me sens atrocement seul dans mon gouffre de misère. Chaque minute me paraît une éternité. Le froid est mordant. J'ai roulé 98 kilomètres avec des sacs de plastique aux mains, du papier journal autour de la tête, les bas remontés sur les culottes, la veste serrée jusqu'au cou et une sensibilité au genou droit qui me rappelle que je ne suis pas invincible. Au contraire, je me sens vulnérable. Le froid qui meurtrit mon corps s'attaque maintenant au plus profond de mon être. Il s'attaque à mon esprit et à mon âme.

Je suis attiré vers le danger par une force destructrice. Je ne peux y résister. Je suis contraint de pousser la machine jusqu'au bout, jusqu'au drame. Je frise la folie. Il n'y a plus aucune logique dans mon comportement. J'ai atteint le point de non-retour.

Je ressens une douleur si profonde que j'ai peine à la décrire. C'est comme si on jouait dans ma tête avec un bistouri. Je n'arrive plus à réfléchir logiquement. Mes idées ne m'appartiennent plus, elles flottent à la dérive dans leur propre univers, un univers rempli de vide à l'image du décor dans lequel je suis plongé: le désert. L'absence de repères engendre la folie. Le temps et l'espace se déforment. Plus rien n'existe pour me convaincre du réel de mon expérience; la seconde passée n'est que le reflet du présent et celui du futur. Devant comme derrière, tout se ressemble. L'est est en direction du soleil levant et l'ouest du soleil couchant. Cependant, lorsqu'il se trouve au zénith, subitement, le nord, le sud, l'est et l'ouest ne font qu'un. Ce que je vois aujourd'hui, c'est ce que j'ai vu hier et ce que je verrai demain. Mes idées semblent gravées sur un disque qui tourne de plus en plus vite. Je n'arrive pas à rompre cet engrenage qui me plonge toujours plus bas. Jusqu'où pourrai-je descendre sans exploser? J'ai peur parce que j'ai l'impression de ne plus être maître de moi-même. Mon objectif ne me semble plus être le bout du monde mais le bout de ma folie.

Seul dans le désert, la folie et le désespoir n'ont aucune porte de sortie.

Je tente par tous les moyens d'oublier les 1 200 kilomètres qu'il me reste à parcourir dans ce froid et ce décor implacables. J'essaie simplement d'aligner six heures de vélo chaque jour. Ce soir, encore, je me demande comment j'y suis parvenu.

Mes arrêts dans les villages sont attendus. Dans ce coin du monde, les nouvelles voyagent à la vitesse du vent. Les gens sont sympathiques et intrigués par mon aventure, ils se pressent autour de moi et on veut savoir d'où je viens, où je vais, si je suis marié! Toujours les mêmes questions, à un point tel que je suis à la veille de comprendre le persan! La photo de Caroline, bien en vue sur mon guidon, ne laisse personne indifférent. «Your wife? Want picture!» Au poste de contrôle, un officier militaire me demande de la lui remettre sous prétexte que c'est illégal. Pourquoi? «Hair no good, no chador!» Il y tient mordicus. Et moi donc! Je m'empresse de la dissimuler bien au fond de mes sacoches. À partir de maintenant, médailles et photos seront à l'abri des regards et des débats futiles.

Les questions sur le Canada sont nombreuses et laborieuses, parce que personne ne parle anglais dans ces villages perdus. «Canada cold?» accompagné d'un geste de frisson peut se comprendre facilement, mais lorsqu'il s'agit d'expliquer ma religion, ça se complique. Nos conversations ressemblent davantage à un concours de signes pour sourds et muets qu'à un échange culturel. Quoi qu'il en soit, le mur de la langue a quelquefois des exigences que je ne peux franchir.

Deux de mes interlocuteurs me font comprendre, avec force gestes, qu'ils désirent m'inviter chez eux. J'accepte sans plus de préambule. On place ma bicyclette dans la boîte du camion et on part. Je réalise vite que je refais le chemin déjà parcouru, mais, après tout, je suis prêt à me farcir quelques kilomètres de plus demain pour coucher dans la chaleur d'une maison. On roule et on roule. On vient de quitter le village et on bifurque soudainement sur un chemin de sable qui ne semble mener nulle part. Un panneau indique 39 kilomètres. Je me vois consacrer une journée entière pour refaire cette route. Je me sens soudainement pris dans un piège. Je fonds sur la banquette arrière. Je dois trouver une solution rapidement puisque chaque minute m'éloigne de mon objectif, c'est-à-dire sortir de ce désert et rejoindre la frontière pakistanaise le plus tôt possible, car mon visa d'entrée expire bientôt.

Une autre crainte se met de la partie. Je commence à avoir de sérieux doutes quant à leur orientation sexuelle et je ne veux pas de problèmes. Je leur demande d'arrêter et de m'expliquer où ils habitent. J'essaie de leur faire comprendre qu'ils demeurent trop loin et qu'ils seraient gentils de me ramener là où ils m'ont fait monter. Après cinq minutes d'explications qui m'en paraissent cinquante, ils acceptent.

Une fois revenu au point de départ, malheur, le restaurant est fermé. Je ne peux qu'enfourcher ma bécane et poursuivre ma route à la recherche d'un autre relais. Le soleil se couchera bientôt. Je dois faire vite. Je m'informe où se trouve la prochaine halte. «Deux kilomètres.» Surpris et content, je vérifie quand même auprès d'un autre groupe qui l'évalue cette fois à trois kilomètres, peut-être quatre! Je les connais avec leurs estimations! Il faut toujours multiplier par deux. J'en ai même compilé des statistiques. Pourquoi faire tant d'histoires pour deux ou quatre kilomètres, après en avoir fait quatre-vingt-dix? La raison est bien simple: quand je m'informe, c'est que je suis au bout du rouleau, et aussi bizarre que cela puisse paraître, c'est durant ces derniers moments que je me mets à transpirer, à geler, à avoir mal au genou. Il est évident que, par leurs réponses, les distances n'ont pas, pour eux, l'importance que je leur donne. Comment leur en vouloir? Au début, ça me frustrait. Maintenant je m'amuse à évaluer la vraie distance en me basant sur leur estimation et mes statistiques. Je n'avais pas tort puisqu'il me faut 7,6 kilomètres pour atteindre le restaurant. On me pose encore des questions, les mêmes que la fois précédente, et l'autre fois, et l'autre encore. Je répète les mêmes réponses avec la patience d'une bonne sœur, ce qui me vaut une invitation du propriétaire du restaurant à passer la nuit, bien au chaud, dans une pièce derrière. Les Iraniens sont d'une simplicité et d'une gentillesse sans bornes. Personne ici ne me laisserait coucher dehors par une telle température.

Jour 148
Jazd, Iran - Le 9 décembre 1994

Les salutations cordiales et les échanges d'adresses terminés, je quitte le restaurant. Pour m'encourager, on me jure que la route qui mène à Nain est relativement plate, sauf pour une montagne qui n'est à toutes fins pratiques qu'une butte. Oui, oui, bien sûr, je les crois les deux yeux fermés. Confortablement assis au volant d'un camion de 150 chevaux, toutes les montagnes sont des buttes mais sur une bicyclette chargée comme un chameau, c'est une autre chanson.

Plus tard en matinée, en redescendant à toute allure

l'autre face de «leur butte», je percute un caillou et sectionne la chambre à air de ma roue avant. Durant la réparation, une superbe moto me dépasse puis s'immobilise. Avec un tel engin, ça ne peut être qu'un Européen. Il est irlandais et fait le tour du monde à moto. Il est passé par les mêmes routes que moi et me dit que le tronçon entre Agri et Téhéran est recouvert de deux pieds de neige. Il a même été forcé de prendre le train. Décidément, j'ai évité la tempête de peu.

Pour la première fois, je roule sans goretex. La douceur des quelques rayons de soleil me fait grand bien à l'esprit et au corps. Je me sens revivre. Mon genou ne me fait plus souffrir et je soupçonne le froid d'être la cause de ma douleur. Du moins, ça m'arrange de le croire.

La fin du jour approche à grands pas et toujours aucune vie à l'horizon. Un camionneur me dit qu'il y a un restaurant entre Nain et la ville suivante. Ce sont les seuls à qui je fais confiance pour ce genre de renseignement. Je poursuis ma route, quand soudain le vent se met à tourbillonner. Enfin, j'aperçois un restaurant au moment où le soleil se couche. J'appuie mon vélo contre le mur, je jette un coup d'œil à la beauté du ciel et je tire sur la porte. Fermé. Furieux et incrédule, je regarde autour. J'ai l'impression d'être épié. Je repars, encore sous le choc. À cette heure, la route est envahie par des camions, des autobus et des voitures qui se doublent comme sur le circuit Gilles-Villeneuve. Par-dessus le marché, personne n'allume ses phares.

Après cent dix-huit kilomètres, je peux encore rouler. Mon problème n'est pas le manque d'énergie mais le danger. C'est maintenant l'obscurité complète. Mon vélo a très peu de bandes fluorescentes. Les véhicules roulent toujours sans phare, de vrais projectiles invisibles qui peuvent me torpiller à tout instant. Chaque fois que j'entends un camion s'approcher, je m'arrête et reste sur l'accotement. Un autobus que je n'avais pas entendu me frôle de si près que mon sang se fige. J'arrête, c'est trop dangereux.

Mais je n'ai plus aucune réserve de nourriture. Il faut que je fasse de l'auto-stop. Comme je ne suis pas visible, je prends ma lampe de poche et la fais osciller en direction des véhicules. Dix minutes plus tard, une voiture s'arrête. Une voiture minuscule. L'homme qui en descend m'offre un gîte dans un anglais que j'arrive à comprendre. C'est merveilleux, trop merveilleux. Son fils sort pour aider. Je ne peux croire qu'on parviendra à tout entasser dans un espace aussi restreint! Pourtant si. On laisse pendre le vélo et les sacoches à l'extérieur de la valise. Tout tient par la peau des dents.

Le fils, âgé de 12 ans, apprend l'anglais à l'école. Malgré les encouragements de son père, il n'ouvre pas la bouche. Le père me fait la conversation du mieux qu'il peut. Une complicité s'établit rapidement et j'en profite pour poser une question qui me brûle les lèvres: «Why no light when drive?» Il me regarde avec un sourire en coin et me répond, candide: «Because better for battery.»

En arrivant chez lui à Jazd, on sert le souper. Toute la famille est autour de moi, sauf les femmes, évidemment. Elles prendront le repas dans une autre pièce lorsque nous aurons terminé le nôtre. Je ne suis pas un rescapé, mais un invité de marque. Je n'en demandais pas tant, mais j'accepte avec joie. Un cousin vient nous rejoindre. Il a passé quatre ans aux États-Unis où il s'est marié. En 1978, alors qu'il revenait pour deux semaines de vacances, il a été intercepté à la douane et forcé de demeurer en Iran. Il a laissé là-bas sa femme et un enfant qu'il n'a jamais revus. Il est ingénieur - inventeur et a travaillé pour Bell Hélicoptère aux États-Unis. C'est un génie. La navette spatiale utilise d'ailleurs un boulon qui porte son nom: «Kamal bolt». Pendant la guerre, il a aussi développé un système pour détourner et détruire les missiles irakiens lancés sur Téhéran. Il n'a rien de l'image que je me fais d'un savant: les cheveux en l'air, les grosses lunettes épaisses et seulement deux dents... en avant. Bref tout est dans la tête.

Le père renvoie son fils, on est maintenant entre adultes. Leurs visages s'illuminent. Il y a du mystère dans l'air. Le fils revient avec un minuscule barbecue et repart. «You smoke?» me demande le père. «À l'occasion, avec les copains.» «I mean opium, you try?» Moi qui croyais qu'on mangerait des guimauves! Il sort plutôt une pipe: une longue tige de bois prolongée d'une boule. Il allume le feu et sort des petits grains visqueux qu'il fait chauffer. Il les insère dans une cavité de la boule à l'aide d'une aiguille. À mon tour maintenant. On me regarde, anxieux de connaître mes impressions. En réalité, j'aurais fumé le tapis du salon que ça n'aurait rien changé. Le vrai bonheur pour moi est de me retrouver dans une ville d'Iran, perdu en plein cœur du désert, avec un ancien policier et un ingénieur que je viens à peine de connaître et qui me considèrent comme un des leurs. C'est dans ces moments que je retrouve toute la signification de mon voyage.

Je ne pousse pas l'expérience de l'opium au-delà de la première inhalation. Mon corps dit non, sans égard à la loi ou à la morale. Je lui en demande trop le jour pour qu'il accepte ce risque. Mes nouveaux amis, eux, s'en donnent à cœur joie et n'exercent aucune pression après mon second refus. Alors que je suis plongé dans l'écriture de mon journal, le père remarque le mot «opium» au haut de ma lettre. Il me demande de ne pas parler de cette soirée, parce que le gouvernement ouvre souvent les lettres. On pourrait remonter jusqu'à eux et leur causer de graves problèmes. J'ai tendance à prendre ces commentaires à la légère, mais leur attitude me confirme le sérieux de leur mise en garde. L'atmosphère se détend quand ils me voient effacer.

Peut-être qu'un peu plus d'opium aurait réussi à me faire parler le persan?

Je quitte la pièce pour des besoins bien légitimes et je tombe nez à nez avec les femmes de la maison. Elles se recouvrent immédiatement le visage. Je suis surpris et m'excuse aussitôt. Le père m'avise de frapper avant d'entrer dans une pièce où se trouvent les femmes. À Téhéran, on m'avait dit que le port du voile était optionnel à l'intérieur du domicile, mais il semble que les règles religieuses s'appliquent différemment d'une famille à l'autre. Ici, elles me coupent de la moitié de cette famille...

Par ailleurs, ces gens sont heureux. Je le sens. Les assises de leur bonheur ne reposent pas sur des valeurs matérielles ou sur un laxisme moral et religieux. Ils doivent le trouver, très simplement, au plus profond d'eux-mêmes.

Jour 149

Jazd, Iran – Le 10 décembre 1994

Lorsque j'étais à Téhéran, j'ai été tellement malade que je me demande si, plutôt que de manger un œuf, je n'aurais pas mangé un fœtus de poussin mort. Cette nuit encore, j'ai été réveillé par d'horribles crampes et de la diarrhée, et j'ai dû me faire vomir pour me soulager. Possible que ce soit cette espèce de viande bouillie qu'on me sert sans cesse et qui ne passe plus. Ces brochettes me donnent la nausée rien qu'à y penser. Curieusement, ce matin, j'ai l'estomac un peu barbouillé, mais je me sens d'attaque.

Je visite la ville et l'une des plus vieilles et des plus fabuleuses mosquées d'Iran. Son minaret, utilisé autrefois pour guider les caravanes du désert, domine majestueusement la ville. La vieille cité est un labyrinthe entouré d'une muraille très élevée. À l'intérieur, on peut palper le passé comme s'il s'agissait du présent grâce à ces gens qui respectent à la lettre les traditions.

Comme toutes les villes du désert, Jazd a de gros problèmes d'eau potable. Par mesure de précaution, je la filtre moi-même et y ajoute deux gouttes de javex au litre d'eau. Le goût est bizarre, mais une gorgée d'eau de piscine publique est plus facile à accepter que la guerre gastrique.

Ce soir, on souligne mon départ avec tristesse. Ce que je mangerai a peu d'importance, leur compagnie m'est bien plus précieuse. Quant au choix du restaurant, je leur fais confiance. On ira, me dit-on, où l'on prépare la meilleure nourriture en ville.

Les deux bras me tombent et j'ai des nausées en voyant le cuisinier à l'œuvre dans la vitrine, bien affairé à préparer sa spécialité: des kébabs! Je ne suis pas encore entré que je me sens déjà malade. Je suis tout de même intrigué par la préparation de ce mets que je ne peux plus blairer. C'est simple: on plonge une main – de propreté douteuse – dans un bassin pour sortir une grosse poignée de viande bouillie qu'on fixe à une broche en la serrant à plusieurs reprises pour qu'elle y adhère. Je me suis toujours demandé comment on arrivait à créer cette forme ondulée de la brochette, j'ai ma réponse.

L'odeur me saute au nez dès que je mets le pied dans le vestibule. Je ne vois que des kébabs dans les assiettes. Le père commande; ma gorge se serre. En Iran, la politesse exige de ne refuser aucune nourriture généreusement offerte par ton hôte, de ne refuser aucun service supplémentaire et de manger tout ce qu'on met dans ton assiette. L'hôte n'est satisfait que lorsqu'il juge que son invité est complètement gavé. L'épreuve de ma vie. Le désert, c'était de la petite bière.

Je dois parler au père. Ma gorge s'assèche. «En Turquie, j'ai été très malade à cause des brochettes et je ne peux plus en manger.» Je ne veux pas lui faire part de mes malaises de la nuit dernière, de peur de le blesser. «Yes but Turkey bad meat, here very good!» Je n'ai pas la force d'être convaincant et je refuse carrément, car je ne veux vraiment pas être malade sur ma bicyclette, demain. Je marque un point, il n'insiste pas. «If change mind, can try!» Je peux à peine les regarder manger sans penser que mon péristaltisme œsophagien pourrait bousiller ce beau repas.

Malgré tout, j'ai passé une journée de prince. Comme ils le disent si bien, et avec conviction: «Tu es comme un membre de notre famille et notre maison est la tienne.» Ce bon père de famille me dit combien ses enfants sont tristes de me voir partir. «Si tu ne voyageais pas à bicyclette, tu pourrais rester plus longtemps.» Je lui réponds que si je n'avais pas été à bicyclette, il ne m'aurait pas secouru sur le bord de la route et nous ne nous serions jamais rencontrés. J'ai été si proche d'eux, je ne les oublierai jamais.

Pendant que j'écris mon journal, le père, assis au bout de la table, profite de ma présence pour les quelques heures qu'il nous reste ensemble. Son fils, assis devant moi, me regarde attentivement. Mon écriture le fascine, la sienne est si différente. Il cherche des mots dans le dictionnaire pour m'en faire part. La mère rayonne de le voir bénéficier d'un contact nouveau. L'atmosphère est magique. Dans la pièce, le calme règne comme si, d'un commun accord, on ne communiquait qu'avec la voix du cœur et de l'âme.

Jour 150
Kirmansahan, Iran - Le 11 décembre 1994

C'est avec tristesse que je fais mes adieux à ces gens généreux, qui me garderaient encore quelques mois. Je laisse derrière moi une vie de prince pour retrouver celle du cycliste. De telles rencontres me remontent le moral comme par magie.

Je poursuis ma route sur des chemins vallonneux. Je peux voir d'avance les 25 prochains kilomètres.

Depuis Ispahan, la distance entre les haltes du désert augmente constamment. Il faut prévoir davantage. Il est 15 h 10 et je suis à Kirmansahan. Même s'il est tôt, je m'arrête pour la nuit dans un restaurant conçu pour les camionneurs le long des grands axes désertiques. C'est plus prudent. Je dis restaurant mais n'allez pas croire qu'il s'agit d'un Saint-Hubert. Ce sont des bâtisses rectangulaires en béton, sans atmosphère, vides la plupart du temps. Quelques images religieuses sont accrochées aux murs. D'un côté, une toilette primitive et, de l'autre, une cuisine rudimentaire; au centre, un poêle au kérosène chauffé à blanc. Curieusement, les portes extérieures restent grandes ouvertes, même par temps froid. L'abondance et le coût ridiculement bas des produits pétroliers - un sou le litre - ne les incitent pas à l'économie.

Le menu n'est pas très varié, toujours du poulet et du riz, mais c'est délicieux, disons, après une dure journée de vélo. Demain au déjeuner, comme d'habitude, je prendrai trois œufs avec du yogourt et du miel. Une montagne de riz, du pain et du thé apparaîtront dans mon assiette sans même l'avoir demandé. Un petit mot d'appréciation et de remerciement prononcé dans leur langue ou encore un geste de reconnaissance me rendent sympathique à leurs yeux. Ce soir, on m'invite à dormir dans le dortoir chauffé, réservé aux camionneurs. C'est un privilège. Enfin un lit, un vrai, et un oreiller.

En relisant mon journal, je remercie le ciel de ne pas avoir su à l'avance ce qui m'attendait en Iran. Des soirées comme celles-ci, quand tout va bien, je suis aux anges, mais le jour, quand je retourne dans le froid sibérien et que mon genou me fait mal, je retombe en enfer. Je me sens comme la marionnette du diable, de mon diable, dont je n'ai pas la force de me défaire.

En rêvant si fort, j'arrive à me faire croire que demain tout ira mieux. Le retour à la réalité est cruel, car le mal ne fait qu'augmenter alors que mon énergie diminue.

Mon rêve, à mon plus grand désespoir, s'efface lentement mais sûrement.

Septième chapitre

Le désert qui tue

Jour 151
Enar, Iran - Le 12 décembre 1994

La température est toujours aussi intolérable et je suis forcé de manger dehors. Aucune halte à l'horizon. Un seul mur de l'ancien repaire des caravanes du désert tient toujours. Les vestiges qui restent des autres murs ont dû être détruits et balayés par les forts vents du désert. Je m'allonge sur le sol à l'abri du vent pour prendre quelques minutes de répit, un rare moment de détente dans une journée de vélo. Le ciel est d'un bleu immaculé, mais l'air demeure toujours glacial. Je n'entends que le silence. Je suis seul au monde. L'angoisse du désert me quitte momentanément, le temps d'un léger goûter fait de yogourt, noix, céréales, pain, fromage local et confiture de carottes.

De retour en selle, mon genou me ramène à cette réalité qui me tue. Les mêmes paroles me reviennent en tête tel un écho: «Je ne peux plus continuer, il va falloir me rendre à l'évidence, je vais devoir abandonner. Non, je ne peux pas abandonner, il faut que je continue. Mais pourquoi faut-il que je continue? Je ne peux plus continuer, il va falloir me rendre à l'évidence, je vais devoir abandonner...» Je sors de ma torpeur et j'essaie de me distraire mais je divague. L'engrenage maléfique reprend de plus belle. La peur de l'échec est si envahissante que je ne parviens pas à la chasser.

Mon visa expire le 22 décembre. Dans dix jours. Je pourrais obtenir un prolongement de séjour, mais celui du Pakistan perdra sa validité si je n'entre pas au pays avant le 29 décembre. D'une façon ou d'une autre, je suis forcé de prendre les bouchées doubles. J'ai besoin de repos de toute urgence. Mon moral effondré doit supporter un corps malmené. Déjà, j'ai trop attendu. Je ne peux m'arrêter. Une force m'attire dans un remous. Mes ambitions préfèrent me détruire plutôt que de connaître l'échec. Jusqu'ici, elles m'ont fait vivre, maintenant j'ai peur qu'elles me fassent mourir.

Voyager, c'est vivre
Mais aussi survivre
Jouir du bonheur
Subir la douleur

Rester fidèle à ses ambitions
Devient toute une mission
Surtout quand le vent
Et les autres éléments
Font que le temps
Reste en suspens

Lorsque vient le soir
Il faut reprendre ses forces
Afin qu'un autre jour s'amorce
Avec le cœur plein d'espoir.

Jour 152
Refsenjan Iran - Le 13 décembre 1994

Ce soir, je suis seul dans le désert, à la porte d'une halte fermée jusqu'au matin. J'installe ma tente en espérant être encore là demain, car je suis sur la voie d'entrée des trafiquants de drogue de l'Afghanistan. Cependant, des problèmes d'un autre ordre m'éveillent en pleine nuit. J'éprouve de la difficulté à digérer. J'ai des crampes qui me traversent le ventre. Tout à coup, j'ai un spasme d'estomac si violent que je me rue dehors pour vomir. Je suis pieds nus et à moitié vêtu. Le thermomètre indique -5°C. Un courant électrique me traverse le corps. Mes entrailles sont sur le point de rompre. Je m'accroupis. Mes sphincters se relâchent sans retenue. Le malaise s'éternise. Je ne peux plus contrôler mes grelottements. Je vais congeler sur place.

De nouveau recroquevillé dans mon sac de couchage, je ne parviens pas à retrouver ma chaleur et je claque des dents autant de peur que de froid. Les minutes me paraissent des heures.

À 6 h du matin, enfin, le restaurant ouvre ses portes. Je m'empresse d'entrer pour me coller sur le poêle qu'on vient d'allumer. Mais une autre journée m'attend. Je m'efforce d'avaler ce qu'on m'offre. Encore du riz, du poulet et des œufs.

Jour 153
Bageyn, Iran - Le 14 décembre 1994

«Je ne peux plus continuer, il va falloir me rendre à l'évidence et abandonner. Non, je ne peux pas. Il faut que je continue. Je ne peux plus...»

J'ai atteint ma limite.

À 13 h 17, en ce 14 décembre 1994, alors que je pédale contre tout mon être, je suis secoué par un horrible hurlement, un profond cri de libération. Contraction ultime d'un pénible accouchement. Quitter les entrailles du monde, les entraves de la société, mon propre enchaînement - ce besoin maladif de performer. À plusieurs reprises, j'ai rêvé de monter dans un véhicule pour sortir du désert. Solution logique. Mais j'étais incapable de passer à l'action. En fait, je n'étais pas prêt à sortir de ce cauchemar. Je ressentais une vive contradiction entre le besoin de mettre fin à mes souffrances et le désir d'aller encore plus creux pour espérer trouver la guérison de mon âme. À partir du moment où j'ai perdu espoir, je me suis renfermé dans ma bulle comme Jean-Pierre l'a fait avant son départ. J'ai cessé d'exister. J'avançais malgré moi. Mon corps pouvait à peine continuer et ma tête le poussait sans merci. J'avais l'impression de me mutiler intérieurement, un châtiment que je ne devrai jamais oublier. J'ai flirté avec la mort. Maintenant, j'ai le monde à ma portée, je n'ai qu'à le saisir. Tout se replace. Même les faux plis des dernières années. Je n'ai rien perdu de mon ambition, mais j'en suis devenu le maître. Je me suis détruit pour mieux me reconstruire. C'est fait! Je me suis chauffé jusqu'au point de fusion pour ensuite remodeler ma carrosserie. Je n'ai plus rien à me prouver. Si mon périple se termine ici, j'en serai satisfait, et c'est la tête haute que je retournerai à la maison.

Pourtant, je continue. Par amour du voyage et pour savourer cette nouvelle liberté si durement acquise.

Je ne sais plus quoi écrire, j'ai la tête qui tourne tellement je me sens bien. J'arrive à peine à comprendre ce qui s'est produit.

Je campe à proximité d'un cimetière où se déroule une cérémonie funéraire. Selon la coutume, les proches collationnent, assis sur la tombe du défunt, pendant qu'on chante des prières. Blotti dans mon sac de couchage, je me laisse bercer par cette mélodie à endormir les morts...

Jour 155
Bam, Iran - Le 16 décembre 1994

À l'entrée de la ville, après une journée de 154 kilomètres, un jeune homme se jette sur mon chemin et me force à arrêter. Il étudie l'anglais à l'université et veut absolument que je rencontre sa famille. Les gens du village sont au courant de mon arrivée et le pauvre m'annonce qu'il m'attend depuis plus de cinq heures. Je suis fatigué, mais comment lui refuser? Sa mère est heureuse de me rencontrer. Ses trois frères, sa sœur, son cousin et son père arrivent de nulle part. Dans une pièce en béton où il n'y a qu'un tapis persan et quelques coussins brodés, on s'assoit et on cause autour d'une lampe à pétrole qui nous éclaire et nous réchauffe. L'étudiant agit comme traducteur. La mère m'interroge sur mes coutumes religieuses et finit par me demander si je crois que l'islam est une des meilleures religions au monde. Elle s'attend à une réponse affirmative qui la rassurerait sans doute. Pourquoi ce besoin incessant de convaincre ceux qui ne partagent pas nos croyances? Peut-être la peur de se remettre en question. Cette famille qui m'accueille et m'accepte comme un des leurs n'est-elle pas la plus belle preuve qu'au-delà des croyances, bien au-delà, il y a l'amour inconditionnel du prochain?

Jour 158
Zahedan, Iran - Le 18 décembre 1994

Ma bicyclette chargée de provisions, je passe deux jours de solitude sur une route où on me dit que seuls les fous s'y aventurent à vélo. Après avoir été malade deux fois durant la nuit, je fais mon entrée dans la ville de Zahedan. Une arrivée que la fatigue et l'épuisement m'empêchent de savourer. De plus, je viens de découvrir que ma roue arrière est brisée: deux rayons ont éclaté, laissant des ouvertures d'environ 1,5 centimètres dans la jante. Avec les trous dans la chaussée et la quantité de bagages que je transporte, ce n'est qu'une question de temps avant qu'elle ne soit complètement bousillée. Je mettrai une charge supplémentaire sur la roue avant, mais le sursis sera bref. Il est impossible de trouver du matériel sophistiqué dans les pays que je traverse, et si on ne parvient pas à m'expédier une nouvelle jante d'ici peu, ce sera terminé. Je l'utiliserai jusqu'à ce qu'elle rende l'âme, advienne que pourra. Je tiens absolument à faire les derniers 92 kilomètres iraniens sur ma bécane.

Ce soir, on fête dans la résidence universitaire en compagnie d'une douzaine d'étudiants iraniens. Une cuite carabinée... au thé! Ils sont gentils mais la même question revient toujours: «Do you have sex photos?»

Jour 160
Mirjaveh, Iran - Le 21 décembre 1994

L'Iran m'aura réservé des surprises jusqu'à la fin. À 56 kilomètres de la frontière pakistanaise, me voilà pris dans une tempête de sable. Moi qui croyais avoir tout vu. Le vent souffle de plus en plus fort. En un rien de temps, le ciel se couvre d'un nuage de sable. Je n'ai plus aucun point de repère. J'essaie de suivre la route qui disparaît peu à peu. Des rafales restreignent ma vision à moins de deux mètres. Le vent de côté, tel un jet de sable sous pression, me pince les bras, les cuisses et le visage. Je garde un œil ouvert, l'autre fermé. Mon linge, mon équipement et ma chaîne de vélo en sont incrustés. Mon dérailleur se met à grincer. L'absence de circulation réduit le danger mais me fait douter de mon orientation.

Enfin, au quatre-vingt-dixième kilomètre sur mon odomètre, j'aperçois les contrôles frontaliers de Mirjaveh. J'ai réussi, j'ai traversé l'Iran.

Victoires! Oui, avec un «s». Ma première: celle de m'être débarrassé de mes préjugés sur ce pays qui me faisait si peur. La seconde: celle d'avoir franchi seul, à vélo, en hiver, un pays de montagnes et de déserts. Et la troisième: celle d'avoir sondé mes limites extrêmes.

K2
Alt.: 8611 m.
BALTIT
RAKAPOSHI
Alt.: 7788 m.
GILGIT
CHILAS
SRINAGAR
ISLAMABAD
RAWALPINDI
KABOUL
AMRITSAR
LAHORE
AFGHANISTAN
QUETTA
INDE
SUKKUR
PAKISTAN
MIRJAVEH
NOKUNDI
IRAN
GOLFE D'OMAN

Huitième chapitre

Un autre monde

Jour 161
Frontière irano-pakistanaise
Le 22 décembre 1994

À 9 h, la frontière ouvre ses portes. Je me conforme aux dernières exigences iraniennes. On s'assure, comme la loi l'exige pour les cyclistes, que je quitte le pays avec mon vélo et tous les objets inscrits dans mon passeport. Lentement, je franchis la zone neutre qui sépare les deux pays.

Le Pakistan est une nouvelle étape qui commence. Chaque frontière est une porte qui s'ouvre sur l'inconnu, un monde qu'on me laisse la chance de connaître. Le contraste est frappant. C'est le tiers-monde gardé à l'âge du bœuf et de la charrue. Quelques cabanes en décrépitude bordent la frontière et je n'ai jamais vu un territoire douanier aussi désorganisé.

Je me présente devant l'officier d'immigration qui s'intéresse plus à mon accoutrement de cycliste qu'à mon passeport. «Bicycle licence?» Je lui donne la marque de mon vélo. Il s'en fout. «Visa no good.» Ma bouche devient pâteuse et je me sens faiblir. «Pourquoi?» «Because no allowed to travel by bike in Pakistan without special pass!» J'ai la chair de poule rien qu'à penser devoir revenir sur mes pas. Personne ne m'a jamais parlé d'une permission spéciale et je le soupçonne de vouloir me soutirer de l'argent. Tous mes arguments ne servent à rien. Il ne m'écoute même pas et répète: «No allowed.» Je m'arme de patience et reste poli parce qu'il est chez lui et qu'il aura le dernier mot. Après dix minutes de palabres, soudain, il me laisse passer. Tout simplement. Je ne cherche surtout pas à comprendre.

Puis, je me rends compte que mon visa, initialement valide pour trois mois, ne l'est plus que pour un seul. Le salaud, il s'est vengé en réduisant ma durée de séjour sans que je m'en rende compte. Je fume de rage, mais n'ose pas me retourner de peur qu'il ne m'arrive pire. Je sais qu'il n'a pas les pouvoirs qu'il s'attribue, mais si je veux poursuivre mon voyage, l'humilité est de mise.

Je pousse mon vélo dans le sable et le gravier sur plus d'un kilomètre avant de trouver quelque chose qui ressemble à une route. Et en avant la musique! On roule maintenant à gauche. Je dois déplacer mon rétroviseur en conséquence. La route, à peine plus large qu'une voiture, pleine d'ondulations et de nids de poule, rend la conduite pénible. En comparaison, je viens de quitter le paradis du cyclisme, du moins pour ce qui est de la qualité des routes. Un vent de face se transforme en rafales de côté. Mais comme la couche sablonneuse reste collée au sol, j'évite une tempête de sable. J'avance à la vitesse d'une tortue. Près de 125 kilomètres me séparent du prochain village, Nokundi. En traversant la frontière, on change de fuseau horaire et j'ai dû avancer ma montre d'une heure et demie. Il est déjà midi et j'ai peu de chances d'arriver à destination avant la tombée du jour.

Ma santé reste précaire. Mon œuf du matin commence à me donner de sérieux problèmes. Je pédale et j'ai l'impression de rester sur place. Pas un chat à l'horizon. En cinq heures de vélo, je n'ai croisé que cinq véhicules. Il est tard et il me reste encore 45 kilomètres. Cette fois, j'abdicte sagement et je décide de demander de l'aide. Après une demi-heure planté sur le bord de la route, un premier camion s'arrête et accepte de me faire monter jusqu'au poste de contrôle de Nokundi. J'ai pris la bonne décision car les vents et la route ne s'améliorent pas. Elle est même obstruée par deux pieds de sable à certains endroits.

Arrivé au poste de contrôle, les policiers m'offrent un thé au lait que je ne peux refuser. Ils m'informent que la route qui mène à Quetta est en reconstruction sur plus de 300 kilomètres. Il me sera impossible de circuler dans de telles conditions. Mes idées se bousculent sans que je puisse en agripper une au passage. Comme si je m'attendais à un miracle, j'essaie d'attirer la sympathie des policiers pour qu'ils me sortent d'ici; mais c'est peine perdue. Mon problème est le dernier de leurs soucis.

Le thé fait son effet: je commence à avoir des crampes d'estomac dues à l'empoisonnement, la fatigue ou la frustration, je ne sais plus. Il faut que je quitte cette ville maudite à tout prix. Une centaine de mètres plus loin, j'arrête dans ce qu'on appelle un restaurant: des marchands sales et suants, des plats remplis de mouches et une hygiène à faire lever le cœur. Le mien n'est déjà pas très stable. J'ai des éructations d'œufs pourris et des crampes qui m'enlèvent toute envie d'avaler quoi que ce soit. Bien que j'aie les jambes comme du coton, je remonte en selle pour me rendre à la sortie du village, là où la route pavée se termine. J'ai maintenant une idée plus précise de ce que sera ma traversée du pays: une nourriture douteuse, une santé précaire, l'absence de routes carrossables, une roue sur le point de rendre l'âme et un visa qui expire dans un mois.

Je rêve de trouver quelqu'un qui m'amènerait loin d'ici, quelque part où je pourrais me reposer. Je suis seul dans une obscurité complète aux confins du désert. Je suis épuisé, démoralisé. J'attends quatre longues heures. Il fait nuit et toujours personne à l'horizon. Je retourne au poste de contrôle.

Arrive un autobus multicolore, qui semble rempli de nomades. Rien de très rassurant. L'assistant chauffeur

Stoppé par une route en construction, je me résigne à faire du pouce. Quatre heures plus tard, je ne vois toujours personne.

descend pour parler au policier et me demande en passant ce que je fais, où je vais. Je réponds: «Quetta.» Il me fait signe de monter.

Ma bicyclette sur le toit, c'est reparti. Quelle joie de me retrouver sur un siège et d'avancer sans effort! On roule à 60 km/h sur une route de misère. Le bus est chargé à pleine capacité, du monde partout dans l'allée, la musique joue à tue-tête, l'intérieur est décoré comme un arbre de Noël, et cette noirceur dehors... Un rêve. Quiétude enfin. Seules quelques heures me séparent de la civilisation. Un seul problème, qui devient sérieux: l'œuf.

L'air suffocant du bus, les vibrations de la route, la fumée des cigarettes et la musique transforment mon rêve en cauchemar. Je ne me suis jamais senti aussi prisonnier de toute ma vie. Les nausées s'accentuent, et je me demande sur qui je vomirai si jamais ça me prend. Deux heures plus tard, on annonce un arrêt de trente minutes. C'est surprenant ce qu'il peut y avoir dans un estomac quand on croit qu'il est vide.

Les sept heures suivantes se passent bien jusqu'à ce qu'on se bute à six barrages routiers. La vérification minutieuse des pièces d'identité et l'inspection des bagages, dans l'autobus comme sur le toit, prennent un temps fou. Rien à faire sinon attendre. Nous sommes au Balouchistan, plaque tournante de la drogue entre le Pakistan, l'Afghanistan et l'Iran.

Le bus termine sa course et se gare le long d'une artère déserte. Les passagers se jettent dehors comme des évadés de prison. Après 16 heures dans cette cage de métal, on peut les comprendre. Il fait encore nuit à Quetta. Je récupère mon vélo et je pars, pressé de trouver un coin pour dormir. Je me réfugie au premier hôtel bon marché. Pour deux dollars, on m'offre quatre murs de ciment, un lit, une petite fenêtre, une toilette turque, un bassin et de l'eau chaude entre 6 h et 8 h. Le gros lot.

Demain, c'est la veille de Noël au Canada, mais ici, c'est une journée comme les autres. Il pleut. Je n'ai pas vu d'eau tomber du ciel depuis que je suis en région désertique. J'ai l'impression que la nature renaît et le tambourinement sur ma fenêtre m'apaise.

Jour 164
Quetta, Pakistan - Le 25 décembre 1994

Comme il m'est impossible de dormir plus longtemps, je me rends sur Ali Jinnah, la rue principale. Tout est tranquille à cette heure. Les commerces sont fermés, mais les petites échoppes qui bordent la rue grouillent de vie. Bientôt il faudra nourrir la marée de travailleurs. La rue deviendra une immense cuisine en plein air. Quelques petits bancs de bois fissurés et décolorés par le temps servent de sièges, mais la plupart avaleront une bouchée debout et en vitesse.

Mon plus grand plaisir est de fouiner et de goûter à tout: fèves aux tomates, poulet et riz, poisson frit, piments, fruits, canne à sucre, tout y est. Il n'y a pas de menu mais tout est exposé, bien en vue, dans d'immenses marmites posées sur des petits réchauds au propane. Pour éviter les surprises, j'observe mine de rien ce que l'on sert aux clients, et lorsqu'un plat me semble appétissant, je le pointe du doigt. «One please». S'il m'arrive de retourner m'asseoir à la même échoppe, on me reconnaît immédiatement et on me sert avec empressement.

Au Pakistan, comme en Iran, le pain est omniprésent au repas. On le fabrique à la vitesse de l'éclair et on le sert encore fumant. La façon de le faire ressemble à un jeu: on écrase une boule de pâte jusqu'à ce qu'elle devienne très mince, assez mince pour la faire virevolter comme une pâte à pizza. D'un geste rapide, on la colle sur la paroi intérieure d'un four à bois en forme de cuve à l'aide d'un coussin de coton. La partie collée à la paroi cuit en croûte alors que l'autre gonfle sous la chaleur de la braise. Il en résulte un disque délicieux fait d'un heureux mélange de parties moelleuses et croustillantes.

Il y a 24 ans, je naissais. C'est ma fête et je me paye une chaufferette. Joyeux Noël. Je vous embrasse et je pense à vous.

Jour 165

Quetta, Pakistan - Le 26 décembre 1994

J'ai dormi vingt-quatre des dernières trente et une heures. Où trouver une banque qui prend la carte Visa en plein cœur du Pakistan? Deux heures de recherches infructueuses. On regarde ma carte comme s'il s'agissait d'un vulgaire bout de plastique et, pire encore, on me dit que les quelques rials iraniens dont je dispose ne valent pas plus que de l'argent de Monopoly. Je me tourne vers les gens du bazar. Ils ne lèvent pas le nez sur mes rials. Passer «Go» et réclamez 200 $. I am a rich man.

Il pleut et, pour retourner à ma chambre, je m'offre un rickshaw, petit bolide boucanant, à trois roues, décoré de mille et une couleurs et recouvert d'un capot de toile. Ici, comme partout au Moyen-Orient, on klaxonne comme on respire, ce qui rend l'atmosphère des villes épuisante.

Ma roue arrière vient de rendre l'âme. Les derniers 100 kilomètres l'ont achevée. Ici, il n'y a que des vélos de l'époque jurassique. Karachi, à l'extrême sud du Pakistan, étant sous des mesures d'urgence, Lahore reste la seule grande ville à l'est, où je pourrais me faire expédier une nouvelle roue. J'ignore comment faire mais je contacterai ma mère qui saura, par son expérience de conseillère en voyages et sa débrouillardise, trouver le moyen. Forcé d'accepter ce contretemps, je prends le train pour Lahore, un trajet de vingt-six heures. J'apprends de la bouche des locaux que très peu de touristes parviennent à franchir cette route qui relie Quetta à Lahore sans être dévalisés. Elle a même été baptisée «la route des voleurs».

Jour 167
En route vers Lahore, Pakistan
Le 28 décembre 1994

Une balade en train de 29 heures pour franchir 300 kilomètres vers l'est. J'ai passé une nuit blanche sur un petit banc à me geler les couilles. Dans les gares bondées à craquer, des gens de tous âges, loqueteux, passent à tour de rôle en criant: fèves, lentilles, riz, biscuits, thé, gâteaux. Des mendiants, nu-pieds, les suivent. À défaut de sommeil, je prends plaisir à observer et à descendre à chaque station pour me dégourdir et goûter aux délices culinaires.

On roule maintenant dans la plaine de l'Indus, berceau d'une civilisation datant du troisième millénaire avant Jésus-Christ. Les gens travaillent paisiblement dans les champs et transportent leurs charges à dos d'âne. Les buffles, qui collaborent aux durs travaux agricoles, se reposent sur le bord de la route. Pour la première fois depuis la côte turque, je retombe sous les 1 000 mètres d'altitude. Le climat est plus tempéré. Tout est vert. La densité de population a nettement augmenté. L'angoisse du désert est derrière moi.

Jour 168
Lahore, Pakistan - Le 29 décembre 1994

Décidément, la période des fêtes ne se déroule pas sous le signe de la santé. Le jour n'est pas levé que je fais la navette continuelle entre mon lit et la toilette. Encore ces fameux rots qui goûtent les œufs pourris. Un Belge et un Suisse, dont je viens de faire la connaissance, ont souffert, eux aussi, de ces symptômes typiques de la *giardiase* et me recommandent de prendre du *flagyl*. On avait prescrit du *nidazol* à Jean-Denis dans un hôpital universitaire turc et j'apprends qu'il s'agit du même médicament.

La *giardiase* est transmise par une nourriture impropre à la consommation, d'où naissent une multitude de vers microscopiques qui se logent dans l'intestin. Après une période d'incubation pouvant aller jusqu'à 24 semaines, ces parasites se comptent par millions. Pour se défendre, le système réagit en se vidant. Malheureusement, certains vers trouvent refuge dans les replis de l'intestin et attendent l'apport de nourriture pour se reproduire. Un cycle est ainsi créé: croissance, purge, régénération, purge et ainsi de suite. Sans traitement, le système n'arrive pas à s'en débarrasser.

Qui oserait, dans un salon occidental, parler à des inconnus de l'état de ses intestins? Ici, les voyageurs s'entretiennent de leurs selles avant même d'avoir échangé nom et adresse. Ce long bout de tuyau est souvent le seul responsable d'un séjour mémorable ou pitoyable.

Je me rends à la clinique médicale de l'Armée du Salut en espérant entendre de la bouche d'un médecin la confirmation des allégations de mes copains voyageurs. Mais il diagnostique une gastro-entérite et ajoute que je devrais m'abstenir de manger toute nourriture épicée. Je le regarde comme s'il me conseillait de ne pas marcher sur le sable alors que je suis en plein désert. Ici, il n'y a rien d'autre à manger que de la nourriture qui brûlerait même la gueule d'un dragon. Il me quitte brièvement pour revenir avec une poignée d'antiacides et de pilules rouges qu'il compte soigneusement avec ses mains crasseuses avant de les balancer dans un sac de plastique recyclé. S'il pense que je vais avaler ces «smarties» sans savoir ce qu'elles contiennent! Si je ne vais pas mieux demain, je prendrai du *flagyl*. Point final.

On vient de m'apprendre que la route des Karakorum, chaîne de montagnes de l'extrême ouest de l'Himalaya pakistanais, est momentanément fermée à cause de fortes chutes de neige. Ce parcours n'étant pas sur ma route ni dans mes projets de vélo, je m'y rendrai en autobus. Repos bien mérité en attendant ma nouvelle roue du Canada.

Jour 170

Lahore, Pakistan - Le 31 décembre 1994

Empreint de bonne humeur, je visite le zoo de Lahore et je me balade paisiblement dans la vieille ville. Le bazar ressemble étrangement à celui qu'on voit dans le film *La cité de la joie*. Chacun vaque à ses petites occupations. J'aime m'asseoir sur le trottoir, appuyé contre un mur, pour regarder, simplement. Au début, les gens m'examinent, mais après un certain temps, je me fonds au décor et deviens un fantôme. J'observe à ma guise leurs petites habitudes: leurs gestes minutieux pour couper du vieux persil pourri me fascine. L'application qu'ils mettent à la préparation d'un bol de riz pour un simple passant semble si important. Nourrir le peuple est un emploi qu'on occupe avec fierté. Un marchand dispose ses fruits, en créant une mosaïque parfaite, tandis qu'un autre vaporise soigneusement ses légumes pour les rendre plus éclatants de fraîcheur. Trois heures passent ainsi à regarder vivre, à me sentir revivre.

De retour à la réalité, je retrouve le bruit des voitures et l'odeur de la misère. Mais on dirait que le fait de l'avoir vu si souvent à la télé me fait sentir moins coupable d'être riche et en santé. Qui sait. Peut-être que nos valeurs et notre confort Ikea les feraient souffrir encore plus. Tout est possible ici même voir un cul-de-jatte traverser la rue assis sur un couvercle de poubelle.

Revenir d'un séjour au tiers-monde et se vanter d'avoir vu la vraie pauvreté nous permet de retourner en toute quiétude dans notre petit cocon synthétique, avec la certitude que notre monde est meilleur, que notre vie est enviable. On me répète souvent qu'ici, la vie n'a pas de valeur. Il y a tellement de monde qu'un mort de plus ou de moins ne fait pas de différence. Chez nous, on refuse la mort mais on accepte de se tuer à l'ouvrage. Avec tout le travail que nous impose notre confort matériel, on court après notre propre mort sans le savoir et on vit sans prendre le temps de vivre.

Nous, gens des pays riches, on cherche le bonheur et eux, des pays pauvres, se contentent d'avoir la vie. Prendre conscience du don de la vie n'est-il pas une raison suffisante pour trouver le bonheur? Avec notre rythme de vie effréné, je me demande si on n'a pas doublé le bonheur et pris tant d'avance sur lui qu'on ne le retrouvera plus jamais.

Mais je parle du bonheur sans trop savoir où il se trouve. À en croire mon père, je dois être très malheureux, car il prétend que le bonheur se trouve dans notre propre cour. Comme s'il me fallait faire le tour du monde pour m'en rendre compte.

Je me sens beaucoup mieux ce soir. Mon cadeau de Noël arrive-t-il en retard ou c'est celui du jour de l'An qui est en avance? Peu importe.

À l'an prochain!

Neuvième chapitre

L'Himalaya: ma première rencontre avec les géants du monde

Jour 171
Lahore, Pakistan - Le 1er janvier 1995

J'ai crié victoire trop vite. Encore cette diarrhée. J'achète du Seven Up, du pain, des *gastrolytes* (mélange composé d'eau, de sodium, de potassium et de sucre qui aide à rebalancer l'équilibre électrolytique du corps) et je titube jusqu'à mon lit. Le départ pour Islamabad est reporté.

Je prends l'once de force qu'il me reste pour me rendre à l'hôpital. Je ne sais pas si la déshydratation cause des problèmes d'orientation, mais je tourne en rond depuis quarante-cinq minutes. Je le trouve enfin. Maintenant, comment trouver un médecin? Les marches menant à l'entrée principale servent de salle d'attente. Des gens de tous âges patientent silencieusement sous un soleil cuisant. Ma couleur me donne des privilèges, et avant même d'avoir le temps de me décourager, je me retrouve devant la réceptionniste. Je débourse avec joie les frais d'inscription de deux roupies (10 cents) et on me fait signe de m'asseoir.

Un médecin, curieux ou désireux d'exercer son anglais, s'empresse de m'examiner. Il me fait coucher sur une civière et m'ausculte au milieu d'une foule curieuse. Encore heureux que je ne consulte pas pour une prostatite! Somme toute, j'aime encore mieux me faire regarder comme un Martien plutôt que de passer inaperçu et d'attendre dehors tout un après-midi. Ma pression artérielle tient bon et il juge que je m'en remettrai avec du repos. Prendre du *flagyl* était une bonne décision puisqu'il vient de m'en prescrire. Je retourne me coucher en me convainquant que c'est la seule chose à faire pour le moment. Cette journée a été plus astreignante qu'une journée complète de vélo. Je suis fidèle à mon journal, mais je dois m'arrêter ici car même mon crayon est trop lourd...

Jour 173
Lahore, Pakistan - Le 3 janvier 1995

Ce soir, bien installé dans ma chambre, je sors ma batterie de cuisine et prépare un chou cuit à la vapeur, des aubergines, des carottes et des pommes de terre, sans aucune épice, le tout accompagné de fromage et d'une tranche de pain. Mon intestin se rétablit rapidement.

Jour 174
Lahore, Pakistan - Le 4 janvier 1995

Tard en soirée, alors que je me promène le long d'une petite ruelle déserte, je tombe sur un attroupement monstre. On lance de l'argent en l'air et les jeunes se chamaillent pour l'attraper. Un homme, joliment vêtu d'un ensemble coloré, monté sur un bel étalon blanc, mène une bruyante fanfare. Le convoi s'immobilise et les gens entrent dans une salle, quand soudain quelqu'un me pousse à l'intérieur. Même si je suis vêtu d'un simple short et d'un t-shirt, on m'invite spontanément à ce mariage musulman. Musiciens, buffet, vêtements multicolores au travers desquels j'offre un contraste frappant. Mais personne ne s'en soucie. Les gens se ruent comme des affamés. Les plats se vident à vue d'œil et se remplissent tout aussi rapidement.

Au Pakistan, un mariage doit être un jour heureux, et pour l'occasion, tout le monde donne de l'argent en signe d'abondance. La façon de le faire n'est toutefois pas très orthodoxe. On place des billets d'une roupie (5 cents) sur la tête des invités, quels qu'ils soient, et un responsable se charge de ramasser la somme. C'est la façon d'offrir des cadeaux aux mariés. Ce cirque se déroule alors que tout le monde s'agite sur de drôles de danses, et il se terminera lorsque chacun aura épuisé ses réserves. Je ne danse pas, mais je regarde attentivement ce spectacle inusité, heureux de partager leur bonheur.

Jour 175
Lahore, Pakistan - Le 5 janvier 1995

Mettre des lettres à la poste représente toute une aventure. Le bureau ouvre et ferme ses portes à n'importe quelle heure, et même une fois à l'intérieur, on n'est jamais au bon comptoir. Une vraie tour de Babel où chacun essaie de voler la place de l'autre. Plus souvent qu'autrement, je suis «l'autre».

En me promenant dans cette ville de trois millions d'habitants que je connais maintenant assez bien, je déniche un resto de première qualité où l'on sert de bons steaks au poivre. Ce soir, je m'offre, avec quelques jours de retard, à moi-même de moi-même avec tout mon amour, un cadeau d'anniversaire. Mon estomac est d'attaque.

Jour 182
Islamabad, Pakistan - Le 12 janvier 1995

C'est à Islamabad, capitale du Pakistan, que j'obtiendrai mon précieux colis du Canada et mon visa pour l'Inde. Vive la bureaucratie. Pour faire changement, ma chambre d'hôtel est crasseuse comme ce n'est pas possible. Ici, on doit s'y habituer, car le mot hygiène en urdu, ça n'existe pas. Et lorsqu'on voit la façon de préparer la nourriture, on ne se demande plus pourquoi tant de voyageurs sont malades. Ironiquement, tout ça fait partie du charme du pays.

Je reviens d'un séjour d'une semaine dans la chaîne des Karakorum. Avant que la route ne soit complétée, en 1978, on voyageait à pied, à cheval ou encore à dos d'âne, et les gens des villages avaient très peu de contacts avec le monde extérieur. C'est incroyable de penser qu'ils arrivaient à s'adapter et à survivre dans des régions aussi isolées et inhospitalières. Heureusement il y a l'eau, la source même de la vie. Une eau vierge et pure qu'on canalise de façon ingénieuse.

Depuis cette liaison nouvellement construite, le KKH (Karakorum Highway), le mode de vie a changé. La prospérité a troublé la tranquillité des villages et changé les riches et anciennes valeurs de ces peuples. Les plus âgés se plaignent que les gens sont devenus matérialistes, tandis que la nouvelle génération semble apprécier ces changements.

Pour construire cette route, les ingénieurs chinois (les Pakistanais n'ayant pas l'expertise nécessaire) ont dû utiliser la seule possibilité qu'ils avaient, c'est-à-dire trouver une rivière qui traverse du sud au nord et suivre son tracé jusqu'au plateau tibétain. Ils ont donc longé l'Indus et ensuite la rivière Hunza, qui s'oriente vers le nord-est, jusqu'à la frontière chinoise.

L'érosion causée par des millions d'années combinée à une roche altérable ont creusé le lit de la rivière de plusieurs centaines de mètres. La route a été taillée à même le flanc rocheux de la montagne, à la limite de la bordure verticale. C'est ce qui explique qu'elle soit si spectaculaire, si tortueuse et si dangereuse. Son entretien est forcément négligé et plusieurs endroits deviennent presque infranchissables lorsque de violentes chutes d'eau se forment sous la pluie ou à la fonte des neiges. À tout moment, le bus doit contourner une grosse roche tombée au beau milieu de la route. Les pierres tombales, qui bordent la route telles des bornes kilométriques, ne manquent pas de nous rappeler que la sélection naturelle se charge des mauvais conducteurs. «Highway» est un bien grand mot. On a mis dix-sept heures pour franchir les 620 kilomètres qui séparent Rawalpindi de Gilgit.

Rendu à Gilgit, le plus grand village du coin, je reprends un minibus pour Baltit, trois heures et 112 kilomètres plus loin. Cette enclave perdue, construite à flanc de montagne, est tout à fait splendide. C'est le coin favori des touristes en été. Jamais je n'aurais cru que des montagnes aussi imposantes puissent paraître si petites. La démesure du décor nous fait oublier qu'on côtoie les géants du monde. De ma chambre, j'aperçois le Rakka-Poshi (7 787 mètres) qui culmine à 4,1 kilomètres au-dessus de ma tête. Treize fois la tour Eiffel.

En hiver, il n'y a pas un seul touriste. J'ai tout le loisir de causer avec les petits commerçants qui vendent les broderies typiques de la vallée. L'un d'eux me reçoit chez lui comme un grand visiteur venu du Canada, «ce pays qui n'a jamais connu la guerre». Il m'offre un emploi comme professeur d'anglais dans la communauté. Ils en ont grandement besoin. Cette langue est devenue de plus en plus nécessaire pour eux. Il veut me garder pour la vie. Il semble tellement heureux. Vivre au rythme de la nature, avec ces gens, doit être une riche expérience. Je ne dis pas non, mais comme je veux continuer mon aventure, ce sera peut-être pour un prochain voyage. Il m'invite alors à revenir, cette fois en été, pour m'amener faire l'une des plus belles excursions de quatre jours pour admirer le K2, le deuxième plus haut sommet du monde.

Nous revenons en pleine tempête de neige. Personne n'ose troubler la concentration du conducteur, notre vie repose sur son volant, entre ses mains. Un éboulis obstrue la route aux deux tiers et il n'y a aucun garde-fou du côté du précipice. Le bus s'immobilise au point le moins large. Il n'y a pas un centimètre libre de chaque côté. De ma fenêtre, je vois la rivière 200 mètres plus bas sans même apercevoir le bord de la route. Un frisson me traverse l'échine lorsque le chauffeur appuie timidement sur l'accélérateur. J'ai vraiment l'impression que nous avons glissé quelques centimètres vers le bas. Quelques-uns de plus et mon journal se terminait ici.

Jour 183
Islamabad, Pakistan - Le 13 janvier 1995

Aujourd'hui, c'est le grand jour. Je me rends à l'aéroport pour chercher le précieux colis que mes parents m'ont envoyé par British Airways Cargo. Ils ont fait des pieds et des mains pour l'acheminer le plus rapidement possible, un vrai tour de force.

Le service à l'aéroport est tout ce qu'il y a de plus pakistanais. Je cours d'un bureau à l'autre accompagné d'un gentleman qui me prend en charge, car il se doute bien que je n'y arriverai jamais seul. Après une heure à me trimbaler d'un officier à l'autre, j'obtiens une septième signature que je crois être la dernière. Mon guide me conduit ensuite vers un grand local où l'on remise les colis provenant des quatre coins du monde. Je dépose ma réquisition qu'on apporte je ne sais trop où. Je suis tout excité. Le paquet va apparaître d'un instant à l'autre. Tout juste à côté de moi, dans un bureau semi-vitré, un groupe de préposés prennent tranquillement le thé.

Une heure et demie plus tard, je suis toujours sans nouvelles. Je retourne voir mon gentilhomme qui m'apprend sans sourciller qu'on attend. «On attend quoi?» La réponse me plie en deux: on attend qu'un des messieurs du bureau vitré appose ses initiales sur mon papier. Pincez-moi, quelqu'un, vite!

Maintenant que mon papier est criblé d'initiales et de signatures toutes aussi inutiles les unes que les autres, après trois heures et demie d'attente, voilà le paquet. Mais on exige quarante dollars. «You pay or you wait». Que j'en voie un me dire que les vendredis 13, c'est de la superstition!

De retour à la chambre, après une douche à l'eau glacée - obligée -, je suis frais et dispos, c'est le cas de le dire, pour le dépouillement de la boîte de carton. Ma roue est en parfait état et les dernières nouvelles en provenance du Canada datent du 15 septembre. Déjà quatre mois et demi.

Jour 191
Lahore, Pakistan - Le 21 janvier 1995

Demain, je quitte le Pakistan pour l'Inde. J'ai ma roue et un visa valide pour six mois. Je me sens comme un enfant à son premier jour d'école.

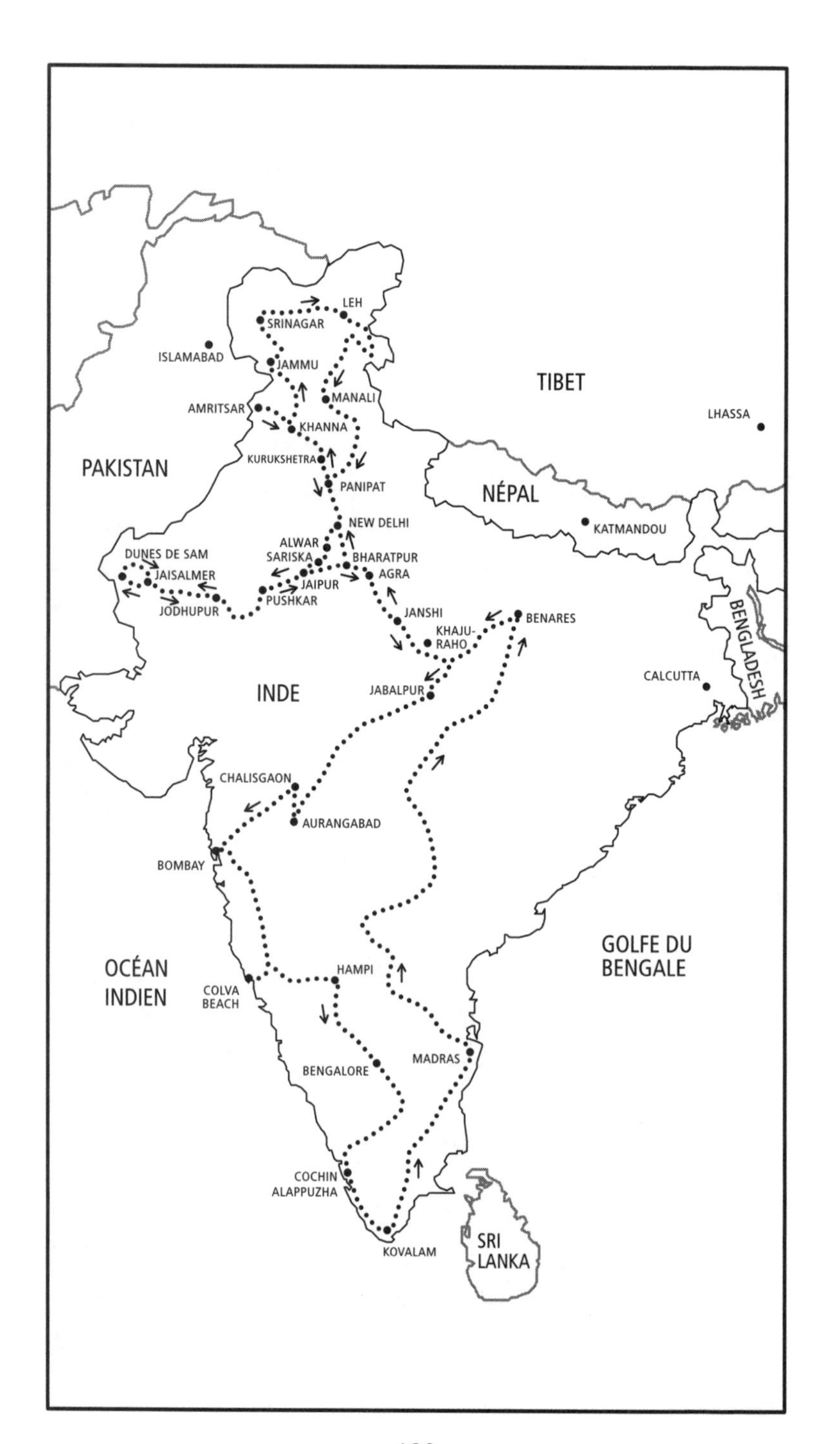
LEH
SRINAGAR
ISLAMABAD
JAMMU
TIBET
MANALI
AMRITSAR
LHASSA
KHANNA
KURUKSHETRA
PAKISTAN
PANIPAT
NÉPAL
NEW DELHI
KATMANDOU
ALWAR
DUNES DE SAM
SARISKA
BHARATPUR
JAISALMER
AGRA
JAIPUR
PUSHKAR
JODHUPUR
JANSHI
BENARES
KHAJU-
RAHO
BENGLADESH
CALCUTTA
JABALPUR
INDE
CHALISGAON
AURANGABAD
BOMBAY
GOLFE DU
BENGALE
OCÉAN
INDIEN
HAMPI
COLVA
BEACH
MADRAS
BENGALORE
COCHIN
ALAPPUZHA
SRI
LANKA
KOVALAM

Dixième chapitre

Le pays de la démesure

Jour 192

Amritsar, Inde - Le 22 janvier 1995

Belle journée pour franchir la frontière de l'Inde. Une température d'été et un vent chaud. Tout semble si différent. Les Sikhs, avec leur carrure imposante et leur turban, donnent au pays une atmosphère royale. Les vaches sont assises au beau milieu de la circulation. Les déchets bordent les rues. Les *rickshaws* se fraient un chemin à

Pour apprécier l'Inde, il faut simplement s'asseoir et regarder. L'Inde, c'est la démonstration de la vie à sa plus simple expression.

travers cette cohue. Les automobiles, prises dans les marées humaines et animales, avancent au centimètre. Les mobylettes, plus petites et plus maniables, se faufilent, polluant l'air d'une cacophonie ininterrompue de klaxons. Les piétons, accoutumés à ce cirque étourdissant, marchent comme dans un sentier pédestre. Commerçants et propriétaires d'échoppes profitent de cet achalandage pour réaliser de bonnes affaires. Finalement, comme si ce n'était pas suffisant, j'aperçois une pauvre vache, les viscères sortis du ventre. Elle vient sans doute de se faire heurter par un véhicule. Elle est là, immobile au centre de la chaussée, on la regarde avec tristesse, mais personne n'osera la délivrer de sa souffrance C'est une bête sacrée.

Je suis à Amritsar, capitale de l'État du Punjab, où se trouve l'un des plus beaux temples que j'ai vu: le Temple d'or, un temple sikh rempli d'un esprit si profond que j'en reste saisi. Construit au 15e siècle, c'est le centre de la religion sikh fondée par le gourou Nanak Dev-Ji en 1469. Il est le maître spirituel de l'hindouisme, à la manière du Dalaï-lama pour le bouddhisme et des prophètes pour l'islam. Il avait pour objectif de rallier les points forts de l'islam à ceux de l'hindouisme.

De la rue principale, on aperçoit la muraille qui borde la place du temple. Avant de franchir les marches qui conduisent à l'intérieur, on doit purifier corps et âme. Ce rituel est sagement observé par les fidèles. On se déchausse et on se frotte énergiquement les pieds avec l'eau d'un petit bassin pour purifier le corps tandis que, pour l'âme, on porte à sa bouche une poignée de cette même eau que l'on rejette en partie. En voyant la centaine d'adeptes qui me précèdent, inutile de dire que je ne me suis pas livré à ce rituel.

Rien ne laisse présager que derrière ces murs se trouve un monument si majestueux, entièrement recouvert de feuilles d'or. Sur la zone piétonnière, de petits abris recouvrent les tombes des gourous. Dans chacun de ces abris, un vieil homme lit à haute voix le livre saint, le «Granth Sahib», qui doit avoir un pied et demi d'épaisseur; un livre imposant, comme celui de Fanfreluche.

Le temple, édifié au centre d'un étang, est relié à la zone piétonnière par une étroite passerelle bordée de lanternes. Les pèlerins la franchissent solennellement pour rejoindre le socle sacré. À l'intérieur, d'un geste répétitif, ils se penchent et portent la main au sol puis à la poitrine comme pour laisser la chance aux dieux de les pénétrer. Ils récitent une courte prière, après quoi ils jettent au sol

Fierté de la nation sikh, le Temple d'or fascine et transporte tous ceux qui franchissent son portail.

des pièces de monnaie, sans être sollicités. En retour, on leur remet une guirlande de fleurs qu'ils embrassent, portent à leur front et déposent ensuite religieusement au centre du temple.

La musique ajoute au charme de ce décor. De l'extérieur, on l'entend grâce à des haut-parleurs, et tout porte à croire qu'il s'agit d'un disque. Mais la surprise est saisissante quand on entre et qu'on aperçoit trois hommes qui jouent cette douce et enivrante harmonie. Le premier est au tambourin, le deuxième à l'accordéon et le troisième au clavier. Ils ont tous passé la soixantaine. Ils chantent en chœur ou en solo, d'une voix riche et calme, des poèmes religieux dont je ne peux malheureusement saisir le sens. Assis derrière eux, un chœur d'une dizaine de fidèles les accompagne. L'acoustique du temple, la vue de cet or, toutes ces icônes qui garnissent les murs et ces effluves de fleurs contribuent à la grandeur et à la beauté du spectacle. Du deuxième étage, assis paisiblement par terre sur un magnifique tapis brodé, je peux encore mieux les observer et apprécier la scène. Un régal pour les sens.

Jour 195
Amritsar, Inde - Le 25 janvier 1995

On offre aux pèlerins et à tous ceux qui le désirent la possibilité de se loger et de se nourrir gratuitement. Tout est mis en œuvre pour permettre aux pauvres comme aux riches de bénéficier de la spiritualité qu'offre le Temple d'or. Je suis un de ceux-là! Paresseux de repartir, accroché à un livre que je ne peux quitter, *India wins freedom*, et choyé par l'accueil de mes hôtes, je décide de prolonger mon séjour.

En Inde, on laisse libre cours à la créativité et à l'imagination des policiers pour déterminer les peines que doivent subir ceux qui se risquent à défier la loi. Un motocycliste imprudent vient tout juste de se faire prendre sous mes yeux. Voyant que le pauvre homme n'a sûrement pas l'argent pour défrayer l'amende, l'agent décide tout simplement de dégonfler ses pneus! Traîner sa moto jusqu'au prochain garage est, je présume, une peine suffisante.

Partout dans les villages et les campagnes, les paysannes travaillent et se baladent avec des bracelets, des colliers, des bagues et des boucles d'oreilles à faire rêver. L'or est le seul bien matériel monnayable qu'elles parviennent à accumuler durant leur vie active et leur seul gage de survie pour les vieux jours. Comme elles n'ont pas de compte en banque et encore moins de coffret de sûreté, elles portent sur elles tout leur avoir, toute leur richesse.

Un voleur qui s'attaque à une vieille dame sans défense pour lui arracher l'or qu'elle porte recevra un châtiment corporel brutal et sans merci de celui qui l'attrapera.

Si jamais on entend crier «au voleur», la consigne est de se jeter à terre et ne plus bouger de façon à ce qu'il ne reste plus que le coupable qui tente de s'enfuir.

Je reviens à peine de la soupe populaire. Nous étions tout près de deux cents personnes, assises par terre en rangées parfaites. Lorsque tout le monde est bien en place et que le bruit cède la place au silence, on commence le service. On nous remet une assiette en acier et un petit bol. Je me sens comme un enfant à qui l'on donne des jouets pour patienter un peu. Viennent ensuite les *chapatis*, des rondelles de pain typiques de l'Inde et du Pakistan. Pour en obtenir, il faut superposer les mains devant nous, comme pour recevoir une offrande, sinon on passe en dessous de la table. Ensuite vient le *dahl*, une purée de lentilles bouillies servie avec une grosse louche. Finalement, on nous verse de l'eau à même un bidon d'essence à moitié rouillé. Tout ça n'a pas l'air très catholique.

Il existe en Inde treize langues officielles et plus de sept cents dialectes. Puisque personne ne parle la même langue ou presque, lorsque les serveurs repassent pour rassasier les plus gros appétits, la consigne est de lever son bol si l'on a encore soif, son assiette si l'on a encore faim ou tendre la main si l'on veut encore du pain, comme quand j'étais petit et que je levais mon assiette en prononçant les mots magiques: «Encore si'ous plaît, m'man!»

Après, tout le monde apporte sa vaisselle pour le nettoyage. Les assiettes sont lavées à l'eau tandis que les tasses subissent un autre traitement très peu orthodoxe. Elles sont lavées manuellement avec du sable fin par des femmes assises de chaque côté d'un bassin de sable. On les frotte vaillamment une à la fois, jusqu'à ce qu'elles soient complètement asséchées. On me dit que c'est le seul moyen de les nettoyer efficacement, mais je les soupçonne de vouloir faire travailler le plus de gens possible. Comme toutes les femmes mettent la main à la pâte, ça crée une atmosphère familiale et un grand esprit d'entraide.

Tout près du temple, se trouve un parc où les gens s'affairent à la réfection d'un canal. Chaque homme, désireux de se porter volontaire, est le bienvenu. Il s'agit simplement de transporter la terre d'un point à un autre à l'aide d'une grande assiette de paille que l'on transporte sur sa tête. Ma participation à cet effort collectif attire l'attention. Un Indien prend une photo. Durant ce court instant, je ne suis plus un visiteur, je suis un des leurs.

Jour 196
Amritsar, Inde - Le 26 janvier 1995

Ce matin, mon destin prend les choses en main. Un homme et sa femme m'accostent. Mon attirail les intrigue et mon courage les impressionne. Tous deux sont dentistes et habitent Chalisgaon, un petit village de l'État du Maharashtra, au nord-est de Bombay. On bavarde longuement et ils me recommandent fortement de visiter trois sites importants qu'on ne peut manquer lors d'un séjour en Inde. Il s'agit des grottes peintes d'Ajanta et d'Ellora et du parc national de Khanna qu'ils me décrivent avec beaucoup de passion. Ils habitent d'ailleurs tout près. Ils tiennent absolument à m'accueillir chez eux, à me présenter à leurs amis et surtout à m'accompagner pour visiter les environs. Ils me laissent leurs coordonnées et m'offrent même de recevoir mon courrier en attendant que j'arrive. Je les connais à peine et nous discutons déjà comme de vieux copains. Mon trajet se trace de lui-même. Mon ange travaille fort.

En route, pour la première fois, je suis importuné par trois jeunes gens qui s'agrippent à mon vélo et tentent d'ouvrir mes sacoches. Malgré ma résistance polie, ils persistent. Je dois recourir à la force pour m'en sortir.

Jour 197
Khanna, Inde - Le 27 janvier 1995

J'ai suivi deux hommes à vélo ce matin. Ils vendent leurs légumes dans le village voisin. Ils sont chargés de cent livres de choux, d'oignons et de carottes. Ils transportent une balance rudimentaire sur le dessus de leur cargaison. Le seul coût de cette opération: un vélo, une balance et du cœur, beaucoup de cœur. Quand ils ont tout vendu, ils sont les plus heureux du monde. Qui pourrait vivre chez nous avec un vélo et une caisse d'oignons?

Jour 198
Khanna, Inde - Le 28 janvier 1995

Je flâne dans le petit village de Khanna le long de la Great Trunk Road, la route qui traverse le sous-continent

Ces honnêtes travailleurs de la plaine indienne nous montrent humblement ce que signifie avoir du cœur au ventre.

indien, d'est en ouest. De la terrasse d'un petit restaurant située à l'étage, je peux contempler tout ce qui se passe en bas, le long de l'artère principale: des barbiers, des couturiers, des échoppes de toutes sortes, des vendeurs de légumes avec leur charrette, des conducteurs de *rickshaws* qui font leurs livraisons, des vendeurs d'arachides avec leurs étalages qui forment un cône parfait, et des gens qui réparent des vélos archaïques. Un forgeron pourrait exercer ce métier puisque la réparation consiste à frapper à coups de marteau jusqu'à ce que le problème disparaisse. D'autres, par contre, retapent soigneusement tout ce qui leur tombe sous la main. Regarder un artisan remettre une selle à neuf est tout un spectacle.

Ici, il n'y a pas d'âge pour le travail.

Jour 199
Kurukshetra, Inde - Le 29 janvier 1995

Après quelques jours à «tirer de la patte», mon genou semble aller mieux aujourd'hui. J'ai beau planifier mille et un projets, s'il ne suit pas, c'est lui qui a le dernier mot. Mon voyage ne tient qu'à un ligament.

Je quitte Khanna sous l'œil attentif de quelques curieux. Deux personnes avec qui j'ai discuté m'accompagnent à vélo jusqu'à la sortie de la ville. Nous déjeunons ensemble et partageons nos points de vue sur l'Inde, le Canada, la politique, le journalisme, la sexualité et évidemment la religion. L'Inde ayant été pendant plus d'un siècle et demi une possession britannique, la population citadine se débrouille relativement bien en anglais, ce qui

Le rickshaw motorisé, un moyen de transport économique.

n'est pas toujours le cas pour les villageois et les paysans. Je suis leur hôte, et comme d'habitude, je traîne mon yogourt, mes bananes et mes noix. Avec mon appétit vorace, j'évite ainsi de faire sauter la facture; et ils comprennent lorsqu'ils me voient engloutir toute cette nourriture. L'un d'eux me donne sa bague en souvenir afin que je ne l'oublie jamais.

Jour 200
Panipat, Inde - Le 30 janvier 1995

Je redouble de vigilance à cause de la circulation qui s'intensifie à l'approche de la capitale indienne. J'aimerais trouver un beau coin pour coucher avant d'entrer définitivement dans la grande agglomération de Delhi qui compte plus de 10 millions d'habitants.

J'aperçois le mot «English» sur une pancarte. Un ouvrier, affairé à construire une maison sur le bord de la route, me fait signe de me rendre au bout du sentier. Un homme élégamment vêtu s'apprête à quitter. Je me présente poliment et lui raconte mon voyage, comme je le fais plusieurs fois par jour. Il est commissaire d'école et accepte que je m'installe pour la nuit à l'intérieur de ces murs à peine terminés. Il pousse la gentillesse jusqu'à m'offrir du thé et des galettes de pain pour déjeuner demain matin. J'apprécie ma chance de coucher à l'intérieur, mais je monte quand même ma tente, car j'ai peur des moustiques. On ne sait jamais lequel transporte la malaria.

Jour 201
Delhi, Inde - Le 31 janvier 1995

Me voilà à Delhi chez des amis de la famille, les Guha. J'écoute de la musique et j'ai les yeux qui picotent, sans doute à cause du manque de sommeil. Ma dernière nuit n'a pas été très réparatrice, car le vieil Indien en charge de la sécurité de je ne sais trop quoi, qui a dormi sur une chaise à côté de moi, a toussé toute la nuit.

Je dois l'écrire: je m'ennuie ce soir. Je me sens loin. C'est la première fois que je vis ce genre de tristesse. Peut-être à cause du confort d'une vraie maison. Je dois être déstabilisé dans ma routine de solitaire. Je ne sais plus. Quand on est fatigué, il ne faut pas réfléchir, il faut dormir. Va te coucher et remets ça à demain.

Jour 202 et suivants
Delhi, Inde - Du 1er au 5 février 1995

J'ai passé tout ce temps dans la maison confortable et chaleureuse des Guha. J'en ai profité pour me reposer, écouter de la musique, lire, bien manger, me renseigner et vivre dans le luxe de la classe professionnelle de Delhi. Ici, l'abolition des classes sociales est impensable. Chaque maison aisée a ses serviteurs. Je ne parle pas de millionnaires, mais de diplômés qui possèdent un bon emploi. Chez les Guha, une personne s'occupe du courrier et de tout ce qui regarde la paperasse; d'autres des travaux ménagers et des repas à raison de sept jours sur sept. Du «cheap labor» comme ils disent.

La ville étant très étendue et les sites importants éparpillés un peu partout, j'ai découvert le vieux Delhi avec un tour organisé, comme un vrai touriste. J'ai beaucoup apprécié la visite de la maison d'Indira Gandhi, fille de Nerhu, première femme à occuper la tête du gouvernement, assassinée par son garde du corps sikh en 1984. Les nombreux articles de journaux relatant les événements de sa vie politique ont piqué ma curiosité et me donnent le goût de lire son autobiographie. Je lis présentement sur Mahatma Gandhi, père spirituel de l'Inde et sur Ali Jinnah, homme d'État et véritable créateur du Pakistan.

Je suis incorrigible. Malgré le désir de diminuer le poids de mon vélo, je ne peux m'empêcher d'acheter l'autobiographie de Jawaharlal Nehru, un des artisans du projet d'indépendance de l'Inde, une brique de 500 pages. C'est plus fort que moi. Le fait d'avoir de la lecture me réconforte et me rassure. Avec d'aussi bons compagnons, comment pourrais-je me sentir seul? Quand j'aurai compris le présent, je serai en mesure de retourner en arrière et d'étudier l'empire Moghols. J'ai la chance d'apprendre sur place et j'en profite. Mon *Lonely Planet*, la bible du voyageur en Inde, ne me quitte pas. Partir sans lui, c'est comme regarder les étoiles sans télescope!

Mon itinéraire est fixé jusqu'à ce que je change d'idée: Delhi - Jaipur - Agra - Khajuraho - Benares - Jaigaon - Ajanta (chez les dentistes qui m'attendent) - Bombay et la côte ouest jusqu'à Goa. Ensuite je remonterai. Comment? Je ne sais pas.

Partir au loin
Loin de tous les miens
Partir pour découvrir
quoi, je ne sais pas
Peut-être simplement la paix
Partir pour me rendre compte
Qu'au bout du compte
Le bonheur ne se trouve pas au bout du monde
Mais dans la cour de mon petit monde

Jour 210
Alwar, Inde – Le 9 février 1995

Chaque État possède ses caractéristiques propres. J'entre dans celui du Rajasthan, qu'on surnomme la terre des rois. C'est l'exotisme de l'Inde à la puissance quatre. Le pays des Rajputs, clan de guerriers qui a contrôlé ce coin de pays pendant mille ans. Cet État est moins peuplé et son paysage, vallonné.

À l'ouest, se trouve la région aride du grand désert du Thar. On a remplacé les vaches et les bœufs par des chameaux pour le transport des marchandises entre les villages. Il y en a partout. Imposants, fiers, hauts sur pattes, ils se faufilent, impassibles, à travers le trafic lourd. Les babines tombant de chaque côté du museau, les paupières

Même dans les campagnes perdues de l'Inde, je ne dîne jamais seul.

rabattues sur de gros yeux sortis de la tête, une bouche qui laisse transparaître un sourire en coin, ils me regardent d'un air hautain. J'adore les photographier.

Je roule sur une route de campagne à moitié pavée, pleine de trous et de roches. Les cartes routières sont si pitoyables que je me perds dans la nature. Un homme à vélo m'offre son aide et fait route avec moi. Il salue ses copains au passage, tout fier de ramener sur la bonne voie la brebis égarée. Dans ces villages perdus, avec mon vélo blanc fusée, mes sacoches rouge météore, mon casque qui ressemble à celui du Capitaine Cosmos et mes lunettes de Martien, je ne suis pour eux rien de moins qu'un extraterrestre.

Les chameaux sont les fardiers du Rajasthan.

Les filles et les femmes portent des costumes qui feraient l'envie de bien des femmes de chez nous. Leurs étoffes aux couleurs rouge feu, jaune tournesol et vert forêt, agrémentées de broderies dorées, sont aussi éclatantes que variées. Je comprends pourquoi on dit du Rajasthan qu'il est un État coloré. Les femmes sont si belles avec leurs longs cheveux noirs qui tombent sur un visage fin au teint chocolaté. Elles me regardent passer et me sourient, laissant paraître toute la blancheur de leurs dents. Quel contraste avec les femmes des pays islamiques où le noir domine et les tchadors cachent tout.

Je suis bien couché dans mon cocon, ma mini-tente. Comme c'est tranquille. J'entends les criquets et quelques chiens qui aboient au loin. Deux vieux cultivateurs dorment tout près de moi dans un abri qui ressemble davantage à une remise à bois qu'à une maison. Peu importe, ils ont l'air heureux.

Les Indiens sont d'honnêtes travailleurs qui se débrouillent comme ils le peuvent. Je ne peux m'empêcher d'avoir un geste charitable pour ceux qui ne sont plus en condition de pourvoir à leurs besoins: les vieux, les malades, les handicapés. Une seule roupie (5 cents) leur est d'un grand secours. Heureusement que les petits commerçants sont généreux. Ils les nourrissent en leur donnant des fruits et des légumes. Pour le reste, j'aime mieux ne pas y penser. Je me demande qui les ramasse quand ils meurent en pleine rue, la nuit: la morgue, les éboueurs, les chiens ou les vautours?

Onzième chapitre

Une jungle omniprésente

Jour 211
Sariska, Inde - Le 10 février 1995

La route qui m'a mené jusqu'ici est impressionnante. Entourée de montagnes arides, elle traverse des forêts tellement bizarres que je ne sais même pas si les arbres sont encore vivants. Arrivé à midi, je dîne au village dans un petit restaurant le long de la route où il y a autant de singes que de gens. Ils sont partout! Pendant mon repas, un coup de vent fait tomber une vieille croûte de pain du toit. Elle atterrit directement dans mon bol de lentilles qui se renverse sur ma cuisse. Après un nettoyage sommaire avec un chiffon dont je préfère ne pas connaître la provenance, on me sert à nouveau et je continue à manger calmement. Tout à coup, un singe saute du toit à la vitesse de l'éclair pour atterrir, encore une fois, dans mon assiette et s'enfuir avec mes deux morceaux de pain! Et comme si ce n'était pas assez, un oiseau me laisse sa carte de visite sur la tête. Repas divertissant.

Jour 212
Sariska, Inde - Le 11 février 1995

Je me lève tôt pour la visite de la réserve. On se balade en jeep dans les petits sentiers d'un parc national qui s'étend sur plus de 800 kilomètres carrés. Plusieurs temples, édifiés par les maharajahs du temps, décorent les lieux. La randonnée, d'une durée de trois heures, ne nous permet malheureusement pas de voir les tigres; par contre j'ai la chance d'observer une quantité incroyable d'animaux sauvages dans leur milieu naturel, comme des sangliers, des cerfs, des taureaux bleus, des singes nasiques et une multitude d'oiseaux dont les majestueux paons.

À la sortie du parc national, une longue rangée d'arbres borde un chemin qui mène à l'entrée du spectaculaire Sariska Palace, construit par le maharajah d'Alwar. C'est ici que se réunissait la classe dirigeante de l'Inde pour pratiquer la chasse aux tigres à dos d'éléphants. Des milliers de félins étaient ainsi abattus chaque année.

Le palais est entouré d'un immense jardin où il fait bon flâner. Sur la terrasse, des musiciens jouent du sitar et du tabla. En fermant les yeux et en se laissant porter par le son mélodieux de ces instruments typiques, on peut facilement s'imaginer faire partie d'une des riches et extravagantes cérémonies du temps. Ce soir, toutefois, après avoir dégusté un buffet royal dans la grande salle du palais, mon budget ne me permet plus qu'une nuit à la belle étoile parmi les singes et les cochons sauvages.

Jour 213

Jaipur, Inde - Le 12 février 1995

Je commence ma balade à vélo dès le lever du jour. Le flanc des montagnes est tapissé de brume. Les singes, tels de petits anges dans une atmosphère ouatée, sont assis sur la route et me regardent nonchalamment passer. La lumière du soleil perce tranquillement cette épaisse couche laiteuse. Une journée débute. Le silence cède la place au va-et-vient de cette campagne indienne qui regorge de vie. Les gens, à cette heure matinale, semblent heureux et sourient comme si chacun appréciait consciemment le calme avant la tempête. On me regarde passer et on me sourit comme si je faisais partie de leur vie quotidienne.

Cinquante-cinq kilomètres plus loin, je quitte cette région vallonnée pour rejoindre la route principale. Je laisse à regret mes chameaux et mes singes pour des centaines de voitures et de camions. Une vache, sans doute écrasée au petit matin, gît sur l'accotement. Une cinquantaine de vautours se chargent de transformer cet animal sacré en une carcasse méconnaissable. Il s'agit réellement d'une communion. Ils sont si affamés que ma présence, à quelques mètres du repas, ne les indispose pas le moins du monde. Un chien s'approche subrepticement, mais les énormes oiseaux n'entendent pas partager.

On a toujours de la compagnie en Inde...

J'ai roulé 118 kilomètres sans ressentir aucune fatigue. J'ai retrouvé mes jambes d'antan et toute mon énergie. Ma digestion va très bien. J'ai l'impression que mon vélo roule tout seul. Je me sens libre comme l'air. On dirait que j'ai un second souffle. J'entre dans Jaipur, la capitale du Rajasthan, par une route où les éléphants partagent l'espace avec les plus gros fardiers.

Qu'y a-t-il de si urgent?
Pourquoi ne pas prendre le temps
De jouir du moment présent
Sans penser à tout ce qui nous attend.
Ce qui peut attendre, attendra
Rien ne sert de presser le pas
Puisqu'une fois rendu
Tu regretteras le temps perdu

Jour 215
Pushkar, Inde - Le 14 février 1995

Je me lève ce matin avec le goût de bouger. Je suis en voyage depuis sept mois, jour pour jour. Je pars pour une tournée de deux semaines dans la partie ouest du Rajasthan. Mon «âne» reste ici pour se reposer.

Pushkar est un joli village tout blanc, au creux d'une vallée perdue au milieu du désert. Au centre, un lac qui se remplit et se vide au rythme des saisons. Des pèlerins viennent des quatre coins de l'Inde pour s'asperger de ses eaux sacrées. De ma chambre, j'ai une vue plongeante sur les *ghats* où se tiennent certains rituels religieux. Tout près de l'eau, un jeune enfant fond en larmes. On vient de lui raser les cheveux, malgré lui, pour ce premier bain qui le purifiera. Plus loin, des gens lavent leurs vêtements et les rincent dans ce lac qui sert à tout sauf à la consommation.

Contrairement aux autres villes et villages indiens, l'atmosphère est calme et paisible. Il n'y a aucun véhicule dans les rues; que des vaches, des cochons, des chiens, des bœufs et évidemment des chameaux. Les cochons mangent les ordures et tout ce qui traîne. Les vaches, elles, plus sélectives, sillonnent les rues à la recherche de pelures de banane, d'orange et de melon jetées intentionnellement par les commerçants. Aussi incroyable que cela puisse paraître, elles font la récupération du papier. Elles le mangent. Hier, on m'a servi du pain dans un papier, et plutôt que de le jeter à la poubelle, j'ai cherché une vache. Ça doit donner du lait dans des litres de carton.

N'allez surtout pas croire que cette pauvre bête abandonnée souffre de la maladie de la vache folle! Ici, même les plus nobles aident au recyclage.

Je suis amoureux d'elles. Il y en a de toutes les couleurs et de toutes les grosseurs. Elles ont de beaux yeux en forme de gouttes et de grands cils; on dirait qu'elles sont maquillées. Leur museau tout noir est recouvert de petits poils courts. Elles sont partout.

En fin de journée, on me recommande de monter au Hilltop Temple pour contempler le coucher de soleil. Une heure de marche ascendante sur un sentier escarpé, pavé de roches instables. Plusieurs personnes âgées, chaussées de babouches et appuyées sur leur canne, arrivent exténuées. La vue de là-haut est un délice. Le sol aride du désert tourne au rouge avec la tombée du jour. Le bleu du lac s'intensifie et les habitations tournent subtilement au blanc perlé. La fraîcheur des nuits, propre au désert, se fait sentir rapidement. Le soleil nous éclaire de ses derniers rayons et déjà la foule entreprend la descente, une descente qui s'avérera longue et pénible pour certains.

Jour 218
Jaisalmer, Inde - Le 17 février 1995

Qu'est-ce que la vie?
N'est-ce pas la plus belle chose qui existe sur terre*?*
Qu'est-ce que la terre*?*
C'est cette boule immense que je tente
de dominer *par mes propres moyens*

Mais qu'est-ce que dominer*?*
C'est le résultat d'un profond et douloureux
voyage au fond de ses entrailles

Comment sont mes entrailles*?*
Elles sont en feu, le feu de l'aventure et

de l'amour du défi
Mais qu'est-ce que le défi*?*
C'est accomplir ce qu'on n'aurait jamais cru réussir

Qu'est-ce que je n'aurais jamais cru réussir*?*
Me connaître pour ce que je suis vraiment
et non pour ce que je veux être...

Qu'est-ce que je n'aurais jamais cru réussir*?*
Rompre les chaînes de la vie et vivre en déchaîné*!*

Jour 222
Jaisalmer, Inde - Le 21 février 1995

Je suis à Jaisalmer, qu'on a appelé la ville dorée à cause de la couleur que prennent les remparts de sa forteresse au coucher du soleil. Elle a été l'une des plus importantes du désert du Thar. Toute la marchandise vers l'ouest y transitait. Son fort est authentique. Construit en 1156, il a à peine subi l'usure du temps. En entrant, on a l'impression que les habitants vivent de la même façon depuis des siècles.

Pour retrouver l'atmosphère du temps des caravanes, je pars pour une excursion de deux jours à dos de chameau en plein cœur du désert. Une randonnée de 42 kilomètres qui nous mènera dans les dunes tout près de la frontière pakistanaise où nous passerons une nuit à la belle étoile.

J'apprends que les chameaux n'ont besoin que d'une heure de sommeil par jour, qu'ils mangent quotidiennement cinq kilos de foin, qu'ils peuvent parcourir cent kilomètres et passer trois jours sans boire. On se demande alors comment ils faisaient, jadis, pour traverser les longs déserts. Sur les routes se trouvent des points d'eau à intervalles réguliers où ils peuvent boire et se nourrir de feuilles et d'arbrisseaux. Quand ils traversent les longues dunes où il n'y a que du sable, le maître apporte la nourriture.

Les bêtes, assises à la manière du Sphinx de Gizeh, chargées comme des mulets, sont prêtes. Je grimpe et j'attends, un peu inquiet, les ordres du maître. «Tenez-vous bien, ça va donner un coup!» Il prononce les mots magiques: «Chik, chik, chik.» Le chameau déplie ses jambes arrière, puis celles de devant. Tout se fait si rapidement que je passe à deux cheveux d'être projeté loin vers l'avant. Ainsi juché, je me sens encore plus grand, est-ce possible, du haut de mes 6'4"? On me remet les commandes comme si j'avais passé toute ma vie dans le désert. La selle est

Affairé à apprendre le métier de caravanier!

trop large et penche vers l'avant. L'intérieur de mes cuisses frotte sans arrêt. Dix kilomètres plus loin, on fait une première halte. Je souffre déjà d'un «charley horse». Que dis-je: un «charley camel».

On se promène dans ce qui reste du palais du maharajah. Il est abandonné et en décrépitude. Ça me donne tout de même une idée de l'importance et de la richesse de ces princes indiens. La piscine, taillée à même le roc, est directement reliée aux eaux souterraines. Durant la mousson, le niveau de la nappe phréatique monte, et par le fait même, celui de la piscine aussi. Les gens du village n'ont toujours pas l'eau courante. Les femmes se succèdent pour s'approvisionner dans le puits du maharajah. Elles repartent en prenant bien soin de ne pas en échapper une seule petite goutte. L'eau, dans le désert, c'est la vie.

En continuant notre route, on arrive au cimetière réservé à la famille royale. Les femmes et les hommes y sont enterrés séparément. Chaque tombe est surmontée d'un monument en forme de coupole incroyablement sculptée et différente pour chaque tombeau. On dirait une exposition de petits temples. L'estime pour la famille royale a sûrement disparu puisque l'emplacement est partiellement détruit. Avant longtemps, plus personne ne s'occupera de ces œuvres d'art qui furent jadis si précieusement gardées.

Plus loin, un autre village. Les maisons sont faites de terre mélangée à la bouse de vache et à l'eau. Il s'agit d'un ancien point d'eau pour les caravanes. Ses habitants n'ont jamais quitté le territoire malgré l'aridité du sol. Leurs ancêtres vivaient aisément grâce à la perception d'une taxe d'eau pour chaque caravane qui s'y arrêtait.

Aujourd'hui, la vente de Thumb's Up - version indienne du Coca-Cola - et de quelques objets d'artisanat est leur seul et maigre gagne-pain. Ce hameau respire le calme. Trop. J'ai l'impression d'entendre hurler le silence.

Arrivés à la fameuse dune de Sam, nous nous installons pour la nuit; mais avant, il faut faire la photo traditionnelle du désert, bien assis sur nos montures comme de vrais caravaniers. Une brise nous rappelle qu'ici les nuits sont particulièrement froides. Nous passons la soirée autour d'un feu de camp. Le guide fredonne les chants folkloriques propres à ces peuples. Dans cette obscurité complète, la voûte céleste, sertie d'étoiles, semble à portée de mains. Seuls les bruissements que font les chameaux avec leurs babines et le tintement de leurs clochettes meublent le silence.

Moi qui croyais être complètement guéri de la *giardiase*; je n'ai pas choisi le moment pour une rechute. Je suis malade toute la nuit. Des vomissements, de la diarrhée et des crampes à me scier en deux jusqu'à ce que passent les pois du souper de la veille. Il faut endurer et ça finit par passer.

Jour 223
Désert du Thal, Inde - Le 22 février 1995

Une seconde journée bien remplie m'attend. Il est très tôt et je remonte sur mon chameau sans avoir rien avalé. On me dit que le chemin du retour sera plus long. Il faut augmenter la cadence et passer au trot. C'est là que ça cogne. Nouveau type de douleur. Le guide ne veut pas ralentir. J'ai le cul en compote, le dos comme si j'avais fait du ski nautique, les avant-bras comme si j'avais transporté des «pitounes» toute la journée et l'intérieur des mains comme si on m'avait crucifié. Amen. J'ai eu la malchance de tomber sur le plus jeune chameau; il vient de se faire percer le nez et n'avait aucune envie de se faire monter.

Jour 224
Jodhpur, Inde - Le 23 février 1995

Les six heures de bus pour arriver jusqu'ici me sont curieusement tombées dans les jambes. J'ai passé le reste de la journée dans le fort de Meherangarh, qui date de 1459. Il surplombe la ville par plus de 125 mètres. Il est beaucoup plus récent que celui de Jaisalmer. Du haut de ses remparts, longs de 10 kilomètres, on aperçoit la vieille ville toute bleue. Seuls les Brahmanes, c'est-à-dire ceux de la plus haute caste, ont le droit de peindre leurs maisons de cette couleur. Bleue, pour le bien-être. Assis sur la muraille, les pieds dans le vide, j'entends, portés par le vent, le va-et-vient des gens de la ville. Hauts dans le ciel, des aigles flottent au-dessus de la forteresse.

À l'intérieur du fort, se trouve l'ancienne résidence extravagante du maharajah de Jodhpur. La chambre à coucher est immense. Il n'y a qu'un lit au centre d'une pièce entièrement recouverte de petits miroirs dans lesquels la lueur d'une simple bougie scintille de mille feux. C'est là qu'il recevait ses neuf femmes et ses trente et une concubines. Bref, ce n'est pas une chambre à coucher mais plutôt une salle de conditionnement physique.

Jour 226
Jaipur, Inde - Le 25 février 1995

Jaipur est reconnu à travers le monde pour ses pierres

précieuses et semi-précieuses. «Come to my shop. Just have a look!» Voilà les phrases qu'on me répète avec une grande insistance amicale depuis mon arrivée ici. Toutes les techniques inimaginables sont utilisées pour me faire acheter. On finit par piquer ma curiosité.

Je rencontre un type qui me paraît aussi collant que tous les autres vendeurs. On commence à parler politique et religion. Il sait beaucoup de choses et je le trouve intéressant. Je prends un café avec lui en poursuivant la conversation. Je me doute bien qu'il va finir par m'emmener dans ces maudites boutiques, mais, à ma grande surprise, il m'invite à un mariage qui aura lieu le soir même. J'accepte avec grand plaisir, et le rendez-vous est fixé. À l'heure prévue, nous voilà en route pour la cérémonie. Il veut acheter une bière, mais comme il n'a pas d'argent, il m'emprunte quatre dollars en me promettant de me rembourser dès le lendemain. Je ne parierais pas grand-chose là-dessus. Au fond, c'est une somme dérisoire pour assister à un mariage. Et comment lui refuser, il est si sympathique. Pendant la célébration, il me demande encore deux dollars, histoire de les convertir en petite monnaie pour la placer sur la tête du marié.

J'apprends ensuite qu'il a un atelier. Il taille la pierre. J'ai l'intention d'acheter une bague tôt ou tard. Pourquoi pas de lui. Il m'offre d'en faire la visite dès le lendemain. Je suis d'accord et je me couche heureux d'avoir assisté à un mariage musulman en compagnie de gens intéressants.

Le lendemain, tel que convenu, nous partons en moto. Comme l'atelier est situé à l'extérieur de la ville, ça ne peut être une trappe à touristes. La visite est passionnante.

On passe ensuite dans un bureau où j'apprends qu'il n'est pas propriétaire mais simplement employé. Dès qu'il commence à me montrer quelques pierres, le patron arrive et prend tout son temps pour me renseigner sur leurs caractéristiques, même s'il n'a pas dormi la veille à cause de son fils malade. Il continue en m'informant qu'il est en plein ramadan et qu'il ne peut ni manger ni boire du lever au coucher du soleil. Il me paraît fatigué; il se donne quand même la peine de me montrer les procédés d'extraction de la pierre à partir de la roche brute jusqu'à ces magnifiques joyaux. Je me sens mal à l'aise de ne rien acheter et de lui faire perdre son temps. Je prends bien soin de demander les prix avant de m'engager. Il commence par me montrer les moins chères. J'en choisis quelques-unes. Alors pierre par pierre, une à la fois, il me déballe son stock avec le plus grand soin. Il dit qu'il les exporte partout dans le monde.

Il me suggère un lapis-lazuli pour l'amour et la fidélité, ensuite une malachite pour la santé et le bien-être, et finalement un star rubis pour le succès dans la vie. Les prix grimpent: diamants, rubis, émeraudes et saphirs. Il devient de plus en plus insistant et c'est à ce moment que j'ai la nette impression de pendre au bout d'un hameçon. Je deviens moins sympathique tout en réfléchissant très fort sur la façon de me sortir de ce guet-apens. Je lui dis que ses joyaux ne correspondent pas à mon budget. Il a tous les arguments: «You don't pay interest with your visa card. Your parents can send you money if you don't have enough for your trip. You can always sell these stones if you need money. In Canada, the same worth ten times more!» Pas question que je cède.

Je sais que moins j'achète, moins la commission est grosse pour celui qui m'a amené dans ce piège à cons. Je finis par acheter la pierre de la fidélité et de la santé, sans croire à son authenticité. Cette leçon m'aura coûté un maigre vingt dollars et bien des sueurs. Je pars en ayant totalement perdu le goût d'en connaître davantage sur les pierres.

Le gars à la moto me laisse au coin de la rue, alors que le matin même il m'avait promis de me ramener à la ville. Il veut me revoir le soir même. Non, merci, ça va aller.

Pour me changer les idées, je me rends au centre astrologique de Jaipur où je profite d'un guide engagé par un groupe de Japonais. Construit en 1729, le cadran solaire indique encore l'heure à 2 secondes près. D'autres appareils donnent les signes du zodiaque et l'ascendance tandis qu'un autre identifie toutes les constellations. Après cette visite, je me rends au bazar et je plains celui qui va me harceler. Personne n'insiste. Je finis la soirée avec une bague à chaque doigt que j'ai mis beaucoup de plaisir à choisir moi-même. Tant pis pour la valeur. Elles me plaisent et correspondent à mon budget.

Demain, je ne fais rien, je lis, je lave mon linge et me prépare mentalement à remonter en selle.

Jour 228
Mahuwa, Inde - Le 27 février 1995

Le retour est difficile. Je suis fatigué de me faire demander cinquante fois par jour: «What country, what name?» Il faut que je trouve un moyen de m'isoler de tous ces cris qui viennent de part et d'autre de la route pour retrouver le plaisir de rouler. Je comprends leur curiosité, mais je comprends surtout mon exaspération. C'est difficile de communiquer avec les gens des villages et avec tous ces jeunes qui me courent après et qui me font signe d'arrêter. Subitement, deux d'entre eux attrapent mes pneus de rechange attachés derrière mon vélo. Je m'immobilise pour ne pas tout arracher. Au même moment, d'autres jeunes sortent des champs à la course et un petit morveux lance un caillou qui atterrit sur mon cadre et laisse un souvenir sur la peinture. Encore chanceux que je ne l'aie pas reçu en pleine figure.

En poursuivant ma route, j'aperçois une vingtaine d'aigles en train de dévorer un chien écrasé. Dix minutes et il ne reste que la peau et les os. Puis, un camion frappe de plein fouet un aigle repu qui tente de s'envoler. Il déploie ses ailes mais le décollage est raté. Il ressemble déjà à un repas.

En Inde, on partage la route avec les bœufs, les chameaux, les motocyclettes, les vélos à trois roues, les tracteurs de ferme, les taxis, les autobus et les camions de marchandises. C'est suicidaire de rouler sur ces routes sans accotement, mal pavées et pleines de trous.

Les véhicules se doublent comme dans un jeu Nintendo. S'il n'y a pas de place, ça klaxonne jusqu'à ce que le plus petit, le moins lourd, le plus vulnérable, se jette dans le fossé. Chaque jour, je suis témoin d'accidents.

Prostré sur mon guidon, un œil rivé sur mon rétroviseur, je passe à deux doigts de me faire happer par un camion qui double en sens inverse. J'ai l'impression d'être une mouche que l'on écraserait sans pitié.

Alors que je me demande pourquoi je n'ai pas choisi de faire le tour du monde à bord d'un tank, j'aperçois, sur le bord de la route, un attroupement d'une vingtaine de personnes qui s'agitent bruyamment. Deux hommes couchés au centre de cette mêlée se font tabasser. Des policiers arrivent en trombe. Les deux victimes sont à demi conscientes, incapables de se tenir debout.

Il y a des châtiments pour les voleurs et aussi pour les chauffards. En entrant au village, on m'apprend qu'un chauffeur d'autobus et son assistant ont heurté une motocyclette et tué sur le coup ses deux passagers. Sachant ce qui les attendait, les deux responsables se sont enfuis à toutes jambes, mais ont été rattrapés et jugés sur place.

Douzième chapitre

Un répit pour mon «âne»

Jour 230
Bharatpur, Inde - Le 1er mars 1995

Aujourd'hui, je visite le sanctuaire d'oiseaux du parc national de Keoladeo Ghanna à Bharatpur où vivent 328 espèces d'oiseaux dont certains viennent d'aussi loin que la Chine et la Sibérie. Dans cette région semi-aride, le maharajah a fait dévier un canal d'irrigation de façon à créer un étang artificiel pour attirer les oiseaux. Son but n'était pas d'améliorer l'environnement, mais d'organiser des concours de tir pour ses invités. Certains pouvaient tuer jusqu'à 4 000 oiseaux par jour. Cette pratique fut abolie en 1964 et le parc déclaré zone protégée. Le sanctuaire est parsemé d'arbres, et hormis les quelques routes de terre qui le sillonnent, la surface entière est recouverte d'eau: un véritable marais où les oiseaux viennent vivre et se reproduire. Ils y trouvent tranquillité, sécurité et beaucoup de nourriture. Par exemple, des études révèlent que 3 000 cigognes, cohabitant sur un kilomètre carré, consomment trois tonnes de poissons par jour.

Jour 231
Bharatpur, Inde - Le 2 mars 1995

Je viens de me rendre compte qu'on a volé mon appareil photo pendant que je prenais ma douche. J'ai le goût de brailler. Tout ce que je demande, c'est de le retrouver coûte que coûte. C'est comme si on m'enlevait le plaisir de partager mon voyage avec mes amis et ma famille.

J'offre vingt dollars américains à celui qui le retrouvera mais j'ai peu d'espoir. Les gens de l'hôtel ne semblent pas vouloir mettre la police dans cette histoire. J'ai été imprudent de laisser mes affaires sans surveillance, mais je ne peux quand même pas prendre ma douche avec mon vélo.

Après deux heures passées au poste, je reviens à ma chambre en compagnie de trois policiers et de trois membres du personnel de l'hôtel, dont le gérant. Ils se parlent entre eux dans une langue que je ne comprends pas. Ils prennent des notes. Le personnel hôtelier est questionné comme si on voulait me faire croire qu'une enquête sérieuse est en branle. Deux d'entre eux perdent leur temps à recréer les faits et s'affairent à dessiner la chambre, le lit où je dors et le lieu où se trouvait mon vélo à l'heure du vol, ou plutôt à l'heure du crime, comme ils disent. Du vaudeville. On m'assure enfin que j'aurai le papier dont j'ai besoin pour ma réclamation d'assurances. C'est tout ce qui m'importe.

Jour 234
Agra, Inde - Le 5 mars 1995

Je pédale dans l'une des zones les plus polluées de l'Inde, c'est-à-dire la section de la rivière Jamuna, qui relie Delhi à Agra, dans l'État de l'Uttar Pradesh où il y a plus de 150 fonderies de fer, sans compter toutes les raffineries de pétrole.

Je viens de rencontrer un Danois qui a attrapé la malaria à Jabalpur. Avec toute la médication qu'on lui donne, il est malade comme un chien. Il ne cesse de vomir et arrive à peine à marcher tellement il est faible. Je serai dans cette ville d'ici une semaine. Ce n'est pas rassurant. Rien qu'à le voir, c'est assez pour devenir hypocondriaque.

La vue du célèbre et grandiose Taj Mahal, que l'on considère comme l'une des dix merveilles du monde, me permet d'oublier mes tracas. Ce chef-d'œuvre de blancheur change avec la lumière du jour pour finalement prendre une teinte rosée au crépuscule. Il est à l'Inde ce que la tour Eiffel est à la France. Il a été construit par le troisième empereur moghols Shah Jahan, entre 1632 et 1652, à la mémoire de sa femme qu'il adorait et qui est décédée à la naissance de son quatorzième enfant. Ce temple de l'amour a été érigé par les plus célèbres architectes et artisans d'Iran, de Turquie et d'Europe.

Jour 242
Khajuraho, Inde - Le 13 mars 1995

Huit jours sans écrire, comme si la grippe n'avait pas suffi, j'ai contracté un virus qui m'a terrassé. De la fièvre et des frissons. J'ai cru à la malaria, mais je me suis trompé. Je recommence à manger après trois jours de jeûne complet. La santé me revient peu à peu; par contre, une question me turlupine: dois-je partir avec ou sans mon vélo vers le sud? Le faire à vélo me prendrait au minimum cinq mois. Si j'opte pour les transports publics pour cette partie du voyage, ça me laissera plus de temps pour réaliser mon plus grand rêve: pédaler dans l'Himalaya.

J'ai rencontré un Allemand il y a deux jours et je pars

avec lui demain pour Jabalpur, vers le sud, laissant mon «âne» et tout ce qu'il transporte dans un hôtel à Khajuraho. J'apporte avec moi mon guide, un livre, du papier, du savon, un rasoir, un t-shirt, un short, un gilet à manches longues, ma toute petite tente et mon drap, sans plus. Vu que la température sera toujours belle et chaude, je voyagerai léger, très léger. J'en profite pour pratiquer mon allemand, que j'ai miraculeusement l'impression d'avoir amélioré sans l'avoir parlé depuis deux ans.

Jour 244
Panna, Inde - Le 15 mars 1995

Et l'aventure commence. À peine parti, le bus tombe en panne. Ceux qui se dirigent vers Satna, le village voisin, doivent descendre et marcher. Comme on se rend à Jabalpur, 275 kilomètres plus loin, on doit patiemment attendre qu'il soit remis en état. On nous remorque au dépôt de Panna, qui ressemble plus à un dépotoir qu'à un garage! Cette randonnée qui devait durer onze heures n'en durera pas moins de seize, si nous sommes chanceux.

Je pars à la recherche d'une toilette, ce qui veut dire, ici, un endroit pas trop passant. À vélo, c'était facile, mais en ville... Me voyant tourner en rond, un employé me fait signe que derrière, là-bas, je serai tranquille. Les chiens courent autour de moi, des gens passent dans un sentier tout près, les vaches broutent le gazon bien engraissé, et le cochon attend, avec impatience, que je termine pour s'offrir un petit déjeuner.

Avant le bris mécanique, je croyais que le chauffeur roulait lentement pour éviter la casse, mais je me rends compte que ce sera notre vitesse de croisière. Cette route est impraticable. À certains endroits, on roule à peine à 15 km/h. Nous sommes assis à l'avant, tout juste au-dessus du moteur. Il fait chaud à mourir et le bus se remplit à mesure que l'on progresse vers notre destination. Je me retrouve avec deux gamins sur les genoux et mon sac à mes pieds. J'aurais vu la même chose à vélo avec un peu plus d'effort. Mais pas beaucoup plus.

J'arrive à destination sain et sauf. À vrai dire, il faut être presque un saint pour passer seize heures dans un bus, qui s'appelle ainsi uniquement parce que ça possède quatre roues et que ça transporte du monde. Ça tremble de partout. Je n'ai jamais vu un moyen de transport public dans un tel état de décrépitude. Seize heures et seulement 300 kilomètres plus loin, nous descendons à Jabalpur.

Il est très tard, et d'après nos renseignements, les hôtels bon marché se trouvent tout près de la gare. Nous partons donc dans la direction qui nous semble la bonne, selon la carte. Après quelques minutes de marche, on apprend que le terminus a été déménagé et que les hôtels se trouvent maintenant à cinq kilomètres - dans l'autre direction. Une heure plus tard, un lit nous attend pour enfin nous tirer hors de ce monde.

Jour 245
Jabalpur, Inde - Le 16 mars 1995

Ce matin, on prend un *rickshaw* pour une route qui semble mener nulle part. Après une heure, on dit aux sardines que nous sommes de descendre: on est rendus à destination. Ça sent le piège à touristes. Notre curiosité nous pousse à descendre le long d'un sentier qui mène à un nuage de vapeur d'eau engendré par de splendides chutes. Il est tôt et le soleil insiste déjà pour nous réchauffer. Cette eau fraîche est la bienvenue. L'érosion a façonné un profond canal dont les parois sont de marbre blanc et rose. En suivant le lit de la rivière, on voit des ouvriers, un pic à la main, s'affairant à extraire cette roche précieuse avec laquelle on fait les sculptures qu'on vend partout au village un peu plus bas. Ici tout se fait manuellement et en première vitesse.

Un environnement paisible qui contraste étrangement avec la fébrilité de la ville. On peut oublier l'espace d'un instant qu'il y a 890 millions d'habitants en Inde.

Jour 246
Khanna, Inde - Le 17 mars 1995

On quitte Jabalpur sous la pluie. Soixante-douze dans un bus de quarante-huit places pendant six heures avec un toit qui coule et un chauffeur qui conduit sans essuie-glace sur une route montagneuse. Heureusement que l'altitude apporte une certaine fraîcheur.

C'est jour de fête et de joie pour tous les Indiens du nord puisqu'on célèbre aujourd'hui la fin de l'hiver et le début de l'été. On l'appelle «Holi», ou jour sacré, ou encore la fête des couleurs.

Je suis au parc national de Khanna, un endroit isolé des grands centres où le bruit des réjouissances donne l'impression d'être en pleine ville. Tout le monde danse au son des tambours. Partout hommes, femmes et enfants se promènent avec des sacs remplis de poudre de différentes couleurs. L'activité consiste à faire un trait sur le front de la personne à qui on désire souhaiter «joyeux Holi». Dans l'excitation, ça se déroule un peu autrement. Ce trait fin se transforme vite en un nuage de couleur qu'on lance à la figure de son voisin. L'activité étant réciproque et en chaîne, on imagine facilement la tournure bordélique que prend l'événement. J'ai moi-même été la cible des paysans, mais le rituel n'aurait pas eu lieu sans mon accord.

La fête terminée, la forêt retrouve son calme. On prépare un repas sur demande spéciale. J'ai non seulement le choix des épices, mais aussi celui du poulet, le gros là-bas, au fond de la cage. Vlan! C'en est fait de la pauvre créature.

Jour 249
Aurangabad, Inde - Le 20 mars 1995

Après 21 heures de train et de bus, je mets finalement les pieds à Aurangabad dans l'État du Maharashtra. Un effort qui en valait la peine. Je visite les vingt-neuf cavernes d'Ajanta; ce sont des temples (Chaityas) et des monastères (Viharas) construits entre l'an 200 et l'an 600. Dans chaque construction se trouve le dieu Bouddha, autour duquel les gens se recueillent pour prier. Les murs sont recouverts de peintures d'une grande beauté, mais le temps a malheureusement fait son œuvre et une restauration a été nécessaire.

Si les cavernes d'Ajanta sont reconnues pour la richesse de leurs peintures, celles d'Ellora le sont pour l'abondance, la qualité et la beauté de leurs sculptures, qui sont encore en très bon état. Toutes les œuvres à l'intérieur ont été taillées à même la roche. Une erreur aurait été fatale, car ce qui était enlevé ne pouvait être remis en place. Le détail des sculptures témoigne de l'incroyable talent des artistes de cette époque. La plus belle caverne, celle du temple Kaisala, occupe l'espace d'un édifice de trois étages, aux murs ciselés de représentations divines hindoues. Au centre, se dresse un temple entouré de seize colonnes sculptées de scènes de la vie courante. On a mis 150 ans pour terminer cette œuvre magistrale.

Je me prépare à me rendre à Chalisgaon, la résidence des dentistes que j'ai rencontrés dans le nord de l'Inde, à Amritsar. Je suis impatient d'ouvrir le courrier qui m'attend là-bas.

Jour 259
Chalisgaon, Inde - Le 30 mars 1995

Je suis à Chalisgaon depuis neuf jours maintenant, et mes hôtes se sont vraiment donné beaucoup de mal pour que je profite au maximum de mon séjour chez eux. Je n'ai presque pas de répit: un jour on m'invite dans une ferme du village où l'on retrouve serpents, perroquets et paons. Le lendemain, je me rends dans une école anglaise où l'on me demande de parler de mon voyage, de mon pays et de mes études devant soixante-dix jeunes. Ils ont entre dix et treize ans et m'écoutent religieusement. Quelques jours plus tard, un juge m'amène au palais de justice où j'assiste à un procès. Il m'invite ensuite chez lui où il célèbre l'anniversaire de sa fille de douze ans, en compagnie de plusieurs copines. On bavarde longuement, et les filles sont curieuses de connaître la condition des femmes au Canada ainsi que les coutumes concernant le mariage.

Cette même journée, j'ai à peine le temps de prendre une douche et de souper en vitesse que je dois repartir pour une réunion où je suis l'invité d'honneur. Cette fois, c'est devant seize membres du Club Rotary International que je raconte mon aventure. Après m'avoir offert une fleur en guise de bienvenue, on m'invite à prendre la parole au micro, ce que je me surprends à faire sans stress ni gêne. Le lendemain, à six heures, un ami de la famille vient me chercher pour participer à la séance de yoga quotidienne. Demain, il paraît qu'on viendra me chercher pour une autre journée sur la ferme. Mon séjour ne devait pas durer si longtemps, mais en compagnie de gens aussi accueillants, je n'ai pu faire autrement. Le bijoutier du village est même venu m'offrir une chaîne en argent en guise d'adieu. Je lui jure de toujours la porter.

Jour 261
Bombay, Inde - Le 1er avril 1995

J'ai fait mon entrée, hier matin, dans le cœur industriel et économique de l'Inde. Ce qui était, à l'origine, sept petites îles, est devenu une mégapole de 14 millions d'habitants. Je préfère l'Inde des villages à celle des grandes villes. Bombay ne reflète pas la beauté et le charme de ce merveilleux pays. Je ne vois plus mes vaches adorées ni les ouvriers à chariots transportant matériaux et nourriture. En me promenant sur Marine Drive, j'ai l'impression d'être en Floride.

Aujourd'hui je visite l'île fortifiée de Gharapuri, située à 10 kilomètres de Bombay, rebaptisée «Elephanta Island» à l'arrivée des Portugais. On y trouve des temples datant de l'an 450 à 750, dont l'intérieur est couvert de dieux sculptés, d'une taille immense et en parfaite condition. Ils représentent l'attrait majeur de cette île.

Le retour au port est spectaculaire. Une arche immense commémore l'arrivée de la reine d'Angleterre. «The Gateway to India.» Avec un peu d'imagination, il est très facile de se prendre pour un Anglais qui vient y faire le commerce des épices; mais on retombe vite sur terre lorsque, à la descente, on nous offre un coca pour six fois le prix habituel.

La viande fraîche que sont les touristes avec leurs poches remplies de devises étrangères représente une proie facile pour les lions de la jungle de Bombay. Les mendiants, eux, se contentent de quelques roupies qui traînent au fond des poches. Pour les cœurs tendres, le gousset est sans fond, mais pour les autres, cette pauvreté ne se voit même plus. Cette constatation ne changera pas le sort de l'Inde; mais après tout, qui veut changer l'Inde? Derrière toute cette misère, se cache un monde bien ancré dans ses traditions, un monde qui ne se révèle qu'aux voyageurs curieux et persévérants.

Jour 263
Bombay, Inde - Le 3 avril 1995

En attendant mon copain à la poste depuis plus d'une heure, je retrouve un Iranien que j'ai connu à Lahore, au Pakistan, il y a trois mois et demi. Au fil de notre entretien, il me parle des «bed bugs» ou encore «bed bites», petites bestioles que l'on retrouve un peu partout en Asie. Ce sont des suceuses de sang qui se logent et prolifèrent dans les sommiers en bois des endroits malpropres. Elles transportent toutes sortes de microbes et donnent des démangeaisons insupportables. C'est donc ce qui m'est arrivé à Aurangabad où j'ai passé des nuits d'enfer à me gratter comme un chien couvert de puces. Mes amis dentistes ont cru qu'il s'agissait d'une allergie. Le plus gros problème, c'est qu'elles ne sont pas tuables et que j'en ai plein ma tente portative et mes vêtements. Cet Iranien, qui fait un doctorat en chimie à Bombay, a étudié par plaisir «la vie de ces charmantes petites bêtes». Il conclut qu'elles survivent dans l'eau et qu'aucun produit chimique ne les affecte. «Cependant, elles ne supportent pas le soleil!» Il est tout fier de sa découverte. Et moi donc. Mon bagage va se faire bronzer toute la journée.

Jour 264
Bombay, Inde - Le 4 avril 1995

Tristesse. Je viens de téléphoner au dentiste de Chalisgaon, et il n'a toujours rien reçu. Je suis sans nouvelles écrites depuis trois mois. Il faudra attendre Delhi pour le prochain courrier. C'est la deuxième fois que mes colis se perdent. Je dois trouver un autre moyen de communiquer puisqu'on ne peut se fier à la poste.

Demain je pars pour Goa, une magnifique station balnéaire. Alors tout n'est pas si triste.

Treizième chapitre

Jamais sans mon ange

Jour 265
Colva Beach, Inde - Le 5 avril 1995

Je suis arrivé à Colva Beach, dans l'État de Goa, après vingt-six heures de transport pour franchir 550 kilomètres. Je suis exténué mais content de me retrouver sur cette magnifique plage de l'océan Indien. Si je me croyais en Floride à Bombay, il n'y a pas de doute qu'ici je suis bel et bien en Inde. De petits pêcheurs nettoient conscien-

Le marché indien, un spectacle à ciel ouvert.

cieusement leurs prises après en avoir fait le tri. Ici, comme partout en Inde, tout se fait à la main avec des outils de fabrication artisanale. Tout près, un groupe d'ouvriers s'affairent à la fabrication de superbes et typiques petites barques. Elles sont faites d'une succession horizontale de lattes de bois, fixées les unes aux autres par des cordes entre lesquelles on insère de vieux filets de pêche mélangés à des résidus de coquilles de noix de coco pour en accroître l'étanchéité. La mer est parfois houleuse, et pour augmenter la stabilité, on ajoute un ski de bois que l'on attache parallèlement à la barque au moyen de deux petits arbres. Cette façon simple de les fabriquer est bien adaptée à leurs besoins. C'est formidable de voir tout ce qu'ils peuvent faire avec si peu. Leur ingéniosité me fascine; je ne me lasse pas de les regarder travailler et improviser.

Jour 271
Colva Beach, Inde - Le 11 avril 1995

La mer est belle. Je paresse depuis six jours et j'en profite pour étudier les routes du circuit himalayen qui relie Srinagar au Cachemire, Leh au Ladahk et Manali à l'Himachal Pradesh: un tronçon de 1 400 kilomètres et onze cols de plus de 4 000 mètres d'altitude, dont le célèbre Taglangla, 5 328 mètres, le deuxième plus haut col du monde. Quand on pense que le sommet d'Europe, le mont Blanc est à 4 808 mètres. On dit que cette région, récemment ouverte au tourisme, est l'une des plus spectaculaires au monde. Cette expédition qui m'attend, requiert une planification minutieuse et une préparation mentale à toute épreuve. Je prévois des haltes dans plusieurs hameaux accrochés à flanc de montagne pour me reposer et vivre au rythme des gens. Je longerai l'Indus sur plus de 90 kilomètres, comme je l'ai fait au Pakistan dans la chaîne des Karakorum. Ce sera un vrai voyage au pays des merveilles. J'ai été fasciné et ébloui par la démesure de l'Himalaya au Pakistan. Avoir la chance de parcourir ces montagnes à vélo me donne la chair de poule. J'en rêve juste à y penser, même si je sais que ce sera physiquement éprouvant et exigeant. J'y parviendrai. Plus que jamais je crois que le corps a les limites de l'esprit.

Jour 277
Hampi, Inde - Le 17 avril 1995

Je suis dans la capitale de l'ancien empire du sud de l'Inde, Hampi. Pour m'y rendre, il fallait vouloir, et je voulais. Six heures et demie jusqu'à Hubli dans un bus rempli à craquer à une température à faire fondre mes semelles d'espadrilles. De là, je prends une correspondance, mais comme je suis le dernier à monter et qu'il ne reste plus de place à l'intérieur, la solution ultime est le toit. Aussitôt dit, aussitôt fait. Je n'ai même pas le temps de m'installer qu'on démarre. À cause de ma grandeur, je passe à un cheveu de me faire guillotiner par les fils électriques qui traversent la rue. Comme un gros bourdon bien écrasé sur un pare-brise, je me colle contre le toit du bus.

Jour 278
Hampi, Inde - Le 18 avril 1995

Je voyage depuis hier avec deux Anglais, et nous visitons des ruines. Grimpés sur le toit d'un temple, nous découvrons un paysage de conte de fées: un décor désertique égayé d'oasis de bananiers, une rivière limpide, d'énormes roches de la grosseur d'une maison qui tiennent sur à peu près rien, et des montagnes à perte de vue.

On dirait Saint-Granit, là où vivent les Pierrafeu. La beauté du site est amplifiée par le contraste entre les montagnes arides et la verdure des bananeraies.

Comme une feuille au vent, mes projets changent constamment, et je décide de faire la route du sud avec mes deux compagnons. Je remonterai ensuite vers le nord, comme prévu, pour franchir les cols du Cachemire.

Jour 279
Hampi, Inde - Le 19 avril 1995

Debout dès le lever du soleil, on tire avantage de la fraîcheur du matin pour nous balader le long de la rivière Tungabadra, qui traverse le site de Hampi, pour

Pour aussi peu que 25 cents, un barbier de rue vous fait une coupe de cheveux «sur mesure».

aboutir à un sympathique petit café le «Tea Shop Under the Mango Tree». Nous profitons de la saison des mangues pour nous désaltérer et savourer ce fruit délicieux, très apprécié des Indiens. Il en existe plus de cent variétés différentes en Inde.

Je descends vers la partie la plus chaude du pays, l'extrême sud. J'ai dû me faire raser la noix. J'avais des démangeaisons chroniques au cuir chevelu, causées par la poussière et la chaleur excessive. Une bonne crème hydratante appliquée sur la tête, plusieurs fois par jour, règle mon problème. Avec mes petites lunettes rondes, mon allure élancée, mes vêtements décontractés et ma tête bien rasée, les Indiens m'appellent Gandhi quand je marche le long des trains. J'en suis fort aise.

Jour 280

Bengalore, Inde - Le 20 avril 1995

Arrivés à la gare centrale de Bengalore, la Californie de l'Inde, après une nuit complète dans le train, nous nous précipitons pour acheter un billet pour Cochin dans le Kerala. Un train part à 21 h; il est encore possible de se procurer les derniers billets. Plus tard, les comptoirs seront envahis et la gare tout entière prendra l'allure d'une fourmilière.

Après avoir marché dans la ville, nous nous réfugions au cinéma pour échapper à la chaleur cuisante de l'après-midi. On présente *Hum Aapke Hain Koun*, un des plus grands films jamais produits en Inde. C'est l'histoire d'un mariage d'amour, une comédie musicale qui reprend chacune des chansons de la populaire Lata, une femme de 70 ans qui fait craquer les vieux comme les jeunes. Elle a une voix criarde, très typée, et la mélodie de ses chansons est unique.

Jour 281
Cochin, Inde - Le 21 avril 1995

On descend après treize heures de train. On se croirait dans un petit village de pêcheurs du Portugal, et ce n'est pas un hasard, puisque Cochin est une enclave portugaise. L'aventurier Vasco de Gama fut le premier Européen à découvrir l'Inde et c'est ici, sur cette petite péninsule, qu'il fonda en 1503 la première église de l'Inde. Vingt pour cent des 29 millions d'habitants de l'État du Kerala sont catholiques et la majeure partie d'entre eux vivent ici.

Les gares indiennes sont de vraies fourmilières, à toute heure du jour.

Cochin est populaire entre autres pour ses «fishing nets» d'importation chinoise. Ce sont d'immenses filets de 10 mètres carrés dont les quatre coins sont attachés à une corde reliée à une longue tige de bois qu'on bascule dans l'estuaire. Ils ressortent remplis de poissons de toutes sortes.

Jour 282
Alappuzha, Inde - Le 22 avril 1995

La nuit a été tellement chaude que j'ai pensé mourir étouffé. Ce qui me fait apprécier davantage cette excursion en bateau où on se laisse glisser tout doucement dans les «backwaters», une série de canaux bordés d'étroites langues de terre recouvertes de palmiers. Ici, les gens vivent dans des maisons faites de pierres ou de briques qu'ils fabriquent eux-mêmes. À chaque cent mètres, vit une famille différente. D'un côté comme de l'autre, des femmes lavent leur linge, un homme pêche à l'aide d'un petit filet, un autre remplit une barque de noix de coco et de feuilles de palmiers séchées qui serviront de combustible aux paysans; une femme vide son panier d'herbe dans une barque qui, une fois remplie, sera vendue à ceux qui ont des vaches laitières. En entrant plus profondément dans ces canaux qui rétrécissent à mesure qu'on avance, j'aperçois deux hommes qui ramassent la terre qui stagne au fond de l'eau pour fertiliser les champs de riz. Ici tout se fait par la voie des eaux et tout se récupère.

Pour dîner, on nous offre un *thali*, mets typique de l'Inde. On le sert dans une assiette de métal divisée en compartiments pour séparer le riz, les légumes frits et la viande. On arrose le tout d'un bouillon épicé ou d'une marinade maison. Étant donné qu'on mange toujours avec les mains, on ajoute des chapatis, qui nous servent d'ustensiles. Ici, comme partout au Moyen-Orient, on mange avec la main droite et devinez ce qu'on fait avec la gauche... La «left hand rule», ma plus récente adaptation aux coutumes indiennes.

Jour 285 et suivants
Kovalan, Inde - Le 25 avril 1995

Kovalan se trouve à 83 kilomètres de l'extrême sud de l'Inde. Les rues sont remplies de petites boutiques et surtout de bons restaurants où la spécialité est le poisson fraîchement pêché cuit sur la braise d'un four à bois.

La mer est turquoise, les vagues énormes et la température plus tolérable. Hier, nous avons été témoins d'un ouragan. Une pluie torrentielle et un vent fou balayaient tout sur son passage. La mer en furie projetait ses vagues jusque sur la falaise. Les éclairs illuminaient sans cesse le ciel, ce qui nous a permis de retrouver nos huttes dans l'obscurité. La salle de bain est inondée et mon matériel, détrempé.

Aujourd'hui, non sans peine et sans problème, j'ai acheté mon billet de train en direction du nord. Une file d'enfer et des trains bondés font qu'il ne reste que des billets pour Madras, dix-huit heures et 1008 kilomètres plus loin. De là, j'espère obtenir une correspondance avec le Madras-Varanasi Express. Au total, cinquante-sept heures de train m'attendent sans compter les délais et les retards habituels.

J'ai rencontré une fille qui voyage seule depuis onze

ans. Elle est en jeûne et en pleine thérapie par l'urine. Elle boit sa pisse. Fraîche! Elle trouve incroyable que je voyage autour du monde à vélo. Et moi alors! Avec ses histoires de jus de pisse! Chacun son «trip». Pour nos adieux, il faudra que je trouve autre chose que la bise.

Levé tôt ce matin, je me rends sur la plage du village voisin pour observer les pêcheurs. À cette heure, elle est recouverte de gros, de petits, de durs, de mous, de bruns, de verts, de jaunes pâles, de jaunes foncés. Eh oui... C'est en plein ça...

Quand je dis recouverte, je pèse mes mots, puisqu'il n'y a pas un mètre carré qui y échappe. Dans les villes, c'est le chemin de fer qu'on utilise comme toilette publique, mais ici, c'est la plage. Si la scène peut paraître dégoûtante, les cochons s'en réjouissent et de grosses truies enceintes se régalent. Pauvre fœtus.

Les pêcheurs partis très tôt rentrent avec des centaines de poissons. Aussitôt arrivés, ils jettent leurs prises dans le sable nettoyé par l'action des vagues et de la marée. Les femmes se placent tout autour pour être certaines de ne pas manquer une bonne affaire; ce sont elles qui les achètent pour nourrir leur famille ou les revendre aux commerçants. Les enchères commencent à un prix élevé puis descendent jusqu'à ce qu'on trouve preneur, et encore là, on s'engueule pour payer encore moins que le prix convenu. La vente, comme la pêche, fait partie du sport.

Jour 293
En route vers Benares, Inde - Le 3 mai 1995

Comme si la longueur du trajet ne suffisait pas, on me

vole mes espadrilles (et par le fait même mes semelles orthopédiques) durant mon sommeil. L'ange qui doit me protéger devait être aux toilettes.

Blague à part, voilà la théorie que j'ai élaborée quand j'étais seul dans le désert iranien:

Lors d'une grande expédition, tout comme dans notre routine quotidienne, des événements heureux et tristes se produisent. En famille ou entre amis, on se serre les coudes pour affronter ces moments de grande détresse et de désespoir comme on se réunit pour fêter les succès, la réussite et les moments de joie intense.

À partir de l'instant où Jean-Pierre m'a quitté, je me suis retrouvé seul. La solidarité a fait place à la solitude. En groupe, comme les loups, on montre farouchement les crocs comme si rien ne pouvait nous arrêter. Avec de l'énergie à revendre, de la fougue et un brin de témérité, on se sent invincible. Seul, il en est autrement. Face à nous-mêmes, on prend conscience de notre petitesse. On réalise que nos gestes peuvent avoir une conséquence directe sur notre vie ou notre mort. On apprend à craindre l'inconnu tout en cherchant à l'apprivoiser. On cerne ses forces, ses faiblesses, ses limites. Et finalement, on se rend compte que si on était réellement seul, on ne pourrait jamais s'en sortir. Dans les instants de détresse extrême, l'entité que j'appelle mon ange avec son oreille attentive m'ouvre la voie et trace mon chemin.

Mon ange, c'est mon ami le plus fidèle, mon professeur, mon conseiller, mon protecteur, bref c'est mon partenaire de tous les jours. Malheureusement, quand tout va bien, que la vie se déroule sans anicroche, j'oublie de lui parler et surtout de lui demander conseil.

Cet ange est très polyvalent. Il peut être l'ange professeur, c'est-à-dire celui qui place des embûches sur ma route pour m'apprendre à réagir et me débrouiller. L'ange conseiller; celui qui m'envoie des signes clairs pour faciliter mes choix lorsque je suis indécis. L'ange protecteur; celui qui m'amène là où je ne crois pas vouloir aller pour finalement me rendre compte que, grâce à ce détour forcé, j'ai évité le précipice.

Est-ce qu'on mérite toute l'aide qu'on reçoit? Et qu'est-ce qu'on donne en retour? Est-ce qu'on peut faire sa chance? Je n'ai pas de réponse précise. Je peux seulement dire que rien n'arrive pour rien, que tout a sa raison d'être et que si on est prêt à pardonner à notre ange les quelques manquements apparents à son devoir, il nous le rendra au centuple.

Ai-je un bon ange ou une bonne théorie? Peu importe, la vie me sourit. Mais à bien y penser, je suis privilégié, car j'ai encore deux autres anges, ma mère Lili et mon père Victor. Je ne vois aucun des trois mais je sais qu'ils sont là.

Jour 294
Benares, Inde - Le 4 mai 1995

Pendant que je me remets à peine de mon vol, un jeune passe à côté de moi en courant et une femme hurle derrière lui. Je pense qu'il s'agit d'un feu mais non, on vient de lui arracher son collier en or. La scène se déroule trop vite pour que je puisse lui venir en aide. Le voleur s'est déjà jeté hors du train.

On approche du pont qui traverse le célèbre Gange, ce fleuve qui fut et qui est toujours le poumon de tout un peuple. Sur ses berges, des centaines d'Indiens s'aspergent de ses eaux sacrées, tandis que du train en marche jaillissent les offrandes des passagers. Je sors mon bras par la fenêtre, question de vérifier la température extérieure. J'ai l'impression qu'il est au-dessus d'un barbecue.

Ma tête rasée et surtout le vol de mes espadrilles attirent la sympathie d'un voyageur: un moine népalais qui étudie le bouddhisme au Sri Lanka depuis neuf ans. Sur la route de Katmandou, il fait une halte de trois jours à Benares et m'invite à habiter dans le temple avec eux. Je me sens privilégié de partager leur vie pour quelques jours.

L'asphalte au soleil quand il fait 41°C à l'ombre est comme un gril. Avant que mes orteils ne deviennent des saucisses trop cuites, le moine déniche un magasin de chaussures. Le choix est restreint et tout me paraît trop cher. Je préfère acheter des babouches à un dollar en attendant de tomber sur une meilleure occasion.

Aussitôt arrivés au temple, nous repartons à Sarnath pour visiter un autre temple bouddhiste népalais et rencontrer son ami qui enseigne la culture tibétaine à des jeunes. Il fait un doctorat en sanskrit, langue indo-européenne qui est à l'hindi ce que le grec est au français. Ces moines dégagent une bonté, une sérénité et un bonheur de vivre. Je suis impressionné par leur jeune âge. Ils me communiquent leur paix intérieure, et la couleur orangée de leur tunique imprègne le monastère d'une chaleur saisissante. L'esprit de Bouddha est présent grâce à un arbre qui a été témoin de son premier discours vers 1525 avant Jésus-Christ.

Cette courte randonnée a été suffisante pour me blesser les pieds: trois grosses ampoules dont deux au sang, qui suintent. Belle économie.

Jour 295
Benares, Inde - Le 5 mai 1995

Aujourd'hui, j'ai loué une barque et je navigue sur le Gange dès 5 h 30 pour observer l'activité qui règne sur les nombreux ghats qui bordent le fleuve. Un *ghat* est une succession de marches menant à la rivière, sur lesquelles on pratique certains rituels religieux. C'est aussi l'endroit où on incinère les morts. Des gens de tous les coins de l'Inde viennent ici pour faire un pèlerinage, pleurer la mort d'un proche parent ou encore faire des offrandes. La femme qui s'est fait voler son collier venait ici pour marquer le cinquième anniversaire de la mort de son mari.

Selon la religion hindoue, être incinéré et avoir ses cendres jetées dans ce fleuve sacré conduit directement au nirvana, c'est-à-dire à l'extinction de la douleur et la libération de l'âme du cycle des réincarnations. C'est pour cette raison que chaque Indien rêve d'aboutir dans ces eaux sacrées.

Je me laisse ensuite dériver par le vent et le courant pour échouer sur la rive opposée. Le Gange est très étroit à cette période de l'année puisque la mousson n'a pas encore débuté. Il faut voir les traces laissées par la montée des eaux de 1944 et 1972 pour comprendre et voir la différence. Cette rive ressemble à une plage, où je marche sans trop m'éloigner de peur de me faire piquer ma barque. Je ne voudrais pas nager dans cette grande toilette publique. C'est aussi sur cette rive qu'on se débarrasse des chiens atteints de la rage.

Je fais une trouvaille: un os humain intact et bien sec. Un tibia, je crois. Quoi de mieux comme souvenir de Benares.

Je continue ma randonnée en barque jusqu'au *ghat* principal, le «Dasaswamedh ghat», où je suis servi à souhait. On est en pleine préparation pour la crémation de six corps. Le rituel est simple: on apporte le macchabée recouvert d'un drap apyre, sur un brancard fait de bambous et de cordes. On le laisse reposer 30 minutes dans l'eau du fleuve sacré. On l'enveloppe ensuite dans une couverture argentée qu'on enlève avant l'incinération. Cet ornement servira pour d'autres cadavres. Pendant ce temps, on prépare le bûcher de manière à ce qu'il génère suffisamment de chaleur pour réduire complètement le corps en cendres. Comme on ne réussit pas toujours, ça ne fait que plus de nourriture pour les dauphins. Mais oui, aussi surprenant que ça puisse paraître, il y a des dauphins dans le Gange.

La famille assiste à tout ce rituel, mais une fois l'incinération commencée, elle se réfugie dans le temple pour prier et probablement trouver un peu d'ombre, car la température à Benares est intolérable à cette période de l'année, surtout à côté d'un feu semblable.

Je ne sais rien de cet homme qu'on brûle. Il est sûrement pauvre, car son bûcher est modeste: le corps gît sur le brasier, mais la tête et les pieds pendent hors du feu. Pire encore, ses parties génitales ne sont cachées que par quelques morceaux de bois. Je suis hypnotisé par cette scène et je le regarde brûler du début à la fin. Ses orteils gonflent, ses bras remontent vers le ciel, comme pour implorer, à cause du rétrécissement de la peau. Ses chevilles fondent comme de la cire et ses pieds tombent. La peau du ventre se consume en laissant paraître une texture blanchâtre. Les intestins jaillissent et se gonflent comme des saucisses. Il y a une paix sur sa figure inerte. Ce qui est pour nous une douleur constitue pour lui un soulagement; ses cendres seront bientôt jetées dans le Gange...

Jour 296

Khajuraho, Inde - Le 6 mai 1995

Je suis de retour à Khajuraho, après douze heures de train et de bus, pour récupérer mon vélo. C'est bon de se retrouver en terrain connu. Assis à une terrasse dominant le lac, je contemple le soleil qui laisse filtrer ses derniers rayons. La température redevient lentement supportable. Cependant, je devrai coucher dans une chambre d'hôtel en béton que l'accumulation de la chaleur du jour transforme en fournaise. Je rêve à la maison climatisée des Guha où je pourrai enfin lire les lettres de la maison.

Jour 297

Janhsi, Inde - Le 7 mai 1995

Mon Dieu - pour ne pas dire autre chose - qu'il fait chaud. Après une nuit d'insomnie, je fais une dernière visite des temples Jaïn où je prends mon petit déjeuner. Je rassemble mon équipement et me rends au bus en avance pour avoir le temps de bien accrocher mon vélo sur le toit. Après cinq heures de route et 160 kilomètres plus loin, je dois rouler sur 5 kilomètres pour rejoindre la station de train. Une chaleur de 42°C combinée à la puanteur des camions me donne l'impression de brûler vif.

Je ne suis pas au bout de mes peines. Le pire reste à venir. Il faut acheter un billet de train et obtenir une couchette. Tout se fait à l'indienne avec des indications écrites uniquement en hindi. Tout le monde se pousse à qui mieux mieux. Je fais la file pendant plus de deux heures, à transpirer et à me faire bousculer pour qu'on me dise: «Delhi, not here... next lane!»

Fatigué, écœuré, à bout, je m'installe sur mon petit banc de camping et je progresse lentement vers le comptoir. On me regarde surpris. Les trains avec couchettes sont complets. Le seul disponible part dans six heures. Je n'ai d'autre choix qu'un billet de troisième classe; autrement dit passer la nuit avec dix Indiens par-dessus moi. Je me faufilerai en deuxième classe où je dormirai par terre devant la porte. Je serai en quelque sorte le chien de garde de la voiture. J'ai déjà utilisé cette technique.

Quatorzième chapitre

La vallée du Cachemire: un paradis déchiré par la guerre

Jour 303
New Delhi, Inde - Le 13 mai 1995

Je suis de retour chez les Guha depuis quatre jours maintenant et je viens juste de recevoir mes semelles orthopédiques, mon nouvel appareil photo et surtout mes lettres.

J'ai téléphoné chez moi et je suis heureux d'apprendre que mon projet de fin d'études sera présenté au congrès de l'ACFAS (Association canadienne-française pour l'avancement de la science) et surtout qu'ils ont reçu mon diplôme universitaire. J'ai souvent fait le cauchemar que je ne le recevrais pas. Je préviens mes parents qu'ils seront sans nouvelles de moi pour les sept prochaines semaines, date de mon retour de l'Himalaya.

Tout est réglé et mon départ est prévu pour demain 16 h 10. Le train de nuit, le Shalimar Express, m'amènera jusqu'à Jammu. Ensuite un autobus me transportera à l'entrée de l'Himalaya, dans la vallée du Cachemire. C'est là que je remonterai sur mon vélo.

La durée de mon séjour à Srinagar, la capitale, dépendra de la condition politique et de l'ouverture de la Zojila, à 3 580 mètres d'altitude. Ce col, toujours très enneigé, marque la fin de la vallée du Cachemire et le début de l'enclave bouddhiste du Ladakh, sous-région du Cachemire. Cette contrée très aride est complètement préservée de la mousson indienne et ne reçoit pas plus de précipitations que le désert du Sahara.

À l'aube de cette aventure, mes émotions sont tièdes. Je n'ai pas encore de grandes craintes, mais je n'ai pas non plus une ambition à déplacer des montagnes. Je connais cet état d'esprit et je sais que je pourrai le maîtriser. Il s'agit d'une perte momentanée de confiance attribuable à une longue période sans pédaler.

Il y a un autre problème: mon genou droit que j'ai blessé stupidement en jouant au soccer en France. Il ne me fait pas mal, mais je le sens vulnérable. Le ligament interne n'a jamais récupéré sa tension des vieux jours. Ça n'affecte pas ma capacité de faire du vélo, du moins pas encore. Je pense que le fait de pédaler renforce la musculature et stabilise l'articulation.

L'horloge vient de sonner les douze coups de minuit. Il est temps de refaire mes forces. Demain, une nouvelle étape m'attend et c'est de front que je l'entreprendrai. Ma blessure à l'orteil, causée par les fameuses babouches, suinte toujours. Même après douze jours.

Jour 304

Shalimar Express, Inde - Le 14 mai 1995

Je suis dans le Shalimar Express. Il est 16 h 01 et la chaleur est si intense que des larmes coulent malgré moi. J'ai pris une douche tout habillé sur le quai en espérant me rafraîchir. J'ai l'impression que mon linge ne séchera jamais tellement je transpire. On prévoyait

44°C et je crois qu'on l'a atteint. Nous sommes douze dans un compartiment qui en logerait normalement six. On doit partir dans cinq minutes, heureusement, car je suis en train de fondre. J'espère que mon vélo me suivra. J'ai donné un pourboire au préposé en espérant qu'il en prenne bien soin. Mon vœu est exaucé: il est 16 h 11, on part.

Jour 305
Jammu, Inde - Le 15 mai 1995

Il y a dix mois, je m'envolais pour Paris. Je suis à Jammu, mais sans mon vélo. On m'assure qu'il sera dans le train suivant.

Il y a des camions de l'armée à l'entrée de la gare et on m'intercepte pour que je m'enregistre. C'est sans doute pour ma sécurité puisque le Cachemire et Jammu sont en état de guerre. Lorsque les Anglais ont accordé l'indépendance au sous-continent indien, qui englobait le Pakistan, l'Inde et le Bangladesh, ils ont tiré une ligne pour séparer les nouveaux pays, selon leur religion. La ligne n'est à la bonne place pour personne, d'où les conflits.

Le dernier train arrivé est celui qui vient de Old Delhi, et je n'ai toujours pas de vélo. Le prochain arrivera dans une heure. Comme il y a peu de touristes à cette période de l'année, le préposé à l'enregistrement n'est pas très occupé et il se charge de le retracer. Je continue tout de même à faire le tour des bureaux, et comme d'habitude, on me transfère d'un endroit à un autre. Un sikh, le chef de gare, me dit de me calmer; à 40°C, après quatorze heures de train, une nuit blanche et cinq heures d'attente, il me prend sûrement pour Gandhi. Il m'assure que mon vélo arrivera au plus tard demain. Je suis dans tous mes états. Mon ange veut-il me protéger ou me faire souffrir?

Il paraît qu'il n'y a pas un seul touriste à Srinagar depuis quatre jours à cause du couvre-feu. La population n'a le droit de sortir que trois heures par jour. Les groupes terroristes ont mis le feu à un monument religieux vieux de 500 ans à Cherrar-E-Shirif. Un militaire me rassure et me dit qu'il ne faut pas m'inquiéter, que l'armée est omniprésente et que les touristes n'ont jamais été la cible des terroristes. S'il m'arrive quoi que ce soit, il me conseille de me rapporter à un poste militaire. Il m'apprend aussi que le col de la Zojila ouvrira aux transports publics vers la fin mai lorsqu'il sera complètement déneigé. Comme je suis à vélo, je pourrai peut-être le traverser plus tôt. Il paraît que ce col n'est pas une sinécure; surtout quand il est enneigé, car c'est un plateau de trois kilomètres, au sommet.

Je pars souper chez le préposé à l'enregistrement qui s'occupe de moi à la gare. J'espère qu'il ne s'agit pas d'une autre attrape.

Jour 306
Toujours à Jammu, Inde, en attente de mon vélo
Le 16 mai 1995

Comme chaque train a un compartiment à bagages à chacune de ses extrémités, je vais voir à l'avant, ensuite à l'arrière. Toujours pas de vélo. Comme je retourne vers le chef de gare, mon protecteur d'hier arrive en courant et en me disant qu'il l'a trouvé. Je le suis les yeux fermés en lui posant mille questions. Une fausse joie, je ne supporterais pas. Mais non, il est bien là, sur le dessus d'une pile de sacs de jute.

Je ne l'ai pas aussitôt enfourché que sur le pont de la rivière Tawi, je fais une crevaison.

La nuit dernière, après avoir pris trois douches, j'ai réussi finalement à m'endormir en me recouvrant d'un drap mouillé. Le souffle du ventilateur me procurait une belle fraîcheur, mais je m'éveillais dès qu'il était sec. Ce soir, je sais que c'est la dernière fois que je sue comme un cochon. Les portes fermées pour éviter que pénètre l'air du four extérieur, j'attends patiemment le coucher du soleil pour réparer mon pneu.

Dire qu'en Iran, je rêvais de chaleur.

Jour 307
Départ de Jammu, Inde - Le 17 mai 1995

Mon vélo bien accroché sur le toit du bus, mes sacoches en sécurité dans le compartiment à bagages, me voilà finalement assis, prêt à partir. J'aurais espéré être en meilleure forme. J'ai de la difficulté à digérer mon repas d'hier et je n'ai pas le cœur très fort. Est-ce la chaleur, le stress, la fatigue, la mauvaise digestion ou la *giardiase* qui revient sporadiquement?

Le bus quitte à l'heure prévue. À peine dix minutes après le départ, il commence l'ascension des montagnes. Malgré la beauté du décor, je sens que mon estomac s'obstine à me faire tout manquer. Je me rends bientôt à l'évidence qu'il faut que je sorte, mais où et comment? Je me vois revivre le cauchemar entre Nokundi et Quetta (Pakistan). Au moment précis où je m'apprête à supplier le chauffeur d'arrêter, il dévie sur la gauche: Dieu merci, on fait le plein. Je sors à toute allure et me dirige derrière un muret. C'est en paix et en toute tranquillité que je laisse sortir le diable. En route maintenant.

Découpée à même le flanc de la montagne, la route est toujours aussi belle et sinueuse. Ce tronçon est celui qu'utilise l'armée pour se rendre dans les territoires occupés. Des convois de plusieurs centaines de militaires la parcourent quotidiennement pour assurer l'approvisionnement et la sécurité. Étrange pourtant: il y a très peu de barrages routiers.

Mes malaises ne me quittent pas. Cinq minutes et je n'en peux déjà plus. J'évalue la distance de la fenêtre, je regarde si le corridor est libre, bref, je me prépare un plan d'urgence. Miracle, le bus se range de nouveau. Pause du déjeuner.

Le décor change sans cesse. Nous atteignons Patnitop à 2 060 mètres, tel qu'indiqué sur mon altimètre. L'air est frais. Enfin. On entre dans un tunnel de 3 kilomètres qui relie maintenant l'Inde à la célèbre vallée du Cachemire, une immense plaine entourée de montagnes. À mesure que l'on s'enfonce vers Srinagar, la vallée se referme, les montagnes se rapprochent et deviennent de plus en plus impressionnantes. On nous arrête pour un barrage routier tout à fait bidon: on doit sortir un par un, et un appareil, sans doute inefficace, détecte je ne sais trop quoi. Après une vérification aléatoire des pièces d'identité, on repart. Prochaine halte: Srinagar.

Jour 308
Srinagar, Inde - Le 18 mai 1995

Pour les Indiens de la plaine, Srinagar est un paradis

sur terre. Pour ses habitants, ce n'est plus qu'un lieu déchiré par les conflits politiques et religieux où la prospérité n'est qu'un souvenir poussiéreux. Pour moi, c'est un village magnifique au beau milieu de l'Himalaya. C'est un lieu de repos dans une vallée où la pureté de l'air nous fait oublier la chaleur de l'Inde.

Ce village, capitale du Cachemire et autrefois du tourisme, est construit en bordure du lac Dahl. C'est ici qu'on retrouve les célèbres maisons flottantes construites sur une coque de bateau en bois. Le *house boat*, comme on l'appelle, a été créé par les Anglais au début du siècle. Sa longueur varie généralement entre 20 et 25 mètres, tandis que sa largeur dépasse rarement 6 mètres. L'intérieur est aménagé selon la richesse du propriétaire. En règle générale, des tapis du Cachemire décorent les planchers, et du bois verni recouvre sobrement les murs. Si le propriétaire habite lui-même son *house boat*, il ajoutera une cuisine, sinon il n'y aura que deux ou trois chambres à coucher, un salon et une toilette. Comme il préfère généralement louer aux étrangers, il loge avec sa famille, juste à côté, dans une petite maison construite sur pilotis. De cette façon, le domicile devient un commerce et assure un revenu saisonnier.

Les *house boats* sont placés côte à côte de façon à créer un quartier flottant au travers duquel on peut naviguer exactement comme s'il s'agissait de rues. Pour se déplacer d'une maison à l'autre, ou encore pour rejoindre le plancher des vaches, on utilise un *shikara*: petite barque, taillée à même un tronc d'arbre, qui permet aussi aux commerçants de colporter toute une panoplie de produits agricoles, artisanaux ou autres.

Il y a le quartier des *house boats* mais il y a aussi le village construit tout autour du lac qui n'est pas accessible pour l'instant, à cause de la guerre. Des bateaux, on peut entendre les coups de feu. L'armée est en guerre contre les rebelles et procède à des enlèvements à toute heure du jour et de la nuit. J'ai entendu une femme crier à mort pour ne pas qu'on emprisonne son fils. Après, tout redevient calme jusqu'au prochain drame.

Malgré toute l'animosité qui règne dans la ville, les eaux du lac sont toujours aussi paisibles. J'écris sur le balcon de mon bateau jusqu'à la tombée du jour. Si ce n'était de cette guerre qui divise l'Inde et le Pakistan, ce conflit qui a fait des milliers de morts depuis une dizaine d'années, le Cachemire serait toujours le joyau de l'Inde.

Les jeunes de Srinagar s'amusent en shikara sur le Dahl.

Jour 309
Srinagar, Inde - Le 19 mai 1995

Aujourd'hui vendredi, jour de congé des musulmans, le couvre-feu se poursuit. Considérant que les gens n'ont rien d'autre à faire que de chercher les ennuis, on les garde chez eux. Demain, il en sera autrement et je compte bien me rendre au centre-ville pour flâner. J'essaierai d'obtenir quelques brochures sur le Ladakh et sur la route qui m'attend. Je me suis mis à l'étude et à la mémorisation du parcours et des cols. Toute mon énergie est consacrée à ma préparation mentale. J'ai encore beaucoup à apprendre, mais je progresse dans la bonne direction. Avec quelques dépliants publicitaires, j'y mets du rêve. «If you can dream it, you can do it.» C'est simple, mais ça marche.

Les nuages se sont retirés quelque peu pour me faire cadeau d'une image magnifique: un sommet. Je suis envahi d'une joie qui me redonne le goût de l'aventure. Je regarde ces montagnes et je me sens courageux.

Jour 310
Srinagar, Inde - Le 20 mai 1995

Je suis instable émotionnellement et je n'arrive pas à mettre le doigt sur ce qui me chicote. J'ai une boule dans la gorge. Voilà peut-être la cause de mon angoisse: le maître de la maison n'arrête pas de se plaindre qu'il est pauvre et qu'il n'a pas d'argent. Il est propriétaire du *house boat* qui appartenait autrefois à son père. Il habite derrière avec sa femme et ses trois enfants. Dans la vallée du Cachemire, on possède une terre, on est artisan ou on est propriétaire d'un *house boat*. Depuis six ans, c'est-à-dire depuis que le conflit politique s'est intensifié, les gens se plaignent que les affaires vont mal. Pour boucler le budget, on propose n'importe quoi aux touristes. L'homme veut me vendre une excursion sur l'eau avec un guide. Me faire trimbaler dans une barque pendant quatre jours avec quelqu'un qui baragouine trois mots d'anglais ne m'intéresse pas.

À mon arrivée, il m'a laissé une journée de répit, mais aujourd'hui, il surgit avec photos, itinéraires et finalement le prix. Il m'assure que je serai de retour pour le 30 mai, date prévue de l'ouverture de la route de l'Himalaya. Jusque-là, si ça lui fait plaisir, tant mieux, mais je sens qu'il me gratine tout un plat et cherche à me faire mettre les pieds dedans. *giardiase* mentale. «You know, people come to India just to do that. And the price I told you is a student price plus a little bit profit for my family...» et toute la sauce qui vient avec.

Si j'accepte, il engagera un paysan pour la durée du séjour, à qui il donnera une somme ridicule, se gardant la grosse part du magot sans avoir levé le petit doigt ou presque... Je n'aide pas les pauvres en acceptant ce genre de contrat.

De plus, il n'arrête pas de me harceler pour que j'achète «at least one Kashmiri carpet and one wood carving for your parents. If they are happy, God will be happy and you will be happy too.» Bien que je lui explique que je n'ai pas l'argent pour acheter des souvenirs et encore moins la possibilité de les transporter, il rétorque: «It does'nt matter, if you don't have the money, you can buy it and your parents can send the money after.» Et ça continue, continue et continue encore. Pour un portefeuille bien rempli, ça peut prendre une tournure agréable, mais pour un membre de la confrérie des chevaliers de la bourse plate comme moi, c'est un cauchemar.

Il est peut-être pauvre selon nos standards, mais il fait partie des privilégiés de Srinagar. Si je le compare aux paysans de la plaine du Gange et du reste de l'Inde, il est millionnaire. En plus, il fume. Ses cigarettes lui coûtent minimum 30 roupies par jour, 1 dollar fois 365 jours égalent une somme faramineuse ici. Il me dit qu'il a retiré son fils de l'école il y a une semaine parce qu'il ne peut plus payer et que l'enfant pleure en voyant ses camarades partir chaque matin. S'il arrive à trouver la somme dont il a besoin d'ici les prochains jours, son garçon pourra poursuivre ses études. C'est bien triste tout ça, mais j'ai fait mon enquête et j'ai appris que ça fait deux ans que le pauvre petit ne fréquente plus l'école et que le soi-disant prix pour sa scolarité est de 100 dollars; trois mois de cigarettes...

J'aurais dû être ferme dès mon arrivée, mais j'ai été pris par les sentiments. Il a mérité ma confiance en s'occupant de moi et de mon vélo et en m'invitant à souper chez lui le soir de mon arrivée. Il me met dans une situation embarrassante. Comme il est sympathique malgré tout, je me sens coupable de refuser. J'aurais le goût de changer de *house boat* immédiatement, mais ses deux fils sont si gentils, sa fille de 9 ans si mignonne, et sa femme, une si bonne mère de famille vaillante et dévouée. Je pénaliserais ainsi toute la famille du petit revenu que je leur apporte. Je ne sais plus quoi faire ni où aller. Si je reste, je dois endurer son insistance et son air piteux et si je m'en vais, ce sera du pareil au même. Les Cachemiris ont cette mauvaise réputation de prendre les touristes pour des dollars ambulants.

Tout ça peut sembler une histoire fort banale, mais je

me sens extrêmement seul et je n'ai personne à qui parler. Il vient un temps où je me demande si je prends les bonnes décisions et si mes principes sont justes. Heureusement que j'ai mon journal pour me ventiler. Mais il n'est pas très bavard.

Jour 312
Srinagar, Inde - Le 22 mai 1995

Le couvre-feu est enfin terminé et les magasins ouvrent à nouveau leurs portes. Ma santé ne s'améliore pas et je me rends au laboratoire médical pour un test de selles. Il faut le vouloir: le flacon a 5 centimètres de hauteur avec une ouverture à peine plus grande que le diamètre d'un crayon. Une fois que j'ai compris qu'il faut que je me salisse les doigts, ça va.

J'ai la certitude d'avoir attrapé des parasites, surtout depuis que j'ai vu d'où vient l'eau du robinet. Le propriétaire m'avait juré qu'elle venait de l'usine d'épuration, mais je viens de découvrir qu'elle est pompée directement du lac là où les habitants font leurs besoins. Moi qui m'en sers pour me brosser les dents. Rien qu'à penser que je me mets cette eau merdeuse en pleine bouche, j'ai le cœur qui me touche les amygdales. Et que dire des bains que je prends et de la plaie que j'ai sur l'orteil depuis 19 jours? Comment puis-je en espérer la guérison en la trempant quotidiennement dans une eau de toilette! L'important est d'avoir découvert la cause de mon problème. Mon alimentation se limitera maintenant à tout ce qui n'entre pas en contact avec l'eau. Je voulais de l'exotisme, je suis servi.

Jour 313
Srinagar, Inde - Le 23 mai 1995

Mes résultats de laboratoire sont négatifs. On me dit qu'il s'agit d'une petite infection intestinale causée probablement par l'eau. On me prescrit du nidazol pour éliminer les parasites. J'en aurais pris de toute façon. On me conseille aussi du Isabgul, un produit naturel qui vient de la plus ancienne médecine du monde, la médecine Ayurvédic, originaire de l'Inde. Elle a sûrement fait ses preuves puisque l'Inde existe encore.

Le destin a mis un honnête homme sur ma route. Comme si nos chemins devaient se croiser ce jour-là, je rencontre Shahan, un nain, qui me prend sous son aile. Il connaît tout le monde. Comme un candidat qui se présente aux élections, il ne cesse de saluer les gens. Il est amical, souriant et jovial. Après avoir discuté de tout et de rien, il m'invite dans sa famille. Je suis surpris de voir à quel point son père est vieux et son frère jeune. Il me dit tout bonnement que ce jeune est son neveu et ce vieux, son grand-père: ils vivent en famille, quatre générations sous le même toit. La maison est minuscule et il m'explique combien le respect des autres est important pour arriver à cohabiter ensemble. Je n'ai pas de mal à le croire.

Je lui parle tout bonnement des problèmes de santé que je connais ces derniers jours et il me raconte toutes sortes d'histoires farfelues qui arrivent sur les *house boats* à ce sujet. À cause de l'instabilité politique que connaît le Cachemire, l'industrie touristique est quasi nulle depuis cinq ans. Les propriétaires, pour qui les revenus dépendent uniquement du tourisme, sont les grands perdants de cette industrie en péril, et il paraît qu'ils utilisent parfois des méthodes draconiennes pour garder les visiteurs le plus longtemps possible sur leur bateau. Il n'est pas rare, me dit Shahan, de voir les gens tomber curieusement malades après avoir mentionné qu'ils étaient sur le point de partir. Je me rappelle soudain avoir mentionné à mon hôte que je ne quitterais que lorsque ma santé serait rétablie. Mon nouveau compagnon me dit qu'il serait injuste de porter de fausses accusations, mais que je devrais redoubler de prudence, ou encore mieux, changer carrément d'endroit. J'espère que je ne suis pas une de ses victimes. Le temps me le dira.

Jour 317
Srinagar, Inde - Le 27 mai 1995

La fin du mois approche à grands pas et je suis toujours à Srinagar. J'ai quitté mon emmerdeur de propriétaire pour venir m'établir sur le plancher des vaches au Island Hotel avec d'autres touristes mécontents. Ici, personne ne nous dérange et le patron semble plus honnête. Ma santé se rétablit miraculeusement. J'ai des forces à refaire après six jours de jeûne quasi total.

Le couvre-feu est officiellement levé, mais une grève générale vient d'être décrétée par le Front de Libération du Cachemire. On craint énormément la tenue des élections prévue pour la mi-juillet. Les différents paliers gouvernementaux n'écartent pas la possibilité de tout annuler pour éviter l'escalade de la violence. On sent du mécontentement dans la population. Ça va brasser, mais j'aurai quitté le territoire avant. En attendant, il paraît que la route reliant Leh à Manali a été ravagée par de nombreux glissements de terrain et qu'on devra la fermer pour une période de trois ans. Je ne dispose d'aucune autre information et personne n'ose se prononcer sur la question. Shahan me dit, en toute confidentialité, que cette situation s'est déjà produite, mais que cette fois, il soupçonne ses compatriotes d'avoir monté cette histoire de toutes pièces afin de garder les touristes dans la vallée. Pour l'instant, qu'elle soit ouverte ou non, ça ne change rien à mes plans. Une fois rendu à Leh, je reviendrai sur mes pas si elle est réellement fermée. Il y a beaucoup trop d'incertitude dans l'air pour que je puisse avoir l'heure juste. Le plus urgent est de recouvrer entièrement ma santé et, ensuite, de faire confiance à mon destin.

Jour 318
Srinagar, Inde - Le 28 mai 1995

Un petit dimanche bien tranquille. Après onze jours dans cette ville, je fais presque partie du décor. Je commence à connaître beaucoup de monde. Ça me plaît, mais l'appel de l'aventure se fait de plus en plus insistant. La peur aussi. La peur surtout de ne pas avoir le courage d'abandonner, le cas échéant.

Comme si j'avais besoin d'inquiétudes supplémentaires, je rencontre un Australien, étudiant en médecine, qui me fout la trouille avec l'hypoxie, le mal de l'altitude. Il en a lui-même souffert à 4 200 mètres et je dois grimper encore plus haut. Incapable de continuer, il a dû redescendre et s'arrêter pendant trois jours avant de reprendre son ascension. Il me raconte aussi que deux Japonais sont morts dernièrement au Népal à cause du même mal. «Quand tu craches un machin rose pâle, c'est déjà trop tard, il ne te reste que vingt minutes à vivre.» Il n'est vraiment pas rassurant. J'ai l'impression d'en souffrir déjà. Le médicament prescrit, l'acetazolamide, est vendu sous le nom de Diamox. Il aide à prévenir mais surtout à atténuer les symptômes. Il se peut que j'en aie besoin pour la montée du col du Taglangla, à 5 328 mètres. Personne ne peut prédire sa réaction à l'altitude, mais en faire une maladie à l'avance n'est pas une solution. Néamoins, je prends note de ses conseils et des symptômes précurseurs.

Quinzième chapitre

À l'assaut des plus hauts cols routiers du monde

Jour 318
Srinagar, Inde - Le 28 mai 1995

Après cette aventure, je partirai pour la Thaïlande où je rejoindrai Caroline. L'idée de la revoir est une source de motivation immense. J'ai tant de choses à partager. Elle en a sûrement aussi puisque six mois après mon départ, soit à la fin de ses études en ergothérapie, elle a décidé de partir en Angleterre pour apprendre l'anglais. Elle s'est rapidement trouvé un emploi dans un restaurant végétarien et partage un appartement avec cinq Américaines de son âge qu'elle a rencontrées par hasard dans une auberge de jeunesse.

À Sariska, en Inde, j'ai rencontré deux Anglais qui revenaient d'un séjour de dix mois en Australie. Ils étaient tellement enchantés que j'avais adopté l'idée d'y rencontrer Caroline, en juin de cette année. Je voulais qu'elle fasse un bout de chemin avec moi, qu'elle vive, expérimente et comprenne ce que j'ai vécu. Le hic de l'histoire est que plusieurs voyageurs mentionnent qu'il est difficile de redevenir sédentaire après un voyage de plus d'un an. Je me suis énormément questionné sur le danger et la pertinence de le prolonger sur un coup de tête. Depuis mon spin cérébral en Iran, je me sens en paix et je souhaite poursuivre, mais j'ai besoin du point de vue objectif de mes parents et de la sagesse de leurs conseils.

Leur opinion et leur support moral n'ont pas mis beaucoup de temps à me convaincre. Mon père m'a parlé de la récession et de certains de mes confrères ingénieurs qui n'ont pas encore trouvé d'emploi. Il m'encourage à poursuivre mon éducation à l'école de la vie, à décrocher un diplôme qu'aucune université ne pourra me donner. Ma mère, qui adore les voyages, aurait toujours rêvé de faire le tour du monde. Elle trouve que j'ai de la chance et m'encourage à continuer. Elle dit que c'est le temps de réaliser tous mes projets avant de vraiment m'installer dans la vie – si jamais je m'installe. Ils vivent mon aventure par le biais de mon journal et de mes lettres qu'ils retranscrivent religieusement au propre. Je les sens contents de mon bonheur et ça amplifie le mien. J'ai même suggéré à ma mère de venir me rejoindre pour passer trois semaines en Inde, mais une grippe carabinée l'a clouée au lit et le projet ne s'est pas concrétisé.

Lorsque j'ai parlé à Caroline, nous avons décidé de modifier les plans et de nous rejoindre plutôt en Thaïlande, après quoi nous traverserons la Malaisie et l'Indonésie avant d'atteindre l'Australie. Notre moyen de transport n'est toujours pas déterminé, mais son enthousiasme me rassure et me stimule. Elle adore son expérience en Angleterre et, tout comme moi, elle n'est pas prête à revenir au Canada.

Jour 320
Kangan, Inde – Le 30 mai 1995

Je casse la glace à nouveau. Sur mon vélo, je redeviens libre comme un oiseau. J'ai quitté Srinagar et mes nouveaux copains avec nostalgie. Après avoir roulé 65 kilomètres, j'arrive à Kangan à plus de 2 000 mètres d'altitude. La route pour m'y rendre a été difficile. Mes genoux

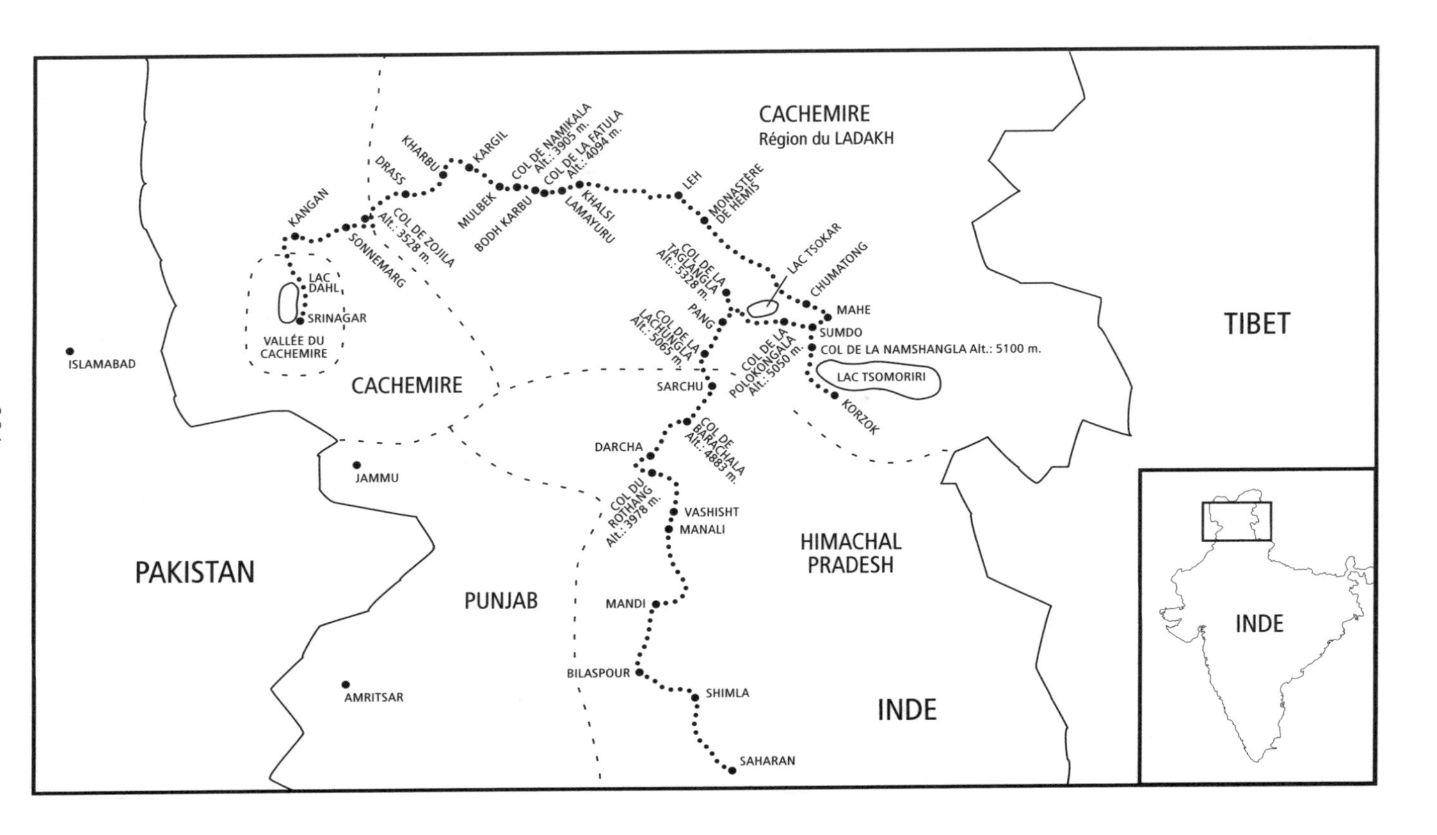

CACHEMIRE
Région du LADAKH
TIBET
INDE
KANGAN
DRASS
KHARBU
KARGIL
COL DE NAMIKALA Alt.: 3905 m.
COL DE LA FATULA Alt.: 4094 m.
MULBEK
BODH KARBU
KHALSI
LAMAYURU
LEH
MONASTÈRE DE HEMIS
COL DE ZOJILA Alt.: 3528 m.
SONNEMARG
LAC DAHL
SRINAGAR
VALLÉE DU CACHEMIRE
ISLAMABAD
CACHEMIRE
COL DE LA TAGLANGLA Alt.: 5328 m.
LAC TSOKAR
CHUMATONG
MAHE
SUMDO
COL DE LA NAMSHANGLA Alt.: 5100 m.
LAC TSOMORIRI
KORZOK
PANG
COL DE LA LACHUNGLA Alt.: 5065 m.
COL DE LA POLOKONGALA Alt.: 5050 m.
SARCHU
COL DE BARACHALA Alt.: 4883 m.
DARCHA
COL DU ROTHANG Alt.: 3978 m.
VASHISHT
MANALI
HIMACHAL PRADESH
JAMMU
PAKISTAN
PUNJAB
MANDI
BILASPOUR
SHIMLA
AMRITSAR
INDE
SAHARAN

répondent bien, mais je sens que je leur demande un gros effort. L'ascension de demain me mènera à 2 760 mètres, au village de Sonnemarg. J'aperçois au loin un immense mur de roche, orienté perpendiculairement à la vallée qui rétrécit de plus en plus. Il est tacheté de neige, et la tombée du jour fait ressortir toute la couleur et le relief de la pierre. Il est planté là comme un grand chef. Demain, en le contournant, un tout nouveau décor s'offrira à moi.

Le muezzin vient de se remettre à chanter: «Dieu est bon, Dieu est bon. J'atteste qu'il n'y a pas des dieux mais seulement Dieu. J'atteste que Mahomet a révélé le message de Dieu. Venez prier, venez prier. Venez pour la prospérité, venez pour la prospérité. Dieu est bon, Dieu est bon. J'atteste qu'il n'y a pas des dieux mais seulement Dieu, Allah...» À force de se le faire répéter cinq fois par jour pendant dix minutes, comment peuvent-ils l'oublier?

Le soleil se retire timidement derrière un sommet et emporte avec lui les grondements incessants du village. La nuit commence dès la disparition des derniers rayons. La circulation se fait discrète à l'exception de quelques véhicules militaires qui sillonnent la vallée. Les chiens sont au repos, les vaches au boulot. Elles se promènent et recyclent tout ce qu'elles trouvent de comestible au sol. De mon balcon, j'observe le vide et le silence. Je sens la fraîcheur monter. Je suis dans les montagnes et leur beauté m'imprègne de liberté. J'attendais ce moment depuis des mois. Demain me réserve une autre belle journée. Je dois maintenant «débrancher» mes pensées pour que mon âme puisse s'évader elle aussi.

Jour 321
Sonnemarg, Inde - Le 31 mai 1995

Chaque kilomètre se gagne durement. Je suis à Sonnemarg, un petit village d'une cinquantaine d'habitants, blotti au fond d'une vallée minuscule. Guidée par les massifs rocheux qui délimitent la vallée, une rivière, formée par la fonte des neiges, déchire le silence par ses grondements. Je déniche un coin moins tumultueux pour faire ma toilette. L'obscurité s'en vient et je dois monter mon campement pour la nuit.

J'écris à la lueur de la chandelle. Le village tout entier baigne dans la noirceur puisqu'il n'y a pas d'électricité dans ces montagnes éloignées du Cachemire. Cela ne fait qu'augmenter le mystère. Je suis à 2 750 mètres d'alti-

Seul dans ce labyrinthe de neige, je n'ai qu'une idée en tête: atteindre mon premier col himalayen.

tude. À part le bruit ininterrompu des ailes de la mouche que je viens de jeter dans la cire, tout est silencieux. Je me couche tôt. Demain, c'est le grand jour: je monterai mon premier col himalayen pour entrer dans la sous-région du Ladakh, enclave bouddhiste du Cachemire.

Jour 322
Drass, Inde - Le 1er juin 1995

Le soleil brille ce matin et le ciel bleu est sans nuage. Calcium, complexe B, vitamines multiples, vitamine E et C, 40 grammes de protéines concentrées, trois œufs accompagnés de fèves rouges et un litre d'eau constituent un bon départ. Je suis fin prêt pour franchir cette Zojila, à 3 580 mètres. Mes jambes sont comme des pièces de métal, mon cœur est en acier et je n'ai qu'une seule idée: réussir, peu importe la difficulté.

Je longe le cours de la rivière pour les 18 premiers kilomètres. Tout va bien jusqu'à ce que la route bifurque pour s'attaquer de front à un mur de roche trop haut pour que j'ose le regarder, de peur de me démoraliser. Elle se transforme ensuite en une succession de lacets, taillés à même le rocher. À chaque détour, je vois les échelons que je viens de gravir, et en même temps, ceux qui me séparent du sommet.

Mes efforts sont récompensés et, à ma grande joie, je ne suis pas incommodé par l'altitude. Du moins, pas encore. Je n'ai jamais été aussi haut, et jamais je ne me suis attaqué à une pente aussi longue, 138 kilomètres de montée ininterrompue en deux jours. Au sommet, je suis tout fin seul. Un petit dîner composé d'un sandwich aux tomates, de noix, de salade de fruits et d'une tablette de chocolat me fourniront amplement de calories pour redescendre.

En regardant vers l'ouest, je contemple une dernière fois la vallée verdoyante du Cachemire, alors qu'à l'est apparaît un décor de montagnes arides et hostiles: le Ladakh, qu'on appelle aussi le petit Tibet à cause de sa forte population de réfugiés tibétains.

Comme on me l'avait dit, le col de Zojila est un plateau de 3 kilomètres situé à 3 580 mètres d'altitude. De chaque côté s'élèvent des falaises de neige de plusieurs mètres de haut qui, en fondant, transforment la route en rivière. Je comprends qu'elle ne soit pas ouverte aux voitures.

Ces trois Tibétaines de Drass transportent de la terre afin de préparer le champ pour les cultures estivales.

Moi qui croyais que la descente serait facile! C'est peut-être moins fatigant mais c'est plus dangereux. Je fais les 10 premiers kilomètres sur une route d'enfer à moitié emportée par l'eau. Je ne cesse de percuter les cailloux déplacés par le courant. Plus loin, un torrent coupe la route. M'y aventurer serait suicidaire. Je choisis de grimper mon équipement pièce par pièce par-dessus la falaise d'où sort ce flot. Ça prend une éternité. Je commence à avoir hâte que ce rafting à vélo s'achève, d'autant plus qu'un vent de face se met de la partie. Je dois pédaler en descendant pour ne pas rester sur place. Sans trop savoir comment, j'arrive à Drass tout juste après la tombée du jour. Ce village, situé à 3 220 mètres d'altitude, est reconnu comme le deuxième plus froid au monde en hiver. Le premier se trouve quelque part en Sibérie.

Mission accomplie, une mission pas facile qui se termine par une douche à l'eau glacée. Il fait noir et je ne vois plus rien. Je me couche.

Jour 323
Kargil, Inde - Le 2 juin 1995

Le vent frais m'a fait oublier à quel point le soleil frappe en altitude, et j'ai probablement été victime d'une insolation en enlevant mon casque pour dîner. J'ai ma leçon. Je serai plus prudent aujourd'hui.

Ma chaîne de vélo grince depuis ma randonnée dans l'eau, les roches et le sable. Je n'ai pas d'huile pour la traiter, mais une équipe chargée de réparer la route est justement en train de décharger des barils d'huile de 1 000 litres chacun. En une fraction de seconde, ma chaîne est lubrifiée et mon vélo nettoyé. Ces hommes,

de la gastronomie mais tout y est. Il est 19 h 40 et je suis sur le point de sombrer dans le sommeil. Mon corps me prie de lui laisser sa chance.

Jour 324
Mulbek, Inde - Le 3 juin 1995

À un kilomètre de Kargil, il y a une jonction. De là, une route mène à la vallée du Zanskar et une autre à Leh où je me dirige. Je suis les indications qui me mènent sur une route qui monte et qui monte jusqu'à ce que je rencontre un montagnard qui s'empresse de me dire que je suis sur la mauvaise route. C'est un cul-de-sac. Je viens de me farcir une côte de 14 kilomètres pour rien. De retour à la fourche, je me rends compte que la pancarte est simplement piquée au sol. Elle avait sans doute été déplacée.

Il est maintenant 19 h 30. J'ai enfin trouvé de l'eau pour faire ma toilette. Je couche à la belle étoile sur le toit d'une halte de transit. Si proche du ciel, on ne peut que se sentir bien.

Jour 325
Bodh Karbu, Inde - Le 4 juin 1995

Un col de plus, celui de la Namikala, à 3 905 mètres d'altitude. Depuis hier, le décor change énormément. Les montagnes de roches se transforment en montagnes de sable durci. De loin, ça donne l'apparence d'un gâteau au chocolat marbré.

Dans cette partie de l'Himalaya, aussi sèche que le désert du Sahara, les champs et les maisons sont approvisionnés en eau par un système complexe de canalisation fait de terre et de roches. Selon la zone à irriguer, pour la culture du riz par exemple, on ferme certains conduits pour en ouvrir d'autres. L'obstruction d'un canal se fait avec tout ce qu'on trouve à portée de main. Il est surprenant de voir à quel point leur travail respecte les lois de l'écoulement gravitationnel. C'est un critère de premier ordre pour réduire l'érosion au minimum et, par voie de conséquence, fournir une meilleure irrigation. Cette technique est la pierre angulaire de leur survie.

Heureusement que je transporte toujours des provisions. Je me prépare un excellent petit souper vite fait avec un sachet de nouilles séchées, des oignons dans la poêle, des tomates, et j'ajoute deux œufs dans le bouillon des nouilles. C'est délicieux mais tout à coup, sans crier gare, je sens venir une autre attaque de *giardiase*. Je connais les symptômes comme le fond de ma poche. J'avais la paix depuis Jammu. Aux grands maux les grands remèdes. Je prends deux grammes de tinidazole d'un coup sec. C'est un traitement similaire au flagyl, sauf qu'il dure le temps d'avaler une seule pilule. À 3 605 mètres dans les nuages, dans un village perdu où on ne peut rien acheter pour manger et un mur de 4 094 mètres à franchir le lendemain, pas question d'avoir la diarrhée et de vomir en pleine nuit. Je crois que je prends la bonne décision. J'aurai ma réponse demain. De toute façon, ce n'est pas ça qui m'arrêtera. Quand on s'est vidé les tripes, à moitié nu, seul et frigorifié en plein désert iranien, ça muscle le moral et le courage.

J'avais vu juste. La route de Leh-Manali n'est pas fermée. C'est une histoire montée de toutes pièces par les Cachemiris. Un chauffeur de camion qui effectue le parcours régulièrement me l'a confirmé. D'autres m'ont même dit que les touristes avaient accès à la vallée de Nubra, là où se trouve le plus haut col du monde. Au sommet, une pancarte clame: «Khardungla, 5 606 meters, highest pass in the world. Here you can have a discussion with God!»

Jour 326
Khalsi, Inde - Le 5 juin 1995

Ma pilule d'hier a été magique. J'ai joui d'un sommeil de roi. Mon déjeuner, par contre, conviendrait mieux à un valet, sinon à un deux de pic. J'ai réussi à trouver quatre œufs pour faire une omelette. L'un d'eux contient du sang et il a fallu que je le casse en dernier. Comme le Ladakh est isolé de la plaine pendant plus de six mois par année, les provisions que l'on retrouve à cette époque sont parfois périmées. Après ma mésaventure en Italie avec l'œuf du diable, je n'ose plus prendre de risque, surtout pas avant de grimper un col de 4 094 mètres. Il me reste les protéines en poudre que l'Australien m'a remises et des vitamines en grande quantité. Ça devrait faire l'affaire. Ça fera l'affaire.

Je réussis à gravir la passe sans problème. La vue d'en haut est superbe, mais je redescends aussitôt sur Lamayuru. Après mon déjeuner manqué, j'ai l'estomac dans les talons. Une courte pause d'une demi-heure me suffit pour refaire mes forces. Sans le savoir, une des plus belles images m'attend au détour du village. La vue de ce décor me donne la chair de poule et le goût de crier ma joie, mon admiration. Jamais je n'aurais imaginé qu'un tel paysage puisse exister sur terre. Devant moi j'admire un rocher dont la base rejoint le lit de l'Indus, et le sommet, recouvert d'une calotte de neige, mène directement au ciel. À ma droite, une série de synclinaux et d'anticlinaux, tels des serpents tracés dans la roche, me dévoilent clairement les emprein-

Sur les lacets de la botte du géant himalayen, même les descentes paraissent interminables... et que dire des montées!

tes du passé. Derrière cette page d'histoire se trouvent une succession de pics dont les sommets sont de plus en plus hauts à mesure que mon regard se porte vers l'infini. À ma gauche, la pluie et le vent ont façonné le rocher comme un sol lunaire, «moonland» comme on l'appelle ici. La couleur, la forme et la disposition des montagnes transforment le réel en tableau onirique, une preuve que les décors irréels ne viennent pas tous d'Hollywood.

Subitement, je ressens le besoin de me faire tout petit, de m'éclipser. J'ai l'impression de côtoyer la mort. J'ai toujours imaginé que de telles beautés ne nous seraient dévoilées qu'après la vie. Des idées, toutes plus farfelues les unes que les autres, m'envahissent jusqu'à ce qu'un montagnard, transportant ses vivres à dos d'âne, me ramène à la réalité. Il s'arrête à mes côtés et, sans rien dire, regarde mon vélo, et puis son âne. Je lui souris, mais il a déjà repris son pas. Peut-être a-t-il songé brièvement à me faire une offre: son âne contre le mien.

En poursuivant ma descente, j'arrive sur une route en lacets. Moi qui croyais avoir vu des lacets dans les Alpes, ceux-ci appartiennent sûrement à la botte d'un géant. Cette route est déconcertante. Le côté gauche, là où en principe je dois circuler, est recouvert des cailloux qui tombent du haut de la falaise. Je dois donc me tenir du côté opposé, là où, à moins de deux pieds de la route, se trouve un précipice qui ne pardonnerait pas. Vingt kilomètres de descente et 700 mètres de dénivelé sur une route d'une beauté sournoise qui défie la gravité. Elle vous charme, vous transporte, mais elle n'attend qu'une distraction pour vous balancer dans l'au-delà.

Après plusieurs pauses pour laisser refroidir la jante de ma roue et ainsi éviter de faire fondre mon tube, je rejoins finalement l'Indus, ce fleuve que je longeais dans les Karakorums au nord du Pakistan, il y a plus de cinq mois. Voilà qu'on se retrouve comme de vieux copains, ici, dans la chaîne du Ladakh, en Inde. Et ce même vieux copain me transportera jusqu'à Leh, 97 kilomètres plus loin. Dans un mois, la Thaïlande... et Caro.

Jour 327
Leh, Inde - Le 6 juin 1995

En altitude, le soleil est cuisant. Lorsque j'arrête quelques minutes pour reprendre mon souffle, la chaussée fond sous mes chaussures et sous mes roues comme si on avait répandu de la colle au sol. J'ai réussi malgré tout. Je suis à Leh. Je croyais prendre un repos d'une semaine, mais le hasard veut que je rencontre Patrick, un Allemand. Il m'invite à partager sa chambre, une chambre vitrée avec une vue spectaculaire sur les montagnes. Il est ici pour un mois, à vélo. Il a entendu parler de moi je ne sais trop comment. Il me fait rapidement part de ses projets et veut que je l'accompagne au lac Tsomoriri. Ce lac, dont il me vante toute la beauté, est juché à une altitude de 4 600 mètres à moins de 15 kilomètres de la frontière tibétaine. Il n'est accessible aux touristes que depuis un an moyennant un permis en plus. «Si tu ne viens pas avec moi, avoue-t-il, je ne pourrai y aller seul. C'est trop dangereux.»

Il s'agit d'un parcours de six jours en dehors des sentiers battus où la possibilité d'être secouru est fort mince; seules quelques tribus nomades circulent dans ce coin perdu. La route n'existe sur aucune carte officielle. Mon nouvel ami a rencontré l'un des meilleurs guides du

Ladakh, qui veut bien lui remettre le plan qu'il a lui-même tracé. Patrick a déjà traversé l'Amérique du Sud et le Canada, il est expérimenté et confiant, mais je ne suis pas en mesure de donner une réponse immédiate, j'ai encore ma journée dans le corps et je veux prendre le temps de réfléchir et surtout de rencontrer personnellement celui qui l'a renseigné pour lui poser mes propres questions.

Jour 330
Monastère de Hemis, Inde - Le 9 juin 1995

Comme si le défi de me rendre directement à Manali n'était pas encore assez grand, j'accepte l'offre de Patrick. Nous quittons ce matin, chargés comme des mulets: des œufs, des repas déshydratés, des noix, des fruits séchés et des protéines en boules ressemblant étrangement à de la nourriture pour chiens. Le guide nous remet une carte sur laquelle il a griffonné quelques informations, comme l'altitude des cols, les distances entre certains points de repère, les points d'eau, les rivières à traverser, et finalement des directives sur le chemin à suivre pour ne pas se perdre.

Ce soir, nous couchons dans une chambre exiguë du monastère de Hemis. Perché le long d'un affluent de l'Indus, il est le seul du Ladakh à n'avoir jamais été pillé par les envahisseurs pour la seule et unique raison qu'il n'est pas visible de la route. Il a fallu grimper 350 mètres le long d'un sentier avant d'y arriver. Construit au XVIIe siècle, l'intérieur est décoré d'images du dieu Bouddha, de sculptures et de peintures sur toile (tonka) propres à cette partie du Ladakh. Sur les murs extérieurs, on retrouve une série de petits moulins à prières typiques du bouddhisme. Ce sont des cylindres de bois décorés, fixés au mur, qui tournoient sur un axe vertical. En longeant les murs du monastère, on les fait tourner l'un à la suite de l'autre à l'aide de la paume et des doigts d'une seule main. C'est une façon pour eux de rendre hommage à leur dieu.

Ils sont 80 moines dans ce monastère. Deux d'entre eux nous préparent un «butter tea», mélange de thé et de beurre. On infuse d'abord deux livres de thé que l'on vide ensuite dans un cylindre de métal au fond duquel se trouve une demi-livre de beurre. Puis, on actionne énergiquement le piston afin de bien homogénéiser. Finalement on verse le contenu dans deux autres litres de thé que l'on brasse à nouveau.

On nous explique que cette boisson est une excellente source de gras, nécessaire pour passer l'hiver. Malgré cela, je me demande comment ils peuvent résister aux froids himalayens dans ces constructions de bois et de pierres dépourvues d'isolation.

Demain, nous longerons l'Indus jusqu'à Mahe où nous bifurquerons ensuite sur une route de gravier. Un col de 5 100 mètres nous amènera le jour suivant au lac Tsomoriri, où nous passerons sûrement quelques jours dans ce qu'on appelle le paradis perdu.

Jour 331
Chumatong, Inde - Le 10 juin 1995

Nous avons franchi 92 kilomètres avant de nous arrêter près d'une agglomération de petites maisons. Il suffit de dire «julley» - bonjour dans le dialecte local - pour que le visage des gens s'illumine. À peine avons-nous exploré les alentours que déjà on vient nous accueillir. Un père de famille accompagné de son fils nous offre gentiment un toit pour la nuit et il nous informe qu'un souper nous sera servi: un «Kasmiri meal» comme ils disent. Ça comprend du mouton avec des légumes sur lesquels on verse un bouillon à base d'os.

Devinez qui n'est pas de la famille?

Comme j'en ai l'habitude après une journée de vélo, je déniche un petit ruisseau pour me laver. Le vent est coriace et l'air frisquet. Les jeunes me regardent m'asperger de cette eau glaciale et ne semblent pas comprendre que je me livre volontairement à ce supplice. Patrick ne comprend pas davantage.

Avant la tombée du jour, la mère de famille vient nous rencontrer, vêtue du costume traditionnel. Elle parvient à nous dire, par une suite de gestes timides, qu'elle aimerait qu'on prenne des photos de sa famille et qu'on les lui envoie. En un rien de temps, la petite cour intérieure se transforme en véritable studio. La mère, le père, les enfants, ainsi que quelques proches amis profitent de l'occasion pour immortaliser leur visage. Pour eux comme pour nous, c'est un bonheur de partager nos différences.

Il semble que ce sera impossible d'atteindre le lac Tsomoriri demain, puisque la distance à parcourir est plus grande que prévue. Les informations du guide s'avèrent déjà imprécises. Rien de rassurant pour la suite. Il nous reste encore 40 kilomètres le long de l'Indus avant de nous embarquer vraiment pour l'inconnu. Le village nomade de Korzok, au sud du lac Tsomoriri, se trouverait à 56 kilomètres à partir du moment où l'on quittera l'Indus. J'appréhende énormément cette route. Patrick, avec son vélo de montagne, est beaucoup plus confiant. Je songe à faire demi-tour si les conditions sont trop difficiles. Mais pour l'instant, je garde espoir, d'autant plus que je ne ressens aucun malaise lié à l'altitude. C'est de bon augure, car je ne redescendrai pas sous les 4 000 mètres avant 14 jours.

Seizième chapitre

Des sourires qui ne s'oublient pas

Jour 332
Sumdo, Inde - Le 11 juin 1995

Nous venons de quitter la route de l'Indus pour tomber sur celle qui nous mènera à notre objectif: le lac Tsomoriri. La triste réalité me frappe de plein fouet. Je comprends soudain pourquoi elle n'est pas indiquée sur les cartes: il ne s'agit pas d'une route, mais de quelques traces laissées par des véhicules à quatre roues motrices le long d'une rivière sans nom. Les cinq premiers kilomètres sont atroces. Je n'arrive pas à pédaler; Patrick non plus, même avec son vélo de montagne. Nous n'avons d'autres choix que de les pousser. Heureusement, à mesure qu'on avance, la route devient moins rocailleuse. Le désespoir et la frustration s'estompent tranquillement maintenant que je peux rouler. Les yeux rivés au sol, je me concentre afin d'éviter les plus grosses roches. Le défi n'est plus de franchir des kilomètres mais seulement des mètres. Je n'ose pas lever les yeux de peur de constater à quel point ces efforts ne mènent nulle part. À chaque tournant de rivière, le décor est similaire au précédent et au suivant. Sept kilomètres plus loin, toujours hypnotisé par le semblant de route qui défile sous ma roue avant, je me retrouve subitement sur une petite plaine verdoyante, la première depuis mon départ de Leh. Plus loin, je crois apercevoir une sorte de bâtiment en pierre grise. À mesure que j'approche, les formes mobiles que je croyais être des animaux sont, en fait, des petits enfants.

Une école dans ce coin perdu de l'Himalaya. Un professeur vient à notre rencontre et nous souhaite la bienvenue dans un anglais presque parfait. Sumdo est, en fait, une école pour réfugiés tibétains, perchée à 4 410 mètres. Le décor est éblouissant: de l'herbe verte et des pics enneigés sur un fond de ciel incroyablement bleu. Nous sommes tellement haut qu'on se croirait sur une plaine entourée de petites montagnes. Le soleil est cuisant, mais l'air frisquet nous confirme qu'on se trouve sur les sommets de la terre.

Jour de l'enfer
Korzok, Inde - Le 12 juin 1995

Quarante-trois kilomètres de cailloux, de chemins de sable, de lits de rivières où nous avons passé neuf heures à pousser nos vélos; bref une journée à oublier. Les informations du guide étaient encore erronées. J'ai le goût de brailler, mais tout comme un jeune enfant, je me retiens, car il n'y a personne pour me regarder. L'important est de trouver un point positif: je pourrai au moins dire qu'il y a une journée dans mon voyage que j'ai entièrement regrettée. Je suis à Korzok, au bord du fameux lac Tsomoriri, dans un petit village nomade que je n'arrive pas à apprécier parce que je ne peux m'empêcher de penser à cette route d'enfer que nous devrons refaire pour retourner à Sumdo. Il n'y a pas un décor au monde qui vaille tout l'effort que nous avons dû déployer pour venir jusqu'ici. Patrick est d'accord, d'autant plus qu'il commence à ressentir le mal de l'altitude. Nous sommes à 4 530 mètres et un col de 4 800 mètres nous sépare de Sumdo. Si ça tourne mal, il n'y a personne pour nous aider. Je fais de mon mieux pour le rassurer. Nous devions nous reposer ici au moins une journée, mais c'est hors de question. Nous repartons demain, à la première heure. La rage me monte au cœur rien qu'à penser à cette route maudite. Je regarde Patrick et je me dis qu'au moins, j'ai encore la santé.

Jour de chance, jour de diplomatie
Sumdo, Inde - Le 13 juin 1995

Jour de chance: un ministre indien et un chercheur, accompagnés de trois serviteurs, sont de passage à Korzok. Jour de diplomatie: je parviens à les convaincre de nous embarquer jusqu'à Sumdo et, plus encore, qu'il est possible de rentrer tout notre bagage dans leur jeep déjà pleine à craquer. «Si vous y parvenez, alors on vous

Sur cette route du bout du monde, même la Jeep arrive à peine à franchir les vallées sabloneuses.

prend», me disent-ils. La seule idée de refaire cette route à vélo me ferait entrer un éléphant dans la boîte à gants. Nous les accrochons finalement sur le toit, nous entassons nos quarante-cinq kilos de bagages dans la voiture et nous laissons aller une grande expiration en espérant que le chauffeur puisse fermer la portière. Mission accomplie. Je ne sais toujours pas comment nous avons réussi ce tour de force. Patrick me regarde avec un sourire qui en dit long. Chaque minute, dans cette boîte à sardines, nous rapproche de Sumdo. Je préfère être une sardine dans une auto plutôt qu'un poireau sur un vélo.

Quatre heures de tamponneuse, puis enfin notre très chère école. Tous les remerciements du monde ne parviendront jamais à exprimer notre gratitude envers ces bons Samaritains. Patrick se sent curieusement beaucoup mieux. So do I, my friend, my very dear friend. La jeep et les cinq passagers repartent en direction de Leh. Je me demande si nous n'aurions pas dû les suivre.

Le maître d'école nous offre une belle classe vide pour nous reposer. J'ai l'impression d'être revenu en ville. On nous invite à dîner en compagnie des quatre professeurs. En causant, on apprend que la situation ici est très particulière. En 1949, les Chinois ont envahi le Tibet, et l'exil du dalaï-lama en 1959 a enclenché un exode massif des Tibétains, vers le Népal et l'Inde principalement. La région du Ladakh, alors très peu peuplée, est rapidement devenue leur terre d'adoption. On l'a même baptisée «little Tibet». Les jeunes de cette école sont issus de familles nomades dont les parents sont en quête de nouvelles vallées luxuriantes pour faire paître le bétail. Trop jeunes pour les suivre, on les loge, les nourrit et on leur enseigne la langue et la culture tibétaines pour qu'ils en soient un jour les porte-parole. Les professeurs, réfugiés eux-mêmes, se sont instruits en Inde et sont maintenant de retour pour partager leurs connaissances car, disent-ils, une bonne éducation est la meilleure arme contre les Chinois. Ils soutiennent qu'ils ont besoin de l'aide des pays démocratiques, et c'est pourquoi ils doivent être crédibles, renseignés - donc instruits. Le directeur interrompt nos conversations et mentionne que c'est maintenant l'heure du dîner pour les jeunes, par conséquent le meilleur temps pour nous les présenter.

Ils sont installés en rectangle, collés les uns contre les autres et attendent patiemment qu'on les serve. Le directeur prononce quelques phrases en tibétain; aussitôt cha-

La goutte au nez et les pieds gelés, ces jeunes réfugiés tibétains sont prisonniers d'un destin qu'ils ne peuvent changer.

cun se met à renifler et à se passer le bras sous le nez. Ils ont tous la grippe, leurs vêtements sont déchirés, leurs souliers n'ont plus de semelles; malgré tout, ils trouvent le moyen d'être radieux comme le soleil. Ils se lèvent et tous en chœur nous disent «welcome to Sumdo» et se rassoient. Maintenant que les civilités ont été respectées, la cuisinière apporte le repas. Chacun se regarde sans trop savoir quoi faire. Comme s'ils mangeaient par mimétisme plutôt que par appétit. Une banane est une épée plus qu'un fruit. Le bol de chou bouilli, une baignade pour les doigts; tandis que le pain sert de serviette pour se sécher les mains. Tout ça accompagné du va-et-vient de la goutte au nez. Ils vivent en troupeau et s'amusent comme des petits chiots. Après le repas, sans que je sache pourquoi, ils se lèvent et vont changer de vêtements. Quatre grosses caisses de métal sont remplies à craquer de guenilles qu'ils choisissent au hasard et qu'ils porteront pour l'après-midi. Le linge sale qu'ils portaient se retrouve à son tour dans les caisses et sera réutilisé le lendemain. Penser qu'il sera lavé durant la nuit, c'est comme croire que je vais continuer ma route sur un tapis volant.

Maintenant que j'ai recouvré mes esprits, je suis en mesure de décrire le décor du lac Tsomoriri. D'une dimension de 25 kilomètres de long sur 7 de large, le lac se trouve non seulement en très haute altitude, mais il est aussi entouré d'une chaîne de montagnes de 6 367 mètres. Une piscine gigantesque dont les parois auraient en moyenne deux kilomètres de haut.

À part cette route maléfique dont j'essaie d'oublier l'existence, il y a quelques agglomérations de tentes habitées par des nomades. Vêtus de plusieurs couches de vêtements délabrés, ils se promènent autour du lac afin que le bétail ait toujours de l'herbe fraîche. Ils ont des troupeaux de moutons pour la laine, des vaches pour le lait et des yacks comme animaux de bât.

Nous partons demain en direction de la jonction pour Manali. Nous aurons un col de 5 050 mètres à franchir. On ne connaît pas la localisation exacte des tribus nomades pour s'approvisionner. On se débrouillera en temps et lieu.

Jour 335
Nulle part, Inde - Le l4 juin 1995

C'est avec le cœur gros que nous quittons les enfants de Sumdo. Patrick, qui était venu avec l'intention de contribuer à l'essor de la population tibétaine du Ladakh, leur a remis une somme de 900 marks allemands. Le bonheur authentique dans les yeux des quatre professeurs est aussi beau et bouleversant que le paysage et ses enfants.

Huit kilomètres plus loin, où devait se trouver le village nomade de Puga, il n'y a que des abris rudimentaires abandonnés et quelques clôtures. Nous ne trouvons pas la source d'eau dont le guide nous avait parlé, mais nous en avons suffisamment jusqu'au prochain camp nomade sur le bord du lac Tsokar, un lac de sel.

Je me sens dans une forme incroyable. Je monte les pentes sans peine, comme si j'étais une machine à gravir les cols. L'altitude ne m'affecte pas. C'est une sensation merveilleuse que la forme physique. J'arrive au sommet deux heures avant Patrick, si bien que je me demande même s'il ne m'a pas abandonné. J'en profite pour manger, alors qu'à son arrivée, il se contente d'avaler quelques noix et fruits séchés en vitesse avant que nous repartions.

La descente nous offre un panorama unique. Le lac de sel, entouré lui aussi d'impressionnants pics, nous paraît facilement accessible, mais les kilomètres nous prouvent une fois de plus qu'ici, dans ces montagnes gigantesques, il est impossible d'évaluer les distances correctement. Il nous faudra descendre encore 35 kilomètres avant d'atteindre le niveau du lac où je dois pousser mon vélo, d'abord sur un plateau de sable et ensuite dans le sel. Il m'est impossible de faire autrement puisque ma roue avant, trop étroite et chargée, s'enlise. Il n'y a aucun signe de vie à des kilomètres à la ronde et le village de Nuruchang n'était

La «route» à l'approche du lac de sel (Tsokar) à 4 700 mètres d'altitude.

qu'un point fictif. Patrick insiste pour continuer. Il croit que, plus loin, il y aura des gens pour nous accueillir. Je le souhaite autant que lui, mais la situation m'apparaît trop claire pour que je perde une once d'énergie de plus.

Le soleil couché, Patrick se rend bien compte qu'il faut s'arrêter. Je m'en veux d'avoir roulé si longtemps. Ces 47 kilomètres dans des conditions difficiles nous ont épuisés. Nous sommes à 4 620 mètres au beau milieu de nulle part, entre un lac salé, du sable et des montagnes à perte de vue. Nous avons économisé l'eau toute la journée et, malgré cela, il ne nous en reste qu'un seul litre. Nous rassemblons nos forces pour préparer à manger. Nous avons la chance d'être dans le seul endroit où il y a suffisamment de petits arbrisseaux morts pour allumer un feu derrière une grosse roche, à l'abri du vent. On fait cuire un plat de protéines déshydratées et je sacrifie une tablette de chocolat en espérant qu'elle me fournisse l'énergie pour passer la nuit. Comme si l'angoisse respectait les frontières du sommeil, je tombe dans les bras de Morphée.

Jour 336
Col de la Taglangla, Inde - Le 15 juin 1995

Je suis réveillé par un superbe lever de soleil. Il est l'heure de se mettre en marche. Une grosse journée nous attend. Nous ne savons toujours pas à quelle distance se trouve la route principale. Pire encore, nous ne sommes même pas certains de la trouver. Le guide nous avait recommandé de passer au nord du lac de sel, mais nous sommes de toute évidence au sud. Hier, nous avons suivi une piste laissée par quelques véhicules sur le sable. Elle doit bien déboucher quelque part.

Les premiers kilomètres se succèdent à un bon rythme, jusqu'à ce que l'on tombe dans un autre champ de sable. Cette fois, il est impossible de pédaler. À dire vrai, j'arrive à peine à traîner mon vélo.

Malheur. La route que nous suivons se scinde en deux et leur orientation ne coïncide aucunement avec celle de nos cartes. Nous ne savons même plus où nous sommes et voilà qu'il faut prendre une décision. Celle de gauche semble se diriger franc est, tandis que l'autre doit bifurquer vers le nord puisqu'il y a une grosse montagne juste devant. Mon intuition me dit d'aller à gauche. Je regarde Patrick. «Si nous ne rejoignons pas la route d'ici les trois prochaines heures, c'est que nous sommes perdus et qu'il faudra faire marche arrière.» Nous serons alors à moins de deux jours de Sumdo, chez nos petits enfants tibétains. Il faudra faire vite, car je n'ai pas l'intention de mourir de soif dans ces montagnes.

Nous avançons à pas de tortue malgré un effort colossal. Je me contente de tirer mon vélo sans penser que nous faisons peut-être fausse route. À tout moment je m'arrête. Nous avons quitté la fourche depuis maintenant deux heures et j'ai l'impression que l'étau se referme sur nous. Le soleil est de plus en plus fort, l'air de plus en plus sec et j'ai de plus en plus soif. J'ai les lèvres desséchées et brûlées. Je me sens comme un homard dans l'eau bouillante. Si seulement on pouvait se mettre à l'abri. Mais il n'y a rien qui s'élève du sol. Ici, seules les montagnes se donnent le droit de régner.

Tout à coup, nous apercevons, au loin, un nomade qui promène son troupeau de yacks. Nous accélérons la cadence du mieux qu'on le peut. Il semble qu'on ne l'atteindra jamais. Après vingt minutes à courir au chat et à la souris, je décide d'abandonner mon vélo et de partir à sa poursuite avec un contenant d'un litre à la main. Patrick m'attendra patiemment. Rendu à proximité, je me rends compte qu'il n'a rien d'autre qu'un simple bâton. Désespéré, je prononce sans arrêt les mots Manali et Leh. Il lève tout bonnement la main et la pointe vers le sud. Au même moment, j'entends Patrick qui hurle de joie. Il voit au loin le mirage d'une voie asphaltée. Je cours vers mon vélo alors que Patrick se dirige vers la route pour s'assurer qu'il n'a pas rêvé.

Enfin la route. Je vide le sable de mes espadrilles pendant que Patrick évalue la distance qu'il lui reste avant d'atteindre Manali. Il faut qu'il y soit pour le 20 juin, sans faute. Et moi, je ne me rends pas là-bas avant d'avoir fait un aller et retour pour monter le col du Taglangla. Rien ne me fera changer d'idée. C'est mon dernier rêve et je ne ferai pas marche arrière, si près du but. Patrick respecte cette décision même s'il aimerait que je poursuive avec lui. Treize heures approchent. Je n'ai pas encore dîné et une pente de 26 kilomètres m'attend. Nous échangeons nos adresses en vitesse. Patrick est malheureux de m'avoir embarqué dans un tel périple. Je le rassure en lui disant qu'il ne m'a jamais forcé et qu'il n'a pas à se sentir coupable. Cette aventure aurait pu prendre une tournure bien plus tragique. Notre sang-froid et notre forme physique nous ont sans doute sauvés. Nous nous serrons la main et nous quittons en espérant nous retrouver à Manali ou ailleurs. Nous partons chacun dans une direction opposée, Patrick vers le sud et moi vers le nord. Je n'ai plus qu'une idée en tête: atteindre le deuxième plus haut col du monde avant la tombée du jour.

La montée vers le sommet m'amène vite à traverser de petits ruisseaux qui proviennent de la fonte des neiges. Une eau pure et limpide coule sur un lit de pierres. Je m'abreuve sauvagement à même la montagne et j'en profite pour remplir mes gourdes et me laver. Une douche à cette eau glaciale, c'est pas chaud pour les grelots.

Je compte mes battements cardiaques régulièrement à mesure que je progresse. Mes pulsations varient entre 140 et 165 durant les trois dernières heures de l'ascension. À 4 kilomètres du sommet, je me surprends à pleurer. Chaque mètre que je pédale me fait souffrir. Mon corps n'en peut plus; ma tête, impitoyable, me dit que je ne peux arrêter si près du but. Le manque d'oxygène me donne l'impression que j'ai du plomb dans les pieds. Je n'ai plus de jambes, plus de souffle, plus d'énergie. Tout ce qu'il me reste, c'est mon cœur, ma volonté, mon courage et beaucoup d'orgueil.

Mes maux de tête disparaissent instantanément à la vue du sommet. Après cinq heures d'ascension, tout juste à la tombée du jour, mon rêve se réalise: je suis sur le deuxième plus haut col du monde, le Taglangla, à 5 328 mètres d'altitude.

Je suis à l'intérieur d'un minuscule temple en pierre à peine terminé. J'y passerai la nuit. Ce n'est pas chauffé mais au moins j'y serai à l'abri.

Il ne me reste que 385 kilomètres et trois cols supérieurs à 5 000 mètres avant d'atteindre Manali. Après ces derniers jours, il n'y a plus rien pour m'arrêter. Demain, je verrai le soleil sortir de l'infini. Cette nuit passée sur ce col est ma dernière folie. Pédaler dans l'Himalaya est mystérieux et magique. Je remercie Dieu de me donner la santé pour relever un tel défi. Le reste, c'est à moi que je le dois. Il est 20 h 15 et je suis couché à 5 328 mètres d'altitude. Aussi près des étoiles, je ferai sûrement de beaux rêves.

Mission accomplie!

Jour 337
Pang, Inde - Le 16 juin 1995

Je n'avais pas tort. La nuit a été froide et il est difficile de sortir de mon sac de couchage. Le soleil n'est pas encore levé, mais je peux déjà voir ses rayons s'élancer vers le ciel. Je prends une photo de mon vélo, appuyé sur le panneau indiquant: «Taglangla, altitude 17 582 feet, you are passing through the second highest pass of the world, unbelievable, is not it'?»

J'ai la lèvre inférieure complètement brûlée par le soleil et la déshydratation. Elle fissure et saigne sans cesse en formant une épaisse croûte qui pend lourdement. J'entreprends la descente vêtu de tous les vêtements que je possède.

Après 26 kilomètres, je me retrouve à l'endroit même où j'ai quitté Patrick la veille. Les 29 kilomètres qui suivent sur un plateau désertique à 4 600 mètres m'amènent subitement en haut d'une falaise où une descente sur une route en zigzag découpée à même le roc rejoint le lit d'une rivière. C'est ici que se trouve le camp Himank, installé en permanence pour les ouvriers qui ont construit la route, l'entretiennent et la déneigent. Durant la saison estivale, certains habitants des environs installent leurs tentes et cuisinent pour les gens qui voyagent entre Leh et Manali. Enfin de la nourriture. Je n'avais plus rien.

Les habitants du coin m'informent que la route pour se rendre à Manali est toujours obstruée par la neige et que le village suivant, Sarchu, n'est qu'un village fantôme jusqu'à ce qu'on ouvre la route. À vélo, je crois pouvoir passer. Je prends un jour de congé pour mieux continuer.

Je ne suis plus qu'à quatre jours de Manali. Ce n'est pas le temps de lâcher.

Pour me dépanner, on me prête des couvertures et je dors sous une tente qui est faite d'un vieux parachute de l'armée. Le réchaud au propane brise le silence, mais je ne peux m'en passer.

Jour 339
Sarchu, Inde - Le 18 juin 1995

Comme prévu, ici, il n'y a rien du tout. Je suis dans une cabane abandonnée par Himank, et il n'y a personne à moins de 60 kilomètres à la ronde. J'ai franchi le col de Lachlungla - 5 065 mètres - sans difficulté; je ne savais toutefois pas qu'un autre col suivait juste après. Le fort vent de face des trois dernières heures ne m'a donné aucun répit. Je suis vidé mais content d'être à l'abri.

Jour de surprise
Darcha, Inde - Le 19 juin 1995

Selon mon guide *Lonely Planet*: «Une courte ascension vous mènera au col de Baralacha.» Comme surprise, c'en est toute une. Cette description est réaliste et adéquate à condition que la route soit ouverte.

Je pars confiant, assuré que tout ira bien. Plus je roule, plus je me convaincs qu'il est impossible que de la neige apparaisse subitement sur une route complètement dégagée. J'ai sûrement eu de mauvais renseignements. Encore.

La pente s'accentue et la véritable ascension commence. Je vois maintenant la neige plus haut et la route s'encombre de plus en plus. À certains endroits, de grosses roches bloquent le passage. C'est vrai qu'un véhicule n'arriverait jamais à franchir ces obstacles. Je trouve rigolo de penser que la route est fermée et que je m'y promène sans difficulté. Vive le vélo.

Sur une route fermée, il faut s'attendre à tout. Nu pieds, je traverse ces rivières d'eau glacée.

Après 200 mètres d'ascension verticale, j'arrive sur un plateau entouré de montagnes. Le col doit être tout au bout, mais je me demande où peut bien passer la route. C'est blanc partout. Je franchis deux autres kilomètres. Ça devient de plus en plus enneigé. Il me reste pourtant 9 kilomètres avant le sommet.

Une légère avalanche entrave la route. Je peux tout de même porter mon vélo pour franchir l'obstacle. Un peu plus loin, une rivière; le pont qui la traverse n'est pas encore remis en place. Durant l'hiver, on les glisse sur la terre ferme pour éviter qu'ils ne soient emportés par les fortes crues causées par la fonte des neiges. Cette situation n'est pas nouvelle; comme d'habitude, j'enlève mes espadrilles et traverse pieds nus. Inutile de vous parler de la température de l'eau. Ma confiance est un peu amochée et je trouve ça déjà moins amusant. Il me reste 8 kilomètres. Au détour du virage suivant, je reçois une gifle en pleine face: un mur de neige de 4 mètres de haut et une coulée qui couvre la totalité de la route. La pente est trop abrupte pour que j'envisage de la contourner vers le bas.

J'étudie toutes les possibilités. La plus réaliste est d'affronter le mur de face. Une opération dangereuse. Si je glisse, je chute et j'atterris dans les roches. Je vérifie d'abord la surface. Elle est glacée et je réussis à peine à monter. L'adhérence est nettement insuffisante pour gravir une telle pente avec un vélo sur le dos. Suicidaire. Faire des marches dans cette neige durcie m'apparaît une idée géniale. À l'aide de mon couteau et de roches soigneusement sélectionnées, je taille un escalier. Le résultat est satisfaisant. Je grimpe mes sacoches une par une au-dessus du mur. Il reste maintenant le vélo: je le soulève au bout de mes bras, j'ancre solidement la pédale dans la neige, je monte à mon tour jusqu'en haut et j'agrippe mon guidon pour le hisser au sommet. Je traverse ensuite les 15 mètres de la coulée de neige, je jette mon attirail de l'autre côté, et le tour est joué.

Je ne peux pas faire marche arrière. Je n'ai pas assez de nourriture pour passer la nuit: il ne me reste qu'un repas. Le stress de cette escalade et les murs que je crois devoir affronter me démoralisent. Je prends une pause pour avaler mes dernières provisions. Puis, il ne me reste qu'une chose à faire: foncer.

Si mon ange n'est pas loin, il m'a sûrement entendu crier. Je hurle comme un perdu qui retrouve son chemin

Tout fin seul, sans réserve de nourriture et prisonnier de la montagne, je me sens trahi par ma témérité.

lorsque je rejoins les déneigeuses. Elles sont là, abandonnées, mais j'ai maintenant la certitude qu'il n'y aura plus de mur à franchir. Je suis soulagé mais pas encore au bout de mes peines. Cette «courte montée», dit le *Lonely Planet,* est mille fois plus difficile que je ne l'aurais imaginé. La route n'est plus obstruée par les avalanches, mais elle est toujours recouverte de neige et de glace sous lesquelles coulent des ruisseaux. Le seul poids de mon vélo fait constamment rompre cette mince couche durcie. Je m'enfonce à tout instant. J'ai les pieds gelés et je continue de pousser mon vélo. Je suis exténué, au bord des larmes. Mon seul réconfort est de savoir que de l'autre côté se trouve la civilisation.

J'atteins finalement le sommet. J'ai mis trois heures trente minutes pour franchir les sept derniers kilomètres. Je suis trop épuisé pour sourire et trop gelé pour sauter. Le décor est inhospitalier. Tout est blanc. Comme une brume, la neige recouvre tout le territoire à l'exception de quelques pics qui se manifestent timidement. Le contraste avec ce matin est frappant. Comment expliquer un tel revirement de climat? Je ne veux même pas le savoir.

Je prends ma dernière tablette de chocolat comme récompense. J'enfile mes bas de goretex pour contrer l'effet de mes espadrilles qui sont complètement détrempées. Le ciel se couvre et le bruit du vent porte un message de terreur, comme s'il voulait me dire de fuir au plus vite. Je n'ai plus beaucoup de temps, car il me reste toujours 47 kilomètres avant d'arriver au village de Darcha. Celui-là, je sais qu'il existe. J'entreprends une descente semblable à celle de la Zojila: des roches et de l'eau partout. La route s'améliore à mesure que j'avance. J'aperçois un autre cycliste arrêté au loin, son équipement étendu sur les roches. Il a rencontré Patrick hier. Il m'annonce que mon ami n'a pas réussi à traverser le col deux jours plus tôt, qu'il a dû laisser son vélo sur place et traverser à pied. Le lendemain, lorsqu'il est revenu, on lui avait volé tous ses bagages. Heureusement qu'on lui a laissé son vélo. Je suis déçu pour Patrick. Comme je le connais, il doit se dire que ce ne sont que des biens matériels, et il a bien raison.

Ce cycliste me désigne le ruisseau juste devant. «Sois prudent, il paraît peu profond, mais j'avais de l'eau jusqu'à la taille et j'ai tout perdu en traversant.» Du haut de mes 6'4", j'en aurai quand même jusqu'au fond de la culotte.

S'il n'avait pas été là, j'aurais tout perdu moi aussi. Je détache mes sacoches encore une fois et je traverse. Le courant est si fort que mon vélo flotte à l'horizontale. Je m'en sers comme balancier pour garder l'équilibre parce que le fond est rocailleux et je risque d'enfiler dans le torrent où, 100 pieds plus bas, une trentaine d'Indiens s'affairent à regarder le ciel plutôt qu'à remettre les ponts en place. Je salue mon sauveteur et lui souhaite bonne chance sur la route que je viens de franchir. Dieu sait ce qui l'attend. Et moi aussi. Je suis à peine reparti que deux autres rivières entravent la route. Elles sont peu profondes, mais je dois quand même enlever mes chaussures. J'ai les orteils congelés.

J'atteins Darcha comme il commence à pleuvoir. En me voyant, les gens s'imaginent que la route est enfin ouverte. Le cœur gros et à peine capable de contenir mes sanglots, je leur explique que ce n'est pas le cas. J'ai eu vraiment très peur.

Dix-septième chapitre

Une réussite épicée

Jour de l'accomplissement
Manali, Inde - Le 21 juin 1995

J'ai rattrapé Patrick à Kosar et nous atteindrons Manali ensemble.

Ma journée commence à 4 h 24 avec une attaque de *giardiase* et il pleut à boire debout. Il n'y a pas de toilette et il faut que ça sorte de toute urgence. Nous sommes couchés dans une bâtisse où dorment les vaches, et le portique sert aussi bien aux animaux qu'à nos vélos. Comme mes selles ne ressemblent en rien à une bouse de vache, je me fais un devoir de tout jeter dehors afin que la pluie fasse son travail et qu'on garde de moi l'image d'un garçon bien éduqué.

À l'aube de cette journée qui s'annonce difficile, je ne prends aucun risque et j'avale ma pilule magique. Après un déjeuner forcé et toujours traversé d'horribles crampes, je pars quand même, car je sais qu'une fois sur mon vélo, le mal changera de place. Il fait un temps de chien. La pluie et le vent nous obligent à prendre des mesures spéciales. Mon bon vieux sac de poubelle fait parfaitement l'affaire et je déniche un sac de riz fait de fibres plastiques pour Patrick. J'en garde un petit morceau pour placer sous mon casque afin d'empêcher l'eau de ruisseler sur ma nuque.

La pluie s'intensifie, mais mon accoutrement tient le coup. Je ne ressens plus de fatigue. Patrick est habillé plus chaudement que moi et sa transpiration le glace chaque fois qu'il s'arrête, ce qui le force à me suivre sans prendre ses pauses habituelles. Nous montons et montons en nous approchant toujours un peu plus de la zone où il semble neiger. Il fait 45°C à Delhi et il neige sur le col du Rothang... À un kilomètre du sommet, nous voilà en pleine tempête de neige. Un vent violent s'acharne contre nous, rien ne peut lui résister. On ne voit ni ciel ni terre. Le froid me transperce. Les derniers 500 mètres me paraissent interminables, mais j'y suis presque. Encore une courbe et voilà le sommet du dernier col de l'Himalaya, le Rothang. Je pousse des cris hystériques, je ne peux contenir ma joie et Patrick se demande si l'altitude ne m'a pas rendu dingue.

Nous nous ruons à l'intérieur du temple qui marque le sommet. J'ai les mains tellement gelées que j'ai peine à ouvrir mes sacoches pour prendre mes vêtements de rechange. Je me déshabille promptement et j'enfile tout le linge sec qu'il me reste: gilet, chandail de coton, coupe-vent, sac de poubelle, foulard, culotte Chlorophylle et bas en goretex. Je suis obligé de garder mes espadrilles complètement détrempées puisque je n'en ai pas d'autres.

Après trois heures de montée, il ne reste qu'à redescendre. Cinquante kilomètres et 1 800 mètres plus bas se trouve Manali. Dans ma tête, c'est gagné, mais la réalité est tout autre. L'enfer est un mot doux pour décrire cette descente. Il y a de l'eau, des trous, des cailloux partout. Le vent est toujours aussi froid et la visibilité quasi nulle. On roule dans un mélange de nuages, de brouillard et de pluie. À un kilomètre du sommet se trouve une station d'hiver où les vacanciers de Manali passent la journée. Il y a un trafic fou... à l'indienne. Ces débiles se croient sur une piste de course; ils klaxonnent et foncent au lieu de freiner. Dans la plaine, ça peut se tolérer, mais sur une route en lacets qui longe des précipices, c'est une autre histoire. À mesure que je descends, mes freins s'usent et ma frustration augmente. Ça devient dangereux. Il pleut toujours, je suis trempé comme de la soupe. Mes lunettes sont embuées, mon coupe-vent n'est plus imperméable et j'ai les bras et les mains comme deux blocs de glace. Patrick me suit toujours et s'inquiète pour mon vélo. Il se demande comment il peut tenir le coup. À tout moment, nous laissons échapper des cris mélangés à des rires indécis. Est-ce notre douleur ou notre joie que nous laissons sortir ainsi? Quand je pense ne plus pouvoir, mon esprit me ramène à l'ordre en me remémorant les fois où j'ai pu accomplir l'impossible.

Nous avons mis quatre bonnes heures pour franchir ces 51 kilomètres de descente. Les cols sont maintenant derrière moi. Une telle expérience vient ajouter de l'huile sur un feu déjà brûlant. Le feu brûle qui s'y approche mais enflamme qui s'y lance. Cette flamme m'a fait atteindre les plus hauts sommets cyclables du monde.

Jour 343
Vashisht, Inde - Le 22 juin 1995

Patrick est parti ce matin pour Delhi où il prendra son vol pour l'Allemagne. Plutôt que de coucher à Manali, qui est envahi par les touristes indiens, je préfère Vashisht, un village beaucoup plus petit et plus tranquille. C'est ici qu'on cultive, à grande échelle, le chanvre indien duquel on extrait la marijuana et le haschisch. C'est la capitale indienne des hippies qu'on appelle ici les «flower power». Hier, en arrivant avec nos vélos et nos sacs de plastique sur le dos, on avait l'air de deux extraterrestres au travers d'une bande de débranchés qui cherchent qui ils sont. À chacun son trip. Eux, c'est dans les nuages qu'ils se perdent, moi, c'est dans les montagnes.

Ce soir, je fais sécher mes bagages et je répare mes roues. Demain je repars en direction de Shimla.

Jour 344
Manali, Inde - Le 23 juin 1995

Après avoir passé 38 jours dans le ciel, je reviens maintenant à basse altitude, à la chaleur. Ce sera de courte durée: dans 58 kilomètres, je remonterai vers Shimla avant de redescendre sur Delhi. Après trois jours de pluie consécutifs, le soleil est au rendez-vous. Si mes prévisions sont exactes, j'entrerai à Delhi avec la mousson. J'aurai ainsi connu toutes les saisons de l'Inde.

Jour de mutilation
Bilaspur, Inde - Le 24 juin 1995

En début de journée, alors que je descends une côte et que je m'apprête à franchir le tablier d'un pont, un piéton sort de nulle part. Sa jambe frappe ma sacoche avant gauche, je perds l'équilibre et plane de tout mon long sur l'accotement. Je suis brûlé par l'asphalte. J'ai le genou râpé, la hanche écorchée, le coude épluché et l'épaule excoriée. Ma tête a frappé le sol mais mon casque m'a bien protégé. Je suis dans tous mes états. Je regarde cet insignifiant dans les yeux et je lui dis dans un anglais qu'il comprendra sûrement: «When cross street, you look, if me truck, you dead!»

Je reprends mon vélo, mais je me sens fébrile. Je me réfugie dans un coin tranquille. À l'aide de ma trousse de premiers soins, je nettoie mes plaies du mieux que je peux. Plus tard, à l'hôpital, on me désinfecte à nouveau, et par mesure de sécurité, on me prescrit des antibiotiques. Ici en Inde, on en prend comme des bonbons, mais je ne m'en plains pas. Ça aidera peut-être à la guérison de la plaie ouverte que j'ai sur l'orteil depuis maintenant 53 jours.

Je quitte en vitesse cette ville maléfique. J'ai peur de tout, je n'ai pas d'énergie, j'ai la tête ailleurs et la rage au cœur. Je regrette de ne pas avoir corrigé cet imprudent. Je lui ai donné à peine un soufflet sur la tête. Mais je suis pacifique. Ma seule consolation est de me dire que ça aurait pu être pire.

Fini le froid. Welcome la fournaise. J'ai perdu l'habitude de pédaler par une telle chaleur et je dois boire davantage. Je suis à un arrêt routier. J'ai bu cinq litres d'eau citronnée pendant la rédaction de mon journal et je n'ai même pas besoin d'uriner.

Jour de malchance numéro deux
Shimla, Inde - Le 25 juin 1995

Après une nuit immobile, ma peau fraîchement séchée veut fendre.

Hier soir, alors que je dressais ma tente, cinq jeunes morveux sont venus rôder autour. Je ne me suis pas méfié. Ils m'ont chipé ma pompe à vélo. J'ai mis près de deux heures pour les retrouver et ils me jurent qu'ils n'ont rien pris. Pour leur faire peur, j'attrape le plus grand par le collet, je le serre à la gorge et le colle contre le mur jusqu'à ce qu'il cesse de gigoter. Le pacifique à son meilleur. Je sais que je ne reverrai jamais ma pompe, mais au moins, je ne serai pas parti sans leur avoir laissé la facture.

La pensée négative engendre les événements négatifs. Dix kilomètres plus loin, je fais une crevaison. Je dois marcher trois kilomètres avant de pouvoir gonfler mon pneu. Il est déjà midi et je suis obsédé par ce soleil qui frappe sans retenue.

Je termine la journée avec une montée de 1 450 mètres. C'est énorme, mais je ne regrette pas ce détour. Shimla, située à 2 250 mètres, est une ville superbe. Tout est verdoyant, et les flancs de montagnes, qu'on découpe en étages pour la culture, ressemblent aux escaliers de la maison du Géant vert. Je passe le reste de la journée à regarder les gens défiler dans la zone piétonnière du vieux Shimla. Il fait bon vagabonder sans se faire klaxonner, sans craindre de se faire écrabouiller. Il me reste quatre jours de vélo et 394 kilomètres avant Delhi. Une fois là-bas, j'en profiterai pour téléphoner chez moi. Il m'a été impossible de donner signe de vie depuis 45 jours.

Jour 348
Saharan, Inde - Le 27 juin 1995

La loi de Murphy est une grande vérité: deux crevaisons en deux jours depuis le vol de ma pompe. Cette fois, j'ai dû marcher huit kilomètres avant de trouver un compresseur compatible.

Je quitterai bientôt ces montagnes. Une longue et belle étape qui se termine.

Jour 349
Badshahibagh, Inde - Le 28 juin 1995

J'ai couché à l'abri des vents derrière une maison abandonnée. Il est 5 h et je suis déjà sur ma bécane à dévaler les pentes qui me séparent de la plaine. Le soleil se lève une dernière fois sur l'Himalaya pour me dire au revoir. Il a revêtu son plus bel habit. D'un rouge vif, il tient à ce que seuls les matinaux le voient sous son plus beau jour. Alors que je sillonne le dernier flanc de montagne, à ma droite la plaine s'étend à l'infini.

À ma grande surprise, je tombe sur une route qui traverse un parc national rempli d'antilopes et d'oiseaux de toutes sortes qui cohabitent dans une tranquillité sauvage. Pas d'erreur, je suis bien dans la plaine - la pleine de mouches. Je transpire rien qu'à respirer et j'ai au moins trois millions de maudites mouches qui grignotent joyeusement ma patience et prennent mon genou écorché pour une pizza.

Jour 350
Saharanpur, Inde - Le 29 juin 1995

Il n'y a pas d'hôtel dans ce trou perdu et il n'était pas question que je couche dans ma tente par cette chaleur insupportable. J'ai rencontré deux frères médecins qui m'ont invité à coucher chez eux, autrement dit dans la cour qui se trouve à dix mètres de la route principale, là où il y a un poste nocturne de surveillance routière. J'ai passé la totalité de la nuit à entendre la radio, pas celle qui diffuse des berceuses, mais celle où on reçoit tous les appels de la centrale de police du district, comme dans un taxi mais en plus fort. En prime, les mouches voraces et la chaleur torride. Avant de devenir fou, je veux m'enfuir, partir, mais où? Il fait trop noir et je suis mort de fatigue. À quatre heures, je me lève collant comme si on m'avait trempé dans un pot de miel. Le soleil m'ouvre enfin la porte de l'horizon. Sur mon vélo au moins, je suis soulagé par l'air que je déplace.

J'arrête dans un petit hôtel à 47 kilomètres de là. Il n'y a rien d'autre à une distance raisonnable. Je n'ai pas la force de passer une deuxième nuit blanche dans ma tente.

Jour 351
Panipat, Inde - Le 30 juin 1995

Peu importe où je m'arrête, il y a toujours une centaine de personnes pour m'observer avec curiosité. La hiérarchie joue un rôle de premier plan. Celui qui possède une notoriété au sein du groupe se faufile dans la marée humaine pour venir jusqu'à moi. C'est à cette personne seule que je dois m'adresser, un peu comme si le roi lion sortait de la meute pour venir renifler le nouveau venu. Mon interlocuteur veut tout savoir: mon nom, ma nationalité, l'histoire de mon aventure, les villes que j'ai visitées et celles où je me dirige. Il traduit, dans le dialecte local, mes paroles qui atteignent l'arrière de la foule par le téléphone arabe. C'est lui qui se charge de garder ma bicyclette. Il se l'approprie et s'assure que personne n'y touche, au grand déplaisir des jeunes qui souhaiteraient bien voir ce que je cache dans ces immenses sacoches rouges. C'est aussi lui qui veille à me garder un espace vital pour que je puisse manger en paix, sinon j'en trouverais sûrement un assis sur mes genoux tellement le cercle se rétrécit au fil de l'entretien.

Aujourd'hui, leur compagnie m'est si agréable que même les mouches ne réussissent pas à gâcher mon repas. Malheureusement, je ne peux m'arrêter trop longtemps, car sans la brise que me procure le vélo, la chaleur est intolérable.

C'est la canicule depuis maintenant deux jours. Il fait 54 °C à l'ombre. Mon t-shirt est couvert de plaques blanches laissées par le sel de ma transpiration. Je devrais boire jusqu'à vingt litres d'eau par jour pour éviter la déshydratation mais je n'y arrive pas. J'ai perdu la soif et l'appétit. Demain, je prends une journée de repos pour refaire mes forces. Je suis à 100 kilomètres de Delhi et ça ne sert à rien de presser le pas. Il me restera encore deux journées complètes pour régler mes préparatifs de départ pour la Thaïlande. Ce soir, je me paie un luxe: une chambre à 16 $.

L'Inde ne vous laissera jamais une seule seconde de répit. Là où vous croyiez dîner tranquille, un rassemblement monstre s'orchestre sans crier gare.

Jour 352
Panipat, Inde - Le 1er juillet 1995

Cette fois, je viens de battre tous les records. Je me réveille à minuit avec des nausées. Peu de temps après, incapable de m'endormir, je vomis et je crois bien qu'après avoir expulsé le coupable, je me sentirai mieux. En pleine nuit, les spasmes, les vomissements et les diarrhées redoublent. Me rendre de mon lit à la toilette, qui n'est qu'à quelques mètres, est un tour de force. Le cœur va me sortir par la bouche. Je me tords de douleur. Je veux me rendre à la réception mais je n'arrive même plus à marcher. Je suis sur le point de m'évanouir. Dans un ultime effort, je rampe et m'écroule au pied de la porte qui mène à la réception. Je frappe faiblement jusqu'à ce qu'on m'ouvre. Je fais signe au préposé que je veux à boire. Il revient - à la vitesse indienne - avec un litre d'eau que j'enfile d'un seul trait. Il me fait comprendre que je dois maintenant me faire vomir pour nettoyer mon estomac et il promet de m'apporter de l'eau citronnée avec du sel. J'hésite, mais je suis son conseil malgré toute la douleur que m'inflige ce laborieux procédé. Il m'aide ensuite à retourner dans mon lit.

L'eau citronnée n'est jamais arrivée. J'insiste pour avoir deux litres d'eau minérale et deux cokes. Il revient vingt minutes plus tard, deux cokes à la main, en me disant qu'il n'y a plus d'eau minérale. La ville n'est qu'à dix minutes de marche. Je le supplie de trouver quelqu'un qui pourrait aller m'en chercher. Je suis prêt à donner un bon pourboire. Il me répond qu'il pourra y aller lui-même mais seulement à 16 h, après son travail. «Je serai déjà mort.»

Je n'ai jamais eu d'eau. Je demande qu'on fasse venir

le gérant en espérant qu'il comprenne mieux ma détresse. Il arrive deux heures plus tard. Voyant que j'ai affaire à un autre insouciant, je comprends que je dois me rendre à l'hôpital le plus vite possible. Par mes propres moyens. Mais avant de quitter, ce monsieur m'oblige à m'enregistrer de nouveau puisque j'ai réservé pour une seule nuit. Je lui explique, comme je l'aurais fait avec un enfant de deux ans, qu'il n'a qu'à faire une croix sur le «1» et inscrire un «2». Il exige un paiement d'avance en plus. Il a sans doute peur que je crève. Touchant.

De toute urgence, on m'allonge sur une civière et on me branche à un soluté pour la journée complète. On m'avise qu'il faudra revenir demain pour recevoir deux autres litres de cette potion magique. Ce soluté vient remplacer l'importante quantité de sels minéraux que j'ai perdus par exsudation. Les sels minéraux sont essentiels au bon fonctionnement électrique du corps, et un débalancement important peu causer de l'arythmie cardiaque et éventuellement la mort après quelques jours. J'ai roulé le long d'un précipice. Rien de moins. À deux, ça ne se serait jamais passé ainsi.

Le médecin me conseille fortement de prendre le car pour me rendre à Delhi.

Je ne rêve plus qu'à la Thaïlande et à ma douce qui m'y attend.

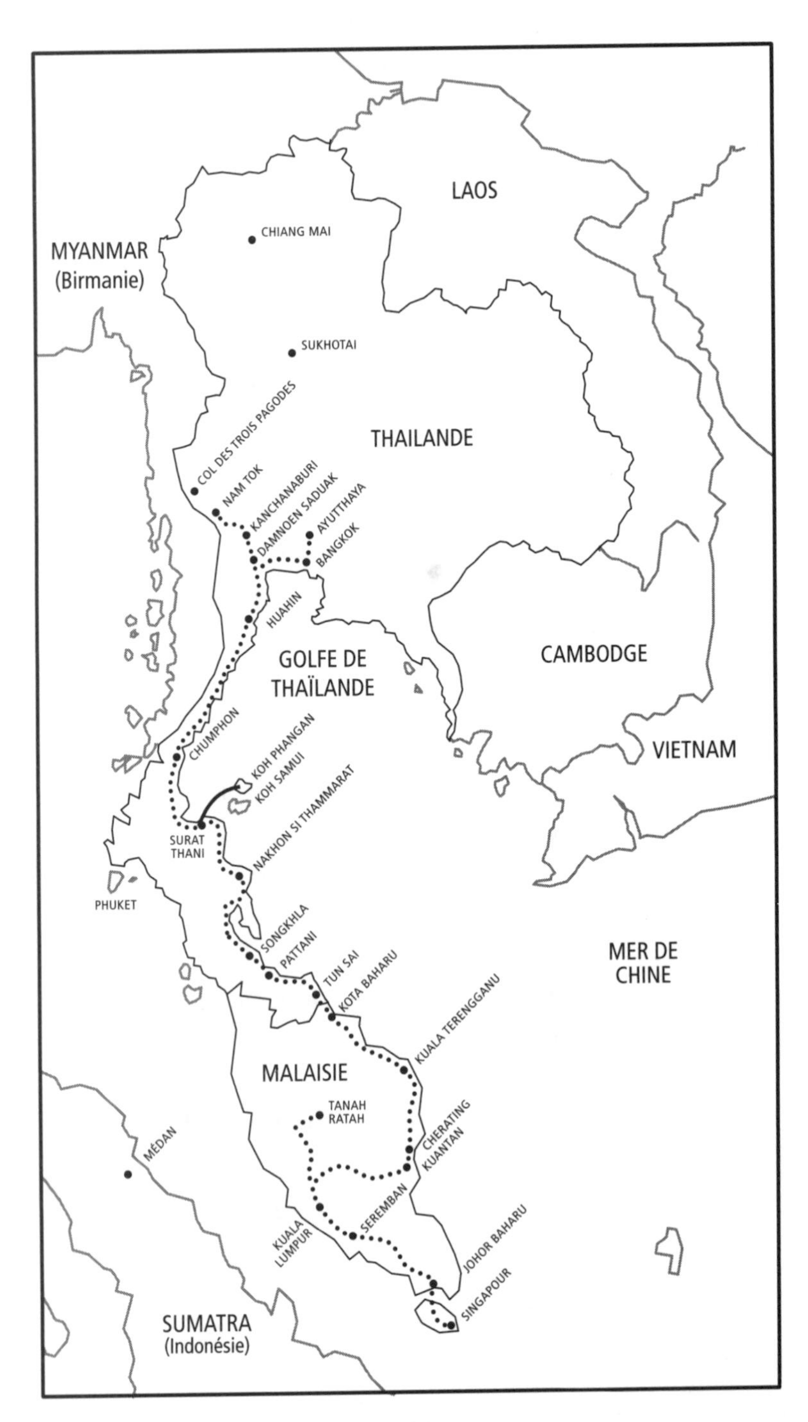
LAOS
MYANMAR
(Birmanie)
CHIANG MAI
SUKHOTAI
COL DES TROIS PAGODES
THAILANDE
NAM TOK
KANCHANABURI
DAMNOEN SADUAK
AYUTTHAYA
BANGKOK
HUAHIN
GOLFE DE
THAÏLANDE
CAMBODGE
CHUMPHON
KOH PHANGAN
KOH SAMUI
VIETNAM
NAKHON SI THAMMARAT
SURAT
THANI
PHUKET
SONGKHLA
PATTANI
TUN SAI
KOTA BAHARU
MER DE
CHINE
KUALA TERENGGANU
MALAISIE
TANAH
RATAH
CHERATING
KUANTAN
MÉDAN
SEREMBAN
KUALA
LUMPUR
JOHOR BAHARU
SINGAPOUR
SUMATRA
(Indonésie)

Dix-huitième chapitre

La Thaïlande et ma blonde: un second souffle

Jour 356
Aéroport de Bangkok, Thaïlande
Le 5 juillet 1995

Caroline retrouve un grand sec qui a fondu de vingt-cinq livres. Il y a maintenant un an que nous sommes séparés. En silence, je l'étreins; nos gestes sont hésitants, empreints d'une pudeur renouvelée. Pourtant, les Thaïs, qui sont si réservés, n'oseraient jamais donner une telle démonstration d'émotion et d'affection dans un endroit public.

J'ai envie de savourer la belle aventure qui nous attend, mais du même coup, une barrière émotionnelle se dresse. Je vis au gré du temps depuis près d'un an et ma perception de la vie a changé. L'Inde m'a complètement transformé, et je retrouve Caroline comme je l'ai laissée, dans un mode occidental à la fois intangible et omniprésent. Nous avons vécu des expériences différentes, chacun de notre côté, et il nous faudra sans doute quelque temps avant d'apprendre qui est notre nouveau partenaire.

Du coq à l'âne, nous effleurons mille et un sujets. Elle est ici depuis déjà deux semaines et je suis curieux de connaître ses premières impressions sur l'Asie. Comment a-t-elle trouvé l'Europe? A-t-elle des nouvelles récentes des amis, de la famille? Jean-Pierre se remet-il bien de son voyage depuis qu'il m'a quitté à Téhéran? Comment s'est passée la fin de ses stages à l'université? Je veux tout savoir. Le son de sa voix me rassure et me réconforte. Lorsqu'elle s'interrompt, je repose les mêmes questions en espérant qu'elle ajoute des éléments nouveaux. Les choses les plus banales m'intéressent. Et les potins! Quand je lui en laisse le temps, elle en profite à son tour pour poser timidement quelques questions sur mon voyage. Comme si elle avait peur de mes réponses.

Je ne lui raconte que le meilleur. Comme si je craignais de revivre mes souffrances. Je suis toutefois plus volubile sur mon sentiment de liberté depuis l'Iran. «J'ai le monde à mes pieds, dis-je, et je me sens léger comme l'air, dans cet environnement sans stress et sans pression sociale.» Caro devient distante tout à coup. Elle est triste et finit par m'avouer qu'elle ne me suit plus. Elle ne connaît pas cette liberté qui semble m'apporter un bonheur si intense. «T'inquiète pas. J'ai mis plus de six mois à réellement décrocher. Accepte ce que la culture asiatique va t'offrir et laisse faire le temps.» Elle me confesse qu'elle a cessé de lire mon journal lorsque j'ai décrit l'incinération du macchabée à Benares. Elle appréhendait même nos retrouvailles.

Dans le train qui nous mène à Bangkok, elle me parle de son séjour en Angleterre, une décision qu'elle n'a jamais regrettée. Avant de quitter le Canada, elle avait cessé d'être Caroline, elle était devenue la copine de Pierre-Yves parti faire le tour du monde. Les premiers six mois ont été atroces. Elle s'ennuyait à mourir, et, noyée dans sa tristesse, elle devait raconter sans cesse ce que vivait son aventurier. Un supplice.

L'Angleterre l'a libérée. Elle ne m'attendait plus. Elle a recommencé à vivre, est redevenue pleinement elle-même. Elle a plongé dans un monde inconnu où elle s'est retrouvée anonyme et heureuse de l'être. Elle ne veut plus vivre d'un ennui qui lui dérobe son identité.

Ses premières heures à Bangkok l'ont effrayée. Le chauffeur de taxi ne s'est pas arrêté devant la pension qu'elle lui avait indiquée. Elle a dû le forcer à la déposer et fut accueillie dans sa chambre par d'énormes blattes. Elle habitait un appartement modeste à Londres, mais elle découvrait maintenant une chambre délabrée et une salle de bain commune où elle devait apprendre à viser juste! Elle est demeurée cloîtrée dans les limites de l'hôtel pendant deux jours. Puis elle a rencontré Sherry, une Canadienne de Calgary, avec qui elle a pu, la semaine suivante, se familiariser avec son nouvel environnement. Elles ont même abouti, par mégarde, dans le quartier chaud.

Jour 357 et suivants
Bangkok, Thaïlande - Du 6 au 13 juillet 1996

Une petite chambre d'hôtel nous servira de logis pour la semaine qui vient. Je ressens une profonde fatigue accumulée. Nous apprécions le plaisir de nous retrouver.

Jour 365
Bangkok, Thaïlande - Le 14 juillet 1995

La Thaïlande, autrefois appelée Siam, n'a jamais été sous la domination d'un empire. C'est le seul pays du Sud-Est asiatique qui a joui d'une telle indépendance, contrairement à la Malaisie qui a été possédée successivement par les Portugais, les Hollandais et finalement par les Anglais. C'est en 1940 qu'elle s'est officiellement appelée

Thaïlande. Thaï, qui veut dire «libre», est aujourd'hui utilisé pour identifier les gens du pays. Leurs ancêtres sont éparpillés dans tout le Sud-Est asiatique, les îles indonésiennes et le Sud-Est de la Chine.

J'ai aimé le Bangkok des temples, des trouvailles et du magasinage. J'ai aimé l'ambiance de cette ville et on la quitte à regret pour Sukhotai, ancienne capitale de l'empire Siam, de 1250 à 1350. Nous prendrons le train, mais nous n'avons pas encore déterminé notre moyen de transport pour la suite du voyage.

Jour 366
Bangkok, Thaïlande – Le 15 juillet 1995

Le train roule depuis déjà deux heures et les paysages défilent. Pourquoi se taper 500 kilomètres de train vers le nord, alors que nous souhaitons découvrir l'arrière-pays au rythme de nos propres coups de pédales? Pourquoi s'imposer la visite de villes touristiques alors que notre cœur se trouve dans les champs de riz, les ports de pêche et les petits marchés rustiques? À l'arrêt suivant, je cours à la billetterie pour apprendre que le seul train de la journée qui retourne vers le sud passera dans 12 minutes. Cette chance est un signe flagrant du destin. Dans moins de dix secondes, il se remettra en marche. Sans réfléchir plus longtemps, nous rassemblons notre attirail et sautons à l'extérieur sous le regard inquiet du contrôleur. Fiers de notre décision et surtout rassurés de savoir que nous sommes sur la même longueur d'onde, nous attendons tranquillement que vienne le train suivant. Nous profiterons dorénavant de ce qui sera mis sur notre chemin. Nous apprécions déjà mieux le moment présent. Deux heures dans la mauvaise direction ont été bien peu pour nous le faire réaliser.

De retour à Bangkok, notre furetage nous permet de dénicher un vélo qui est taillé sur mesure pour Caroline: un vélo de montagne, rouge, 18 vitesses, avec support arrière, le tout pour 170 $, pas un rond de plus. Une affaire en or.

De retour à l'hôtel, on nous offre la suite royale, une chambre avec moustiquaires, pour la faramineuse somme de 5 $. Il y a vraiment des jours où tout tourne rondement. Nous aimerions bien profiter de ce luxe à bas prix pour quelques jours encore, mais le goût de l'aventure se fait trop insistant. Je renouvelle mon visa, puis ça y est. Un an, jour pour jour, après mon départ du Québec, Caroline s'apprête, elle aussi, à enfourcher la selle de l'aventure.

Jour 368
Bangkok, Thaïlande - Le 17 juillet 1995

On m'avait tellement dit que je n'aurais pas de problème de visa en Thaïlande que j'ai été négligent. «À l'aéroport, tu obtiendras un visa d'un mois qui sera facilement renouvelable par la suite!» Peut-être, sauf que la prolongation est limitée à dix jours et coûte le même prix que le visa de deux mois que j'aurais pu obtenir depuis l'Inde. C'est la première fois que des voyageurs me donnent de mauvais renseignements. Si je désire rester plus longtemps, je devrai quitter les frontières, après quoi je serai réadmis pour un autre mois. Chaque jour sans visa coûte cinq dollars d'amende.

Jour 375
Kanchanaburi, Thaïlande - Le 24 juillet 1995

À moins d'avoir vu le film *Le pont de la rivière Kwaï*, il y a peu de chance de connaître toute l'histoire de ce coin de pays si célèbre. En anglais, on dit plutôt «the infamous bridge over the Kwaï River», pour les atrocités subies par les ouvriers esclaves lors de sa construction.

Le Royaume de Siam, comme on l'appelait à l'origine, est une mince péninsule orientée nord-sud, bordée par la mer des Andamans au sud-ouest et le golfe de la Thaïlande à l'est. Étant très prospère, il était une proie attrayante pour ses voisins immédiats, les Birmans. Une chaîne de montagnes séparait les deux empires. Mais comme toute muraille a une faille, les Birmans trouvèrent deux passages. Celui du nord était peu propice, parce que trop loin de la capitale Ayuthaya; l'autre, le col des trois Pagodes, débouchait sur une plaine, idéale pour consolider leur position et attaquer directement le cœur du Royaume. Pour empêcher l'étranger, l'ennemi ou l'attaquant de mettre le pied sur cette plaine, Rama I, premier roi de la dynastie Chakri, a ordonné au 18e siècle la construction de Kanchanaburi. Cette ville protégerait désormais les joyaux de l'Empire.

Elle doit toutefois sa célébrité à la Seconde Guerre mondiale et à des pertes de milliers de vies humaines. Le Japon avait conquis une grande partie du Sud-Est asiatique, dont la Thaïlande et la Birmanie, et cherchait à étendre sa suprématie vers l'Inde qui était une possession anglaise à cette époque. Pour ce faire, les Japonais devaient trouver un moyen d'y acheminer leurs hommes ainsi qu'une grande quantité d'armes. Contourner le Royaume de Siam via la mer de Chine pour finalement accoster en Birmanie sur les berges du golfe du Bengale exposait aux bombardements. Par ailleurs, le transport par voie aérienne aurait été insuffisant et aussi très périlleux. Il ne restait qu'une solution: construire une ligne de chemin de fer qui relierait la Thaïlande à la Birmanie en utilisant le col des trois Pagodes.

Les travaux préliminaires d'arpentage prédisent des coûts faramineux. Mais en temps de guerre, l'argent perd sa couleur, et le goût de la conquête et du pouvoir devient prioritaire.

«Le chemin de fer de la mort», baptisé ainsi par les prisonniers de guerre, débute le 16 septembre 1942. Fin décembre 1943, trois ans et demi plus tôt que prévu, le tronçon de 415 kilomètres est déjà opérationnel. Des tonnes de matériel militaire sont acheminées et les Nippons poursuivent leur conquête vers l'ouest. Le choléra, la malaria et la dysenterie ont tué les détenus, mais la malnutrition a été encore plus dévastatrice. Les prisonniers sont forcés de travailler quasi sans relâche jusqu'à l'épuisement. «Si vous travaillez avec ardeur, vous serez récompensés, sinon, vous serez punis!» Tels sont les commentaires des surveillants japonais lorsqu'un prisonnier est à bout de forces. Ainsi les «épuisés», traités de paresseux, sont liquidés ou privés de nourriture jusqu'à leur mort.

On estime qu'en plus des 16 000 prisonniers de guerre morts sur le chantier, plus de 90 000 malheureux auraient succombé par la suite. Ils étaient thaïs, malais, indonésiens, birmans, anglais, hollandais, américains, canadiens et australiens. La plupart sont enterrés ici à Kanchanaburi. En se promenant dans les allées du cimetière, on constate à quel point ils étaient jeunes. Vingt-deux ans est-il un âge pour se tuer à la guerre?

Pour mieux comprendre toute l'ampleur de la tragédie, une randonnée sur le chemin de fer s'impose. Seul est resté le tronçon de 80 kilomètres qui relie Kanchanaburi à Nam Tok. Ce trajet, qui dure près de quatre heures, nous démontre à quel point ce projet, réalisé au pic et à la pioche, fut une folie. À certains endroits, le train roule littéralement dans le vide, le long d'une falaise verticale; il se faufile aussi à travers une jungle dense et humide ou dans des marécages infestés d'insectes.

Ces cinq jours à Kanchanaburi nous ont permis de connaître les atrocités de la guerre, de visiter quelques parcs nationaux et de profiter du décor enchanteur de notre hôtel flottant. À lui seul, il aurait suffi à notre bonheur. Construit sur des barils d'huile vides, le bâtiment flotte sur les abords de la rivière Kwaï. Le clapotis de l'eau agit comme une berceuse. À la tombée du jour, les derniers rayons tamisés du soleil bifurquent sur l'eau avant de teinter d'un rouge vif le bois bruni par l'âge. Je suis avec Caro et je suis bien.

Jour 383
Surat Thani, Thaïlande - Le 1er août 1995

Nous avons parcouru plus de 500 kilomètres pour venir jusqu'ici. Caroline s'adapte sans difficulté. C'est une bonne voyageuse, tout comme son frère Jean-Pierre. Courageuse et tenace, elle n'a pas froid aux yeux.

Nous campons sur des plages désertes, sur des terres inhabitées à l'écart de la route ou encore chez des paysans.

En dehors des circuits touristiques, l'anglais est une

langue inutile. Il nous faut donc redoubler d'efforts et de patience pour arriver à nous faire comprendre. C'est facile quand il s'agit de demander à boire, mais c'est autre chose quand on demande des œufs et qu'il faut imiter pendant cinq minutes une poule en train de pondre devant quinze Thaïs qui nous regardent comme si on devenait mabouls. Le soir, la question est toujours de savoir qui de nous deux se renseignera pour une douche. Se frotter les aisselles ou les cheveux prend bien plus l'allure d'un singe qui a des puces que celle d'un humain qui veut se laver. Si, par malheur, nous faisons l'erreur de prononcer le mot «water» en gesticulant, on nous apporte fièrement un verre d'eau.

La douche se trouve à l'arrière de la maison au milieu des poules, des cochons et des ordures ménagères. Un

Caroline à vélo, sous la protection du dieu Bouddha

petit coin vaseux avec une immense jarre en terre cuite où il faut puiser l'eau à l'aide d'une tasse. Les hommes doivent garder leur short, tandis que les femmes s'enroulent dans un sarong, grande pièce de batik joliment réalisée par les artisans du coin. Tout cela se déroule sous le regard amusé de la mère de famille qui prépare son repas sous un abri de paille.

Une fois propres, débarrassés de la poussière de la route qui colle à la transpiration, il ne nous reste plus qu'à demander la permission de monter notre tente. On forme un triangle avec nos mains au-dessus de nos têtes et on mime une personne qui dort sur un oreiller. Si ça ne suffit pas, on ajoute quelques ronflements. La réponse est automatique: on nous fait signe que oui avec un sourire. Le

Imaginez-vous expliquer à ce bon paysan que vous aimeriez prendre une douche et dormir sur son terrain pour la nuit!

Quand on en a la chance, y a rien comme une bonne douche à l'eau fraîche.

campement monté, on cuisine ensuite un repas de légumes, de riz ou de poisson fraîchement achetés au petit marché local.

Le soir venu, couchés sous la tente par une chaleur oppressante, nous tombons dans un profond sommeil. J'avais partagé ma tente avec Jean-Pierre, un certain soir de pluie, en Italie, dans un champ de tabac. Je partage cette même tente, tous les soirs, avec sa sœur. Aucune comparaison possible. Excuse-moi, Jean-Pierre.

Jour 393
Le 11 août 1995

Comment parler de ce pays sans parler du Triangle d'or? Situé aux confins de la Thaïlande, de la Birmanie et du Laos, c'est là que se transige la majeure partie du trafic mondial de l'opium.

Ce suc extrait des capsules d'un pavot est utilisé comme narcotique depuis le début de l'empire Grec, mais c'est durant le règne de l'empereur moghols Kublai Kan, au 13e siècle, que les Arabes le font connaître aux Chinois. Il pousse facilement dans les régions montagneuses où on retrouve un sol très pauvre en éléments nutritifs. Le sud de la Chine s'est avéré une terre de prédilection pour ce genre de culture, à tel point que les paysans l'ont utilisée non seulement pour payer leurs dettes au gouvernement local, mais aussi pour s'enrichir. Le marché oriental était devenu si prolifique que les rebelles du parti communiste birman et les réfugiés nationalistes de l'armée chinoise se sont intéressés à cette potion magique pour en retirer des bénéfices. Mais ce n'est que vers la fin des années 60, alors que la guerre faisait rage au

Vietnam, que l'on a assisté au plus gros boom économique de l'opium.

L'histoire suggère que les avions américains venaient effectuer des chargements avant de reprendre la route pour le Vietnam, d'où l'on exportait, sous le nez des autorités, la drogue aux quatre coins du globe. C'est ainsi que la C.I.A. aurait financé une partie de ses opérations en Indochine. Par la suite, une grande tolérance politique a contribué à la prospérité de ces territoires. Les principaux intervenants étaient des hommes d'affaires de l'armée birmane ou de l'armée chinoise qui se chargeaient d'en contrôler le transport. Le cycle infernal a continué à prendre de l'expansion à un point tel que même le petit cultivateur nomade s'est enlisé dans ce commerce à temps plein.

Après plusieurs raids, la Thaïlande réussit à expulser de son territoire Khun Sa, le grand chef du Triangle d'or. Puis, avec l'aide financière des Américains, elle ordonne la destruction massive des champs d'opium et instaure des programmes de substitution: plantations de thé, de café, de maïs et d'herbes chinoises.

Avec le changement de cap de la Thaïlande, la Birmanie et le Laos restent les deux plus grands producteurs mondiaux d'opium.

Les principaux acteurs se sont enfuis avec de belles sommes. Les nomades, devenus sédentaires, se retrouvent avec des plantations d'herbes dont les revenus sont nettement insuffisants. Un gouvernement responsable aurait dû apporter une solution de rechange qui tienne compte des enjeux économiques, sociaux et culturels. La

Thaïlande ne l'a pas fait. La Birmanie, qui cherche à son tour à abolir ce trafic massif, attend peut-être d'apprendre des erreurs de son voisin.

Jour 395
Pattani, Thaïlande - Le 13 août 1995

Plus jamais nous ne roulerons à vélo le dimanche, c'est trop dangereux. En plus de la circulation habituelle, nous partageons la route avec une foule de jeunes motocyclistes imprudents et sans expérience. Nu-pieds, sans casque, trois sur la même moto, ils utilisent l'artère principale pour s'adonner à leurs courses folles. Ces jeunes blancs-becs ont l'habitude de se retourner lorsqu'ils nous dépassent, soit pour nous faire des signes idiots ou simplement par curiosité. C'est ainsi qu'aujourd'hui, devant nos yeux, deux gamins sur une même moto ont atterri dans les roseaux. Le conducteur, le coupable, s'en est sorti indemne, tandis que son copain s'est frappé la tête contre une pierre. Il saigne et semble à demi conscient. Il répond vaguement aux questions de son ami, visiblement inquiet. Ne pouvant pas faire grand-chose pour eux, nous les quittons après que le conducteur nous eut promis d'amener le blessé à l'hôpital.

Nous continuons notre route en essayant d'oublier cet accident, quand, tout à coup, deux autres motos entrent en collision. Les quatre passagers s'en tirent avec des éraflures et une belle frousse.

Avant qu'on se fasse emboutir, stop.

Il commence à pleuvoir. Bien installés dans notre tente, à l'écart de la route, nous entendons soudain un long crissement de pneus suivi d'un fracas de tôle. Nous sommes parmi les premiers à accourir sur les lieux de l'accident, mais voyant l'ampleur des dégâts et connaissant les sentiments de Caroline face à la mort, je lui suggère de ne pas s'approcher. La scène est effrayante. Un camion rempli de glace et de poissons est renversé et son contenu complètement vidé sur la chaussée. Il semble avoir dérapé avant de percuter une voiture qui venait en sens inverse. Plusieurs personnes gisent sur le sol. Une femme blessée tient un enfant dans ses bras. Tous semblent vivants, sauf la conductrice du camion. Étendue sur le sol, les pieds toujours prisonniers de la portière, elle ne respire plus. Son visage est couvert de sang.

J'apprends, plus tard, que la jeune femme blessée roulait à moto avec son bébé dans les bras quand elle a été happée par le camion qui tournoyait, après la collision. «Quand il pleut, la chaussée devient comme du cristal, mais les gens ne ralentissent pas pour autant», de nous dire un homme visiblement secoué.

Jour 398
Tun Sai, Thaïlande - Le 16 août 1995

On a retrouvé le chant des mosquées qui incite à la prière. Nous sommes dans la province de Narathiwat, la zone tampon entre le bouddhisme theravadien de la Thaïlande et l'islamisme de la Malaisie. Même si nous retrouvons peu à peu l'essence de cette religion, le changement ne sera radical et complet qu'après avoir parcouru les 112 kilomètres qui nous séparent de ce pays.

La mousson semble nous épargner, mais ce n'est pas le cas de la chaleur. La nuit, pour éviter de suffoquer sous un double toit imperméable et hermétique, on se place si possible à l'abri de la pluie. Lorsque la fraîcheur tombe, on arrive ainsi à dormir un peu plus confortablement. Hier soir, nous avons campé à ciel ouvert. Bien entendu, il a fallu qu'il pleuve, et j'ai dû remettre le double toit en place. Alors qu'il nous était impossible de fermer l'œil, on entend trois jeunes rôder autour de la tente, sans doute pour nous voler de l'équipement. Je les ai poursuivis dans la forêt pendant une bonne demi-heure sans pouvoir leur mettre la main au collet. Ils n'ont rien pris, mais tout ce va-et-vient a vite fait de transformer la tente en restaurant pour moustiques. Ils se sont gavés le reste de la nuit, et ce matin, au réveil, Caro en dénombre une bonne trentaine qui volent comme des kamikazes tellement ils sont gorgés de sang. Ce sera notre don annuel pour la Croix-Rouge.

Contrairement à l'Inde qui regorge de petites pensions bon marché pour les voyageurs locaux et étrangers, la Thaïlande, qui en compte très peu en dehors des grands centres, nous oblige à camper presque toutes les nuits. Ce soir, c'est le grand luxe puisqu'on couche sur le terrain d'un de nos bien-aimés postes d'essence qui nous fait cadeau d'un abri formidable contre la pluie, d'une certaine tranquillité, d'une sécurité et par surcroît d'eau potable à volonté. Au menu ce soir: poisson frais et riz. Un kilo de cette tendre chair pour la somme ridicule de 60 cents. La petite Doré du Lac-Saint-Jean se charge de leur couper la tête tandis que le grand chef s'occupe de la cuisson. Comme dirait ma mère: «Ça se mange sans faim!»

Le ciel est sur le point d'éclater et les poules nous tournent autour. Elles ont de la chance, elles, que notre menu soit déjà planifié.

Dix-neuvième chapitre

Un amour mitigé

Jour 406

Kota Baharu, Malaisie - Le 24 août 1995

«Selamat datang ke Malaysia!» Bienvenue en Malaisie! Nous sommes tombés amoureux de ce pays dès notre arrivée. Cuisine malaise, chinoise, indienne, thaïlandaise et indonésienne cohabitent tout naturellement. Le marché de nuit de Kota Bahru est l'un des plus variés de toute l'Asie. Sur une superficie aussi grande qu'un terrain de football, s'entassent une centaine de comptoirs itinérants qu'on monte à la tombée du jour. On y prépare sur place des mets raffinés et savoureux pour à peine quelques dollars. Déjà apprêtés et étalés sur de longues tables supportées par des tricycles, on retrouve du riz bleu, des œufs de caille, la pastenague (raie) grillée, du poulet mariné dans une sauce aux arachides embroché sur une tige de bambou, du riz à la noix de coco, des poissons frits avec un curry au tamarin, des nouilles aux œufs sautées avec du porc, du fromage de soya à la viande hachée, de la soupe aux lentilles, des chaussons fourrés aux légumes ou à la viande...

Nous sommes ici depuis maintenant cinq jours et notre activité principale est d'attendre l'ouverture du marché de nuit. Malaisie rime avec gastronomie

Qu'il s'agisse de la cuisine malaise, thaïe, indienne ou chinoise, la Malaisie est le paradis de la gastronomie.

Jour 413
Cherating, Malaisie - Le 31 août 1995

Malgré un trafic moins dense, une meilleure qualité des routes et le civisme des conducteurs, le destin nous montre une fois de plus qu'il est maître de chaque seconde.

En quittant Rantau Abang, plage où les immenses tortues Luths viennent pondre leurs œufs la nuit, nous voilà en route pour Cherating. Nous roulons paisiblement, et pas une voiture à l'horizon en cette journée du cinquantième anniversaire de l'Indépendance du pays. Le temps est chaud et humide comme toujours (nous sommes à l'équateur). Nous nous réjouissons à l'idée de prendre congé demain.

Une voiture arrive devant nous et, comme d'habitude, je regarde dans mon rétroviseur pour m'assurer que nous n'obstruons pas la route à ceux qui pourraient arriver par-derrière. Une motocyclette s'en vient; elle me semble bien loin. Je m'inquiète, car plus elle approche, moins son conducteur semble nous avoir aperçus. Je ne le quitte pas des yeux, mais il tombe rapidement dans mon angle mort. Crispé sur mon guidon, je m'attends à le voir réapparaître. Je n'ai pas le temps d'avertir Caroline, car, en une fraction de seconde, je suis projeté sur elle, avant de me retrouver dans les roches de l'accotement. La motocyclette nous a frappés par l'arrière, alors qu'il n'y avait aucun véhicule en sens inverse. Caro ne réalise pas ce qui lui arrive; elle n'a rien vu, rien entendu. Tout s'est fait si vite, et elle est là, étendue au beau milieu de la chaussée. Je m'époumone à lui crier de libérer le chemin. S'il arrive une voiture, elle se fait passer dessus comme un chien.

En tombant, j'ai écrasé mes bijoux de famille sur la potence de mon guidon. J'ai le côté droit brûlé et je saigne abondamment de la hanche et du coude. J'ai une roche plantée jusqu'à l'os de la malléole. Caro est éraflée au genou et au coude, mais me jure que ça va. Le motocycliste a du sang au bras mais rien de plus. Nos vélos ne sont plus en état de rouler. Une voiture arrête aussitôt pour nous porter secours.

Jour 416
Cherating, Malaisie - Le 3 septembre 1995

Croyant pouvoir me soigner seul, j'ai appliqué de la poudre de talc sur mes blessures. Elle a pour but d'assécher la plaie et de former une croûte similaire à une gale. Cette technique m'a bien servi en Inde, mais cette fois, il y a de l'infection sous la couche durcie. Après trois jours, le pus sort de partout. Je n'ai d'autre choix que de me rendre à l'hôpital de Kuantan, qui se trouve à une heure et demie de bus.

En arrivant, je m'acquitte de la taxe médicale de 1 $ et un médecin me prend immédiatement en charge. Couché tout nu sur une table, je m'apprête à subir un supplice que je souhaite ne jamais revivre. Deux infirmiers m'immobilisent de chaque côté pendant que le médecin, armé d'une brosse en fer, frotte mes plaies sans pitié. Des morceaux de talc mélangés à de la peau fraîche partent par galettes. La douleur est si intense que des larmes coulent malgré moi. Tout y passe: l'épaule, le coude, la hanche, le genou et finalement la cheville. La brosse laisse des lignées de chair mutilée. Mais rien n'arrête la main qui la tient, jusqu'à ce qu'il ne reste plus un poil. «C'est la seule façon d'empêcher que l'infection ne reprenne, que la peau ne se referme sur des impuretés.»

Une demi-heure plus tard, je suis de nouveau sur pied. Le médecin a soigneusement recouvert mes plaies et me remet une ordonnance en disant: «Si tu sens de la douleur, prends-en deux!» «Merci, mais c'est avant de commencer que j'en aurais eu besoin...»

Jour 417
Cherating, Malaisie - Le 4 septembre 1995

Caro vient de m'annoncer qu'on nous a volé durant la nuit. L'une des quatre sacoches a été vidée de tout ce qu'elle contenait de précieux et de plus cher: une veste Chlorophylle, des bas en goretex, mes lunettes de rechange, mon rasoir, un dictionnaire et finalement notre matelas de sol.

Lors de l'accident, un pot de confiture s'était répandu dans l'une des sacoches. Malgré le nettoyage, le sucre est resté incrusté et la colonie de fourmis géantes qui vit dans notre hutte festoyait. Pour éviter de nous faire manger tout rond, nous avions décidé de placer le sac à l'extérieur. Nous sommes dans un petit endroit paradisiaque où l'idée de se faire voler ne nous a même pas effleuré l'esprit. Le jour, nous laissions vélos et matériel sans surveillance. Des escrocs, il y en a même au paradis.

Jour 420
Seremban, Malaisie - Le 7 septembre 1995

Que vaut ma vie à mes yeux? Je crois que j'y tiens trop pour la jouer à la roulette russe. Dois-je continuer? Je crois avoir peur d'admettre que mon intérêt s'est déplacé de mon objectif. Suis-je réellement prêt à accepter tous ces dangers pour réaliser un rêve? Oui, mais pas au prix de ma vie.

Après une dernière nuit au *guest house*, il faut bien remonter sur nos vélos et pédaler. Nous parcourons 55 kilomètres de peine et de misère en imaginant toujours le pire. Moralement incapables de continuer, nous acceptons l'aide d'un camionneur qui nous offre de traverser la péninsule d'est en ouest jusqu'à Kuala Lumpur, la capitale. De là, nous franchissons à vélo les 75 kilomètres qui nous séparent de Seremban et de la maison de Pui-Leng, une fille que j'ai rencontrée à peine quelques minutes sur un bateau en Grèce et qui m'a laissé son adresse au cas où je me rendrais jusqu'en Malaisie. Surprise de me retrouver à sa porte, elle nous accueille comme si nous étions des amis d'enfance.

Nous profiterons de son hospitalité, de celle de toute sa famille et même de la parenté pour quelques jours. Les Chinois d'origine sont comme ça. Nous prendrons ce temps précieux pour refaire le point et déterminer quelle sera la suite de notre voyage.

Jour 422
Seremban, Malaisie - Le 9 septembre 1995

Qui risque rien n'a rien, mais qui risque trop a moins que rien. Ayant surmonté des centaines de difficultés pour arriver jusqu'ici, je n'ai pas l'intention de me résigner, mais plutôt de me réajuster. Au lieu de parcourir Bornéo, le Sulawesi, l'île de Java et Sumatra à vélo, ce qui était du zèle de toute façon, nous prendrons l'autobus et le bateau. Nous reviendrons ensuite récupérer nos vélos pour poursuivre notre trajet tel que prévu vers Singapour, avant de quitter en bateau pour Bali.

Cet accident m'a non seulement amputé de quelques

morceaux de chair, mais il m'a aussi amputé de mon désir de réussir à tout prix. Il a avalé une quantité infinie de mon énergie et a fait poindre le découragement et la fatigue. Malgré toute ma vigilance, c'est mon deuxième accident. Le troisième sera-t-il le dernier?

Nous partirons bientôt en car pour les Cameron Highlands, partie de la chaîne centrale du pays, où la température est beaucoup plus fraîche à cause de l'altitude. Ça aidera à remettre les idées en place.

Jour 427

Tanah Ratah, Malaisie - Le 14 septembre 1995

Toute une balade dans la jungle. Nous sommes partis ce matin pour monter au sommet du Gunung Beremban à 1 841 mètres d'altitude. Le sentier est presque angoissant, mais la lumière diffuse du soleil, qui se faufile entre les feuillages, nous rassure. L'air devient rare. Le bruit des insectes nous rappelle à tout moment qu'il faut être prudent. Depuis que nous marchons dans la jungle, nous n'avons vu personne. Caro se sent un peu fatiguée, et plus on approche du sommet, plus elle a de la difficulté à respirer: une sorte de crise de panique probablement due à l'isolement, l'altitude et l'exiguïté du sentier.

Comme je n'ai pas le goût de redescendre par ce chemin boueux, je fais de mon mieux pour la rassurer et la calmer. Je suis inquiet, car plus le temps passe, plus sa respiration est difficile et sifflante, comme celle d'une asthmatique. Je m'assois à ses côtés et masse gentiment son cou et son dos; je tente de la distraire pour lui faire oublier la jungle et notre isolement. Après quelques minutes, la crise passe.

Nous poursuivons notre route sans aucun pépin, jusqu'à notre arrivée au sommet. Pour le retour, nous choisissons le sentier qui nous mènera directement hors de la jungle, tout près du temple bouddhiste chinois tel qu'indiqué sur notre carte. Nous avons mis près de deux heures pour monter et j'estime qu'il nous faudra moins de temps pour redescendre.

Il n'y a toujours aucun signe de vie dans les environs. La piste monte et descend comme de vraies montagnes russes. Caroline est épuisée. Pour compliquer les choses, nous arrivons à une triple fourche sans indication. Comme aucun des sentiers n'est indiqué sur ma carte, je choisis de prendre celui qui semble avoir été le plus piétiné. Or il devient de plus en plus mauvais à mesure qu'on avance. Nous marchons depuis plus de six heures, sans avoir vu âme qui vive. Plus le temps passe, moins j'ai l'impression d'arriver quelque part. L'angoisse s'installe sournoisement. Caro ne cesse de répéter que nous sommes perdus dans la jungle. Il y a toujours l'alternative de revenir en arrière, mais nous manquerons de temps puisque la tombée du jour s'amorce déjà. Le sentier continue de monter et de descendre, à tel point que je me demande s'il ne s'agit pas d'une fausse piste. On fait des pieds et des mains pour traverser des ruisseaux sans se mouiller. Caro fond en larmes rien qu'à voir la pente qui nous attend. J'essaie de garder mon sang-froid et de la rassurer, mais je suis moi-même très inquiet. J'ai peine à croire que ce sentier n'aboutisse nulle part. L'idée de passer une nuit dans la jungle sans eau, sans nourriture et avec les serpents draine mes forces. Mais je me garde de partager ces réflexions. Je continue de nous encourager, et je marche bien en avant en espérant pouvoir lui annoncer que je vois une route.

Il s'écoulera une autre demi-heure avant que je ne pousse un cri: «Sauvés! Une ferme. La route ne doit plus être loin.» Caro est trop anéantie pour accueillir la nouvelle avec joie. La vision lointaine d'un peu de civilisation n'est pas assez, elle attendra d'être dans le *guest house* pour crier «sauvés!».

Sortis de la jungle, je lui dis en souriant que j'entends sa mère me murmurer: «Ma foi! Qu'est-ce que tu fais faire à ma fille, espèce de grand escogriffe!»

Une pluie tropicale commence à tomber tout juste après notre sortie de ce labyrinthe, et Caro, qui s'abreuve de l'eau qui coule sur son nez, me répète que plus rien ne la dérangera dorénavant.

Voyager, c'est repousser ses limites. On peut le faire en ajoutant une maille à la chaîne mais attention, on peut aussi briser la chaîne. C'est parfois jouer un peu avec le feu.

Jour 437

Kuching, Bornéo - Le 24 septembre 1995

Après une heure et demie de vol de Kuala-Lumpur: Bornéo, la troisième plus grande île du monde. Nous débarquons à Kuching, ville située le long de la rivière Sarawak et capitale de l'État du même nom. Elle est peuplée par une multitude de tribus et ne cesse de se développer pour soutenir l'augmentation du flot des touristes. Les attraits de cette grande île constitueront d'ici peu une destination hors du commun. Parcs nationaux, grottes, randonnées dans la jungle, centre de réhabilitation des orangs-outans, plages, plongée sous-marine, remontée des riviè-

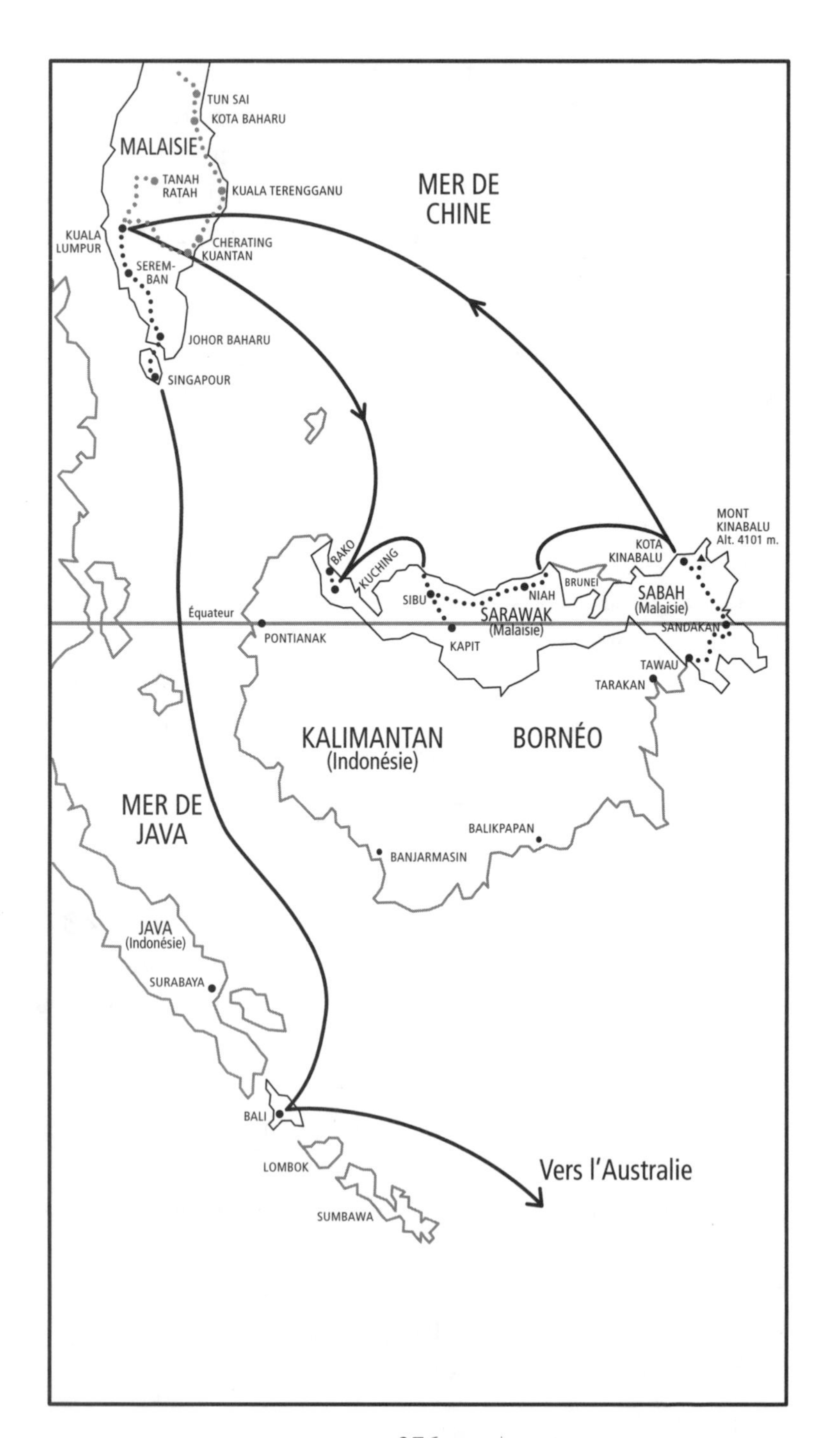
TUN SAI
KOTA BAHARU
MALAISIE
TANAH RATAH
KUALA TERENGGANU
MER DE CHINE
KUALA LUMPUR
CHERATING
KUANTAN
SEREM-BAN
JOHOR BAHARU
SINGAPOUR
MONT KINABALU Alt. 4101 m.
KOTA KINABALU
BAKO
KUCHING
BRUNEI
SABAH (Malaisie)
SIBU
NIAH
SARAWAK (Malaisie)
Équateur
PONTIANAK
KAPIT
SANDAKAN
TAWAU
TARAKAN
KALIMANTAN (Indonésie)
BORNÉO
MER DE JAVA
BALIKPAPAN
BANJARMASIN
JAVA (Indonésie)
SURABAYA
BALI
LOMBOK
Vers l'Australie
SUMBAWA

res en bateau qui nous amène dans l'arrière-pays, visite des «maisons longues»... Bornéo a de tout pour tous.

Jour 438

Bako, Bornéo - Le 25 septembre 1995

On quitte Kuching tôt ce matin pour se rendre au parc national de Bako. La température est suffocante. Un trajet de 45 minutes en bus nous amène au quai pour prendre le bateau: une longue barque en bois avec un moteur au cou tout aussi long. Dépaysement total; un vrai film de James Bond. On remonte la rivière Sarawak à vive allure pour aboutir au parc de Bako, à la porte de la mer de Chine méridionale. À ma droite, il y a la mer à perte de vue, en face, une montagne dont le sommet est couvert d'un chapeau de nuages, et à ma gauche, l'embouchure de la rivière. Le coucher de soleil est d'un rouge si étincelant qu'on jurerait être témoins d'une éruption volcanique.

Notre arrivée est saluée par l'apparition d'un cochon sauvage affublé d'une moustache qui lui donne un air de grand-père. Il est suivi de toute sa famille. Partout autour, il y a différents types de singes: les singes nasiques, reconnaissables par leur grand nez; les singes argentés, avec leur couleur métallique et leur grande queue; ou encore les macaques, qui ont un air de petits boxeurs trapus et mesquins. Nous sommes envahis partout où nous allons. Il y a aussi les serpents qui rôdent le long des ruisseaux, et un gros lézard moniteur qui vient sentir les nouveaux arrivants.

Décidément, ce parc de Bako devrait plutôt s'appeler le parc des singes en liberté. Ils sautent d'un arbre à l'autre, montent au sommet et redescendent à vive allure, font des lianes leur parc d'attractions. Leur plus grand plaisir reste sans doute celui de subtiliser les provisions des visiteurs. Leur tactique est simple: ils fixent l'objet, s'en approchent et sautent sur la table à la vitesse de l'éclair. Ça marche à tout coup. Le seul moyen d'éviter de se faire chaparder, c'est de tout ranger dans un sac et de ne surtout pas les sous-estimer. Ils peuvent devenir dangereux. Se promener dans les sentiers avec un sac de plastique à la main, c'est comme se promener dans une cage aux lions avec un aloyau saignant dans les culottes. Pour eux, humain plus plastique égalent nourriture. Ils se mettent parfois à quatre ou cinq pour bloquer le passage, nous regardent droit dans les yeux et attaquent. Ils ont une mâchoire très aiguisée et leur façon de procéder est on ne peut plus intimidante. Je ne crois pas qu'ils hésiteraient une seconde à mordre et il faut savoir qu'ils sont les principaux porteurs de la rage.

Malgré toutes nos précautions, on se fait prendre au piège. Ils se placent en travers du sentier, tandis qu'un gros mâle nous empêche de rebrousser chemin. Réalisant trop tard qu'ils ont déjà senti la boîte ouverte de lait condensé, on se résigne à la sacrifier pour espérer sauver le reste. On la place sous une immense bûche de bois, croyant bien qu'ils ne pourront jamais s'en emparer. Le chemin se libère enfin et tous se dirigent vers la boîte. En moins de temps qu'il ne faut pour le dire, ils la délogent et la chicane éclate de plus belle. Un gros mâle l'agrippe fermement et grimpe en haut de l'arbre le plus proche, ce qui donne lieu à une farandole effrénée. Les plus petits, moins rapides, abandonnent la poursuite et récoltent le nectar sucré qui s'échappe du contenant, tandis que les plus gros se retrouvent en fin de course avec une boîte de métal complètement vide. Vaut mieux être petit et rusé que gros et stupide.

Jour 440
Bako, Bornéo - Le 27 septembre 1995

Aujourd'hui, nous choisissons de nous balader le long de la mer. À marée basse, la plage, bordée par un énorme rocher, nous laisse voir ses récifs de coraux et des millions de crabes. Après quatre heures passées à rêvasser et à admirer toutes ces beautés naturelles, on se rend compte que la marée monte à une allure fulgurante. Impossible de revenir en arrière sans être obligés de nager. Nous continuons d'avancer pour découvrir une baie enchantée d'où part un sentier qui retourne au camp. Nous avons décidément de la veine, car, à peine rentrés, il tombe un rideau de pluie si dense que l'immense montagne qui se trouve devant nous s'est subitement volatilisée.

Demain, nous retournerons à Kuching pour nous diriger ensuite vers la rivière Kapit où se trouvent «les maisons longues».

Jour 442
En route vers Kapit, Bornéo
Le 29 septembre 1995

Par souci d'économie, nous décidons de partir par cargo plutôt qu'en bus. Une compagnie de transport nous informe que son bateau, le Raja-Mas, partira vers la tombée du jour, dès qu'il sera chargé. Nous faisons d'une pierre deux coups, car en plus de réduire le prix du transport de moitié, le trajet de nuit nous évitera de payer l'hôtel.

Inquiets de «manquer l'bateau», nous nous rendons au

port quelques heures à l'avance. Une série de cargos y sont amarrés. Je dis cargos uniquement parce que ça flotte, sinon je dirais plutôt qu'il s'agit de tas de ferrailles directement sortis d'une cour de récupération. Lequel est le nôtre? En arpentant les quais, un insigne défraîchi apposé sur une coque couverte de rouille nous confirme que cet affreux rafiot sera notre moyen de transport pour les quatorze heures à venir. N'étant pas du genre à faire marche arrière pour une question de confort et espérant que ce cabotier flotte encore pour quelques heures, on décide d'embarquer.

Comme deux touristes sortis des sentiers battus, nous observons d'un œil inquiet tout ce qu'on charge à bord: des poussins et des poules encagés, des œufs à la tonne, des bananes et même d'immenses tuyaux de béton. Un trop jeune garçon, qui semble se croire aux commandes d'un jeu vidéo plutôt qu'au contrôle d'une dangereuse grue hydraulique, hisse la marchandise à la hâte.

La sirène annonce le départ à l'heure promise. Les quelques matelots, pour qui le chargement semble avoir été épuisant, se reposent à la proue. Pendant qu'on navigue paisiblement sur la rivière Sarawak, un orage tropical tisse un voile. Tout juste derrière, à l'horizon, le soleil se couche dans un berceau de feu. Ce spectacle grandiose nous fait oublier la saleté de notre environnement.

La télévision bruyante des matelots tombe miraculeusement en panne. La nuit devient calme et paisible. L'air frais pénètre par le hublot. On se laisse porter par le roulis des vagues. Notre mère la mer nous berce comme ses petits enfants et nous fait cadeau du silence. Une preuve de plus qu'on n'a pas besoin du «Love Boat» pour être les plus heureux du monde.

Jour 449
Kapit, Bornéo - Le 6 octobre 1995

Une tournée du Sarawak n'est pas complète sans la visite d'une tribu habitant une «maison longue». De Sibu, où nous sommes arrivés sains et saufs, un autre bateau remonte la rivière Kapit pour terminer sa course 120 kilomètres en amont, aux abords d'un minuscule village, loin de toute civilisation. Dans ce territoire montagneux, aucune construction de route n'est possible. Tout s'achemine par voie fluviale. Ici, on effleure vraiment le bout du monde.

Le nord de Bornéo compte à lui seul plus de 200 tribus. Parmi les plus connues, figurent les Ibans qui, jusqu'à la fin des années 50, coupaient encore les têtes de leurs victimes et en décoraient leur maison en signe de fierté et de puissance.

La chance est de notre côté. En fouinant dans un petit coin tranquille du village, une jeune mère de famille, Norhayati, nous aborde les bras chargés de légumes frais. Elle nous fait comprendre qu'elle souhaite nous avoir à sa table pour le dîner et même pour la nuit. Sans plus de préambule, elle nous amène à sa petite embarcation. Ensemble, nous remontons quelques kilomètres de la rivière Rejang, un affluent de la rivière Kapit, sur une eau noircie de terre dans un décor montagneux tapissé de forêts primaires.

Arrivée à la «maison longue», elle nous présente son

mari, Frino, ses deux jeunes fillettes, Kharrumie et Shahira, ainsi que sa belle-sœur, Rohana, qui parle quelques mots d'anglais. Nous apprenons que la jeune mère fait partie de la tribu des Orang-Ulus et qu'elle est née quelque part, très loin en amont de la rivière. Comme dans la plupart des tribus, elle était animiste, croyance qui confère une âme aux phénomènes naturels et se les rend favorables par des pratiques magiques. Toutefois, son union avec un protomalais l'a forcée à joindre les rangs de l'islam.

Ils vivent dans une «maison longue», c'est-à-dire une agglomération longitudinale de plusieurs petites maisons partageant des murs mitoyens et un toit unique. Construites sur pilotis tout juste au-dessus de la zone de crue, cer-

Sur ce territoire couvert d'une épaisse forêt, l'absence de routes fait de ces barques le seul moyen de transport possible.

taines peuvent atteindre 300 mètres de long et loger jusqu'à 60 familles.

La première pièce en entrant sert à la fois de salle familiale et de chambre à coucher pour les enfants. Exceptionnellement, ce soir, ce sera notre dortoir. Au centre se trouve la chambre des maîtres et, derrière, la cuisine, qui sert aussi de salle à manger. Les portes et les fenêtres sont faites de simples ouvertures pratiquées dans les murs. Il n'y a pas de meubles. On dort et on mange par terre. Comme chaise, on utilise notre propre fessier. Un seul trou dans le sol, recouvert d'un abri de tôle, sert de toilette. Tout juste à côté, l'eau de pluie qui provient du toit est amassée dans un immense bassin de métal dans lequel on puise l'eau pour boire, faire la vaisselle ou encore se laver. Pour la douche, on doit non seulement garder son short ou son sarong, mais encore faut-il prendre bien soin de ne pas mettre le pied dans le trou de la toilette et encore moins d'y échapper son savon.

Leur réputation de gens hospitaliers n'est plus à faire: après une heure passée avec eux, on fait déjà partie de la famille. Les enfants virevoltent autour de nous. À tour de rôle, ils veulent qu'on les prenne dans nos bras et éclatent de rire lorsqu'on prononce tant bien que mal les mots qu'ils nous enseignent. «Mononcle» et «matante» ont bien du plaisir.

Ils nous font déguster des mets locaux tout à fait succulents et nous offrent des collations à toute heure du jour, des gâteries qu'ils se permettent eux-mêmes très rarement. Ils s'excusent sans cesse du manque de confort.

Rohana nous raconte comment les choses ont changé depuis son enfance. Avec l'avènement du commerce et de l'exportation, le mode de vie traditionnel est lentement mis de côté au profit des emplois mieux rémunérés. Frino, le père de famille, a lui aussi laissé tomber la chasse et la culture pour devenir l'employé d'une compagnie forestière. Mais au rythme où vont les choses, on craint que toute la forêt primaire ne soit abattue d'ici dix ans. Des centaines de familles se retrouveront alors sur la paille et sans alternative. Les grandes compagnies se défendent en disant que c'est la culture sur brûlis, pratiquée depuis toujours par les tribus, qui est responsable de cette déforestation. Cette culture consiste à raser une partie de forêt, à mettre le feu pour stérili-

Dire qu'ils croyaient avoir si peu à nous offrir!

ser, fertiliser et activer le sol pour ensuite planter du riz. L'année suivante, on recommence le procédé en utilisant, cette fois, un autre terrain vierge, et ainsi de suite. Après une dizaine d'années, on reviendra abattre les repousses du premier terrain et le cultiver une seconde fois. À mesure que le même sol est ainsi réutilisé, sa capacité de se régénérer et de fournir une bonne récolte diminue. Alors, après avoir épuisé toutes les ressources environnantes, on devra quitter le territoire et déménager la «maison longue».

Les grandes compagnies accusent les tribus locales d'avoir transformé une riche forêt vierge (primaire) en forêts tertiaires et même quaternaires par leur façon de cultiver. Chacun accuse l'autre d'en être le responsable.

Jour 450

Niah, Bornéo - Le 7 octobre 1995

Nous arrivons ce matin au parc national où se trouvent les grottes de Niah, parmi les plus grandes au monde. Elles renferment des ossements et des peintures qui prouveraient que l'homme les a habitées il y a 40 000 ans.

De notre campement, on s'enfonce dans la jungle en suivant un sentier qui nous amène à l'entrée de la *grotte du marchand*, baptisée ainsi à cause de sa voûte semblable à celle d'une échoppe asiatique. On entre ensuite dans la *grotte principale* dont le portail doit bien avoir 30 mètres de haut sur 50 mètres de large. À mesure que l'on progresse à l'intérieur, les parois rocheuses se rétrécissent pour se scinder en un réseau de canaux souterrains. Une série d'escaliers et de petites échelles nous plongent dans les entrailles de la terre. C'est l'obscurité totale. Les murs, éclairés par nos faibles lampes de poche, sont vernis par le ruissellement de l'eau souterraine. L'humidité harassante de la jungle fait place à la fraîcheur des ténèbres. Les gouttes d'eau qui tombent du plafond sont les seuls bruits perceptibles. Tout est si lugubre! Maintenant habitués à l'obscurité, on bifurque pour explorer des conduits encore plus insolites qui débouchent soudainement dans la grotte aux ossements. On perçoit, à quelques rares endroits, le faible pétillement des chandelles qu'utilisent les gardiens. En laissant aller son imagination, on pourrait croire qu'il s'agit d'un rassemblement d'hommes des cavernes en train de rôtir un rhinocéros fraîchement abattu.

Après cette longue marche dans le monde de la préhistoire, nous refaisons surface, complètement éblouis par la clarté du soleil.

Au crépuscule, les quatre millions de calendanes qui habitent la *grotte principale* retournent à leur nid, tandis que les chauves-souris sortent pour leur chasse nocturne. Celles-ci, moins nombreuses, sont de vraies kamikazes pour arriver à se faufiler, en sens inverse, à travers cette masse volante. Jamais je n'ai vu autant d'oiseaux se partager si peu de ciel.

Les calendanes bâtissent leurs nids dans les fissures du plafond. Ces nids sont très prisés par les Japonais. C'est en quelque sorte leur caviar. Ce marché très lucratif existe depuis plusieurs siècles. Afin de favoriser l'économie locale, le gouvernement a nationalisé «l'industrie» pour que seuls les Penans, tribus locales, aient le droit de les ramasser. La cueillette aura lieu vers la mi-octobre. Il est trop tôt pour les voir à l'œuvre, mais on peut quand même imaginer le danger de l'opération en apercevant les longues tiges de bambous qui pendent du plafond. Les hommes doivent grimper plus de 30 mètres, sans dispositif de sécurité, et utiliser une perche pour décrocher les nids qui atterriront doucement au sol, comme des flocons de neige.

Durant toute l'année, dans la grotte, on ramasse aussi le guano, excréments d'oiseaux utilisés comme fertilisant. Affairés à gratter la roche ou encore croulant sous les lourdes charges qu'ils transportent, les paysans travaillent sans relâche. Pour empêcher le braconnage et ainsi protéger les intérêts locaux, un camp militaire est installé en permanence à l'entrée de la grotte.

Notre journée se termine par une marche nocturne dans la jungle. Comme la plupart des insectes et des oiseaux vivent la nuit, on y retrouve les bruits si caractéristiques de la jungle. La lueur diffuse de la pleine lune transforme le vert des arbres en un gris métallique, et partout le long du parcours, le sol est tapissé de petits champignons fluorescents qui, comme des lampions, nous indiquent la route à suivre. C'est magique.

Après la visite d'une «maison longue», des parcs nationaux, de la jungle et des grottes, nous sommes prêts pour l'ascension du célèbre mont Kinabalu, la plus haute montagne de l'Asie du Sud-Est, et ensuite ce sera la visite du centre de réhabilitation des orangs-outans.

Jour 455
Mont Kinabalu, Bornéo – Le 12 octobre 1995

Accompagnés d'un guide et de deux Anglais rencontrés il y a trois jours, nous quittons la base de ce géant très tôt le matin. Une distance de 8,5 kilomètres et une dénivellation de 2 200 mètres nous séparent du sommet situé à 4 101 mètres d'altitude. Comme il est impossible de monter et de redescendre dans la même journée, nous prévoyons coucher à la hutte de Sayat-Sayat, à 1,5 kilomètre de marche de la cime.

L'ascension débute dans une jungle épaisse et humide où se retrouvent une variété déconcertante de plantes dont la *raflésie*, qui produit la plus grande fleur du monde, jusqu'à un mètre de diamètre, et la célèbre *népenthès*, plante carnivore qui se referme sur les insectes qui osent la butiner. À mesure que l'on progresse, la végétation s'éclaircit pour devenir similaire à celle de la toundra. Rendus à

En tenant un de mes semblables, je ne doute plus de mes origines!

3 600 mètres, nous sommes sur la roche. La montée, jusque-là constante, devient de plus en plus ardue. Le dernier kilomètre avant d'atteindre le campement est si abrupt que des cordes sont fixées partout le long des parois. Sans elles, il nous serait impossible de grimper. Le poids de notre chargement, combiné à l'usure de nos vieilles semelles, nous oblige à être extrêmement vigilants. Après huit heures de montée, on atteint la hutte où nous passerons la nuit. Il ne nous reste que 300 mètres à gravir pour arriver au sommet, très tôt demain.

Il est déjà tard, et si je veux me laver, il faut le faire avant que la fraîcheur ne tombe. Il n'y a pas d'électricité et encore moins de douche. Peu importe, à quelques pas du campement se trouve un petit étang qui fait bien mon affaire. Malgré l'incrédulité de mes compagnons, je m'en donne à cœur joie. L'eau, réchauffée par la chaleur de la roche, me procure une vraie détente. Avec la brume qui recouvre la vallée tout juste au-dessous de moi, j'ai presque l'impression de prendre un bain dans les nuages.

La paix est subitement troublée par une violente décharge électrique. Le ciel se fâche. La température change du tout au tout, et la pluie se met à tomber si fort qu'on se croirait sous des centaines de boyaux d'arrosage. Tout disparaît autour de nous. Nous sommes isolés du reste du monde. Une chute d'eau se forme sur le flanc de la montagne et menace d'emporter notre abri. Sans penser au danger, on sort nos appareils photos.

La flotte cesse tranquillement pour nous offrir le spectacle d'un ciel illuminé de mille couleurs. On aperçoit maintenant le pic rocheux du sommet sur lequel se pose un arc-en-ciel. Le soleil couché, on prépare des nouilles bouillies qu'on mange à la hâte avant de se mettre au lit, épuisés.

Le réveil résonne dans la nuit. Il est déjà 3 h 30; c'est l'heure de se mettre en branle. Il faut arriver au sommet très tôt pour admirer le lever du soleil. Avant même d'ouvrir les yeux, chacun s'empresse de raconter sa nuit. L'un de nous dit avoir entendu grignoter dans nos provisions. Il a préféré ne pas sortir du lit de peur d'écraser un rat. Un autre a vu marcher quelque chose sur son lit avant que ça disparaisse dans les murs. Et moi qui croyais avoir rêvé. Nous savons maintenant que cette hutte sert non seulement aux grimpeurs, mais également de résidence et de réfectoire à une communauté tout entière de rongeurs. Tout ceci n'a rien pour nous ouvrir l'appétit, d'autant moins qu'il ne nous reste que quelques sachets de vieilles nouilles que même les rats n'ont pas voulu manger.

Une ligne blanche peinte sur la roche et un cordage auquel on s'agrippe nous permettent d'atteindre le sommet après une heure d'escalade dans le noir. Le soleil n'est pas au rendez-vous. Pire encore, on est dans la brume. On ne voit pas à un mètre devant nous. Si ce n'était de la pancarte qui nous indique le sommet, je ne saurais jamais qu'on se trouve sur la plus haute montagne d'Asie du Sud-Est. Chacun se regarde sans trop savoir comment réagir. Devons-nous être contents d'avoir atteint le sommet ou tristes de ne pas voir le soleil se lever. Le brouillard est toujours aussi opaque et rien ne laisse présager une éclaircie.

Nous décidons de rebrousser chemin, mais voilà que

100 mètres plus bas, le soleil perce timidement. Le tableau est spectaculaire. Notre regard se porte sur la flèche de roche sur laquelle nous étions il y a à peine quelques minutes et maintenant la vallée tout entière s'illumine à perte de vue. Cette image restera gravée dans ma tête comme une inscription sur une pierre tombale.

Il faut maintenant revenir sur nos pas. Ça paraît simple, mais en réalité, c'est pire que la montée. C'est comme redescendre d'un édifice de 600 étages dont les marches de béton seraient remplacées par une succession irrégulière de paliers enchevêtrés de racines d'arbres et entrecoupés de parois rocheuses escarpées. J'ai fait du vélo et je me considère en bonne forme, mais cette atroce répétition ininterrompue de chocs est insupportable.

Perché à 4 101 mètres d'altitude, le mont Kinabalu domine toute l'Asie du Sud-Est. D'ici, la vue est saisissante.

Le mont Kinabalu est la plus jeune montagne de granit au monde. Ses 1,5 million d'années, comparées aux 5 milliards de la terre, nous font dire qu'elle est presque un bébé naissant. Mais attention, elle croît à un rythme époustouflant de 5 centimètres par année. Avis aux intéressés: dépêchez-vous d'y aller avant qu'elle ne devienne trop haute.

Vingtième chapitre

Un cauchemar à oublier

Jour 460 - 7 h 30
Tawau, Bornéo - Le 17 octobre 1995

Le ciel vient de nous tomber sur la tête. Je ne peux réagir. J'ai besoin de toute ma volonté pour composer avec la situation. On n'a plus rien, on nous a tout volé. Tout ce qu'il nous reste, ce sont nos vêtements et, peut-être le plus important, notre santé.

Le cauchemar - Du 17 au 31 octobre 1995

Nous sommes dans la ville frontière de Tawau, en Malaisie septentrionale. C'est d'ici que partent les bateaux pour le village portuaire de Tarakan, en Indonésie. Il n'y a aucune route dans ce coin de pays et, pire encore, cette liaison ne se fait que deux fois par mois, d'où l'importance de ne pas la rater. Comme je le disais précédemment, Bornéo est la troisième plus grande île au monde dont la partie nord appartient à la Malaisie et la partie sud, à l'Indonésie.

Nous disposions donc de quelques jours de congé en Malaisie pour nous reposer avant d'entreprendre la visite d'un autre pays inconnu: l'Indonésie. Le 17 au matin, une journée avant notre départ du pays, on nous vole tout ce qu'un voyageur a de plus précieux: passeport, visa, argent, cartes de crédit, chèques de voyage et carnet d'adresses.

JOUR 1: Caro me réveille en criant. Notre précieuse ceinture a disparu. Je me lève à la course. Nerveusement, je vide le contenu du sac à dos sur le lit. J'agis machinalement car quelque chose me dit que je ne la reverrai plus. Je suis trop réveillé pour espérer que ce ne soit qu'un mauvais rêve. Je voudrais qu'on frappe à la porte et qu'on me redonne ce qu'on m'a volé en disant: «La prochaine fois, soyez plus prudents!» Nous avions tout regroupé dans une ceinture et la portions à tour de rôle. Caro avait suggéré de revenir à notre procédure originale et de diviser le contenu. L'idée était sage. Mais nous avons négligé de le faire. Je me sens défaillir. On n'a plus un sou noir, même pas un rond pour faire un appel à frais virés.

Caro est assise au pied du lit, anéantie. Seul, je suis incapable de faire face à tout ce qui nous attend. J'ai peur que l'immensité de son désespoir ne me fasse basculer du mauvais côté. Je m'assois près d'elle. «On aura besoin l'un de l'autre pour s'en sortir. On a pas d'autre choix que de faire face à la musique et espérer que tout s'arrange. Comment? Je ne le sais pas encore, mais j'ai besoin de ton aide!»

Première chose, il faut trouver un minimum d'argent. On pense alors à un sympathique Chinois rencontré la veille en espérant qu'il accepte de nous aider. Il a étudié à Toronto et nous avait abordés pour parler du Canada. Les rencontres les plus anonymes prennent souvent des dimensions imprévues. On se rend à son commerce. Il est absent. On nous informe toutefois que sa femme en est la responsable et qu'il y vient seulement de temps à autre. Il travaille à 22 kilomètres d'ici. Pas de chance. Le caissier croit qu'il viendra ce soir. On lui laisse un petit mot.

Il faut maintenant se rendre au poste de police pour obtenir un constat de vol. Un jeune inspecteur indien accepte de nous aider. Entre-temps, j'essaie de rejoindre Visa pour invalider nos cartes de crédit. Pendant que Caro raconte notre mésaventure au policier, je pars à la recherche d'une banque dans l'espoir de pouvoir régler le problème des cartes. En voyant mon air déconfit, on me conduit immédiatement à la gérante. Malgré sa bonne volonté et après un grand nombre d'interurbains à ses frais, il lui est impossible de rejoindre les gens qui pourraient nous aider. Une heure et demie plus tard, je sors de son bureau, consterné.

Pendant ce temps, Caro accompagne les flics à l'hôtel. J'arrive tout juste au moment où ils tournent sens dessus dessous la chambre du jeune Malais responsable de la réception. Cette fouille sans scrupules, sous le regard attristé du pauvre jeune homme, me fait mal au cœur.

Nous n'avons encore rien mangé et nous doutons fort de pouvoir le faire avant l'arrivée de notre Chinois.

Après le départ bredouille des policiers, le propriétaire arrive en trombe. Incrédule, il s'empresse de nous dire qu'il s'agit du premier vol dans son hôtel. Il est hindou et se vante d'être très religieux. Il vient chaque matin allumer de l'encens et nous assure qu'il n'y avait rien d'anormal lors de sa tournée. Il n'y comprend rien. Il semble consterné. Il nous remet un peu d'argent pour que l'on puisse manger. Ça tombe pile, il est 14 h et on se meurt de faim.

L'estomac rempli, on arrive à penser un peu plus clairement. Il faut à tout prix réussir à invalider nos cartes de crédit. D'ici, c'est impossible, mais nos parents n'auront sans doute aucune difficulté à le faire. Nous n'avons jamais eu aucun problème avec les téléphones publics, mais voilà qu'aujourd'hui, ironie du sort, rien ne fonctionne. Pour faire un appel, on doit se rendre à la centrale téléphonique à l'autre extrémité de la ville. Nous sommes dans les tropiques, au 5e parallèle, il fait 35°C avec 95% d'humidité, et c'est la course folle. Après trois appels infructueux à nos familles, je rejoins finalement ma sœur, en pleine nuit, qui m'assure qu'elle va tout annuler.

C'est au tour des chèques de voyage. Impossible de rejoindre American Express. Leur maudit *numéro sans frais n'importe où à travers le monde* n'est là que pour la frime. Pour l'Asie, il faut appeler à Singapour, à nos frais. Ça tombe bien quand on est fauché. Je retourne voir ma gérante de banque qui, cette fois, peut m'aider. Si tout va bien, nous serons remboursés dans les trois prochains jours, mais à Kota Kinabalu, à quatorze heures d'autobus d'ici.

On multiplie nos visites chez notre Chinois. Sa femme, intriguée, finit par nous demander de quoi il s'agit. On lui explique la situation en long et en large, et, inspirée par une idée tout bonnement lumineuse, elle nous répond: «Go, see the police!»

Notre message ne s'est sans doute jamais rendu jusqu'à cet homme, car je suis certain qu'il aurait été sensible à notre cause. La chance continue de nous faire faux bond et le peu d'argent qu'on nous a donné ce midi diminue rapidement malgré tous nos efforts pour le faire durer.

Alors qu'on grignote du riz sec, près du resto de l'hôtel, le propriétaire vient nous informer qu'on peut dormir et manger gratuitement à son restaurant pour les jours à venir. C'est sa façon à lui de nous aider. Il paiera aussi notre billet de bus pour Kota Kinabalu au moment où ça nous conviendra le mieux.

JOUR 2 – Dès les premières heures, nous sommes au bureau de la Malaysian Airlines, espérant obtenir le plus tôt possible un vol de Kota Kinabalu pour la capitale, Kuala Lumpur, où nous obtiendrons un nouveau passeport. C'est la période des congés scolaires et tous les vols en classe économique, les seuls que le remboursement du solde de nos chèques de voyage nous permettrait d'acheter, sont complets pour les deux prochaines semaines. Stand by. Non. Il existe une autre solution. Nous en sommes convaincus. Caro est alors frappée par un éclair de génie: «Si tous les vols réguliers sont remplis, pourquoi ne pas prendre un vol de première classe, mais sur le départ de nuit? Ils sont moins populaires et peut-être moins chers?» Bingo. Il reste trois sièges. Cependant, les billets doivent absolument être payés 24 heures avant l'envolée, sans quoi ils sont automatiquement annulés et revendus. Notre remboursement ne nous parviendra que 19 heures avant le départ. On ne peut pas laisser filer cette chance et on déploie toute la diplomatie dont on est capables pour convaincre l'agent de voyages qu'il doit trouver un moyen pour contourner le règlement. Après une série d'interurbains au bureau central de Kuala Lumpur, on lui donne finalement un code informatique qui autorise le paiement 19 heures à l'avance.

JOUR 3 – Nous prenons le bus pour Kota Kinabalu et nous retrouvons, quatorze heures plus tard, l'endroit où nous avons couché dix jours plus tôt. Nous sommes sans le sou mais le patron, lui-même un voyageur, nous héberge avec toute sa générosité. Deux Anglais, attristés de ce qui nous arrive, nous invitent pour le souper.

JOUR 4 – Cette journée est critique. Il faut récupérer les chèques de voyage chez American Express, aller à la banque pour les convertir en devises locales, payer nos billets à la compagnie aérienne et finalement obtenir un certificat au Bureau de l'immigration, qui atteste notre citoyenneté et nous permet de quitter l'île. Tout cela semble un jeu d'enfant, mais dans un autre pays, sans pièce d'identité, tout se complique. Malgré leur bon vouloir, les grandes multinationales ne peuvent offrir un service similaire à celui qu'elles offrent dans les pays occidentaux. J'ai vécu la même chose en Inde alors que le télex de la Grindlays Bank, succursale indienne d'une grande banque australienne, a fait défaut. À cette occasion, j'ai mis cinq heures pour retirer, sur ma carte Visa, l'argent dont j'avais absolument besoin le jour même, et encore, la gérante a dû faire des heures supplémentaires. Ça peut arriver n'importe où, mais on a l'impression que tout ce qui pourrait arriver n'importe où nous arrive ici aujourd'hui. Cette fois c'est la May Bank, la plus grande banque malaisienne, qui nous fait poireauter. Après avoir patiemment attendu qu'elle ouvre ses portes, on nous dit de revenir deux heures plus tard, le taux de change officiel n'étant pas encore établi. Pendant que Caro court entre la banque et la compagnie aérienne pour les implorer de nous donner un autre sursis de deux heures, je me rends au Bureau de l'immigration pour obtenir le précieux document.

À Tawau, un policier nous avait accompagnés au Bureau d'immigration local en espérant nous obtenir ce fameux certificat. Malgré son statut, nous avons passé une heure et demie sans avoir rien de plus qu'un vulgaire bout de papier, sans valeur aucune, que je devais présenter au préposé du bureau central pour soi-disant nous faciliter la vie. Foutaise. Le nom inscrit sur cette feuille est celui du grand boss, c'est-à-dire celui qui a le plus grand bureau, mais aussi celui qui délègue le plus et qui semble travailler le moins. Il me fait attendre une demi-heure pour me dire de retourner voir le commis qui m'a accueilli en entrant. Je lui dicte alors toute l'histoire dans un anglais qu'il peut comprendre. Il tape avec un seul doigt sur une machine qui date de la guerre. La première, bien entendu. J'ai une peur bleue qu'il abandonne et je lui donne toute mon attention.

J'ai ensuite droit à une démonstration technologique de l'informatique préhistorique. À notre entrée en Malaisie péninsulaire, nous avons rempli un formulaire d'immigration, puis un autre en atterrissant sur l'île de Bornéo (Malaisie orientale), plus précisément à Kuching dans l'État du Sarawak. Lorsque nous avons quitté pour entrer dans celui du Sabah, où nous sommes actuellement, il n'y avait personne à la douane pour nous enregistrer. Nous sommes donc entrés, ni vus ni connus. On me dit maintenant que l'ordinateur de l'État du Sabah n'est pas branché à celui du Sarawak, pas plus qu'à celui de la Malaisie péninsulaire. Il est donc impossible de retracer nos déplacements à moins de faire comme dans le bon vieux temps et d'envoyer un télex à Kuching (au Sarawak) pour connaître la date de notre entrée. «Si tout va bien, vous aurez vos papiers demain.» Sans ce foutu papier, on ne peut pas traverser la douane, donc on manque notre vol et le prochain n'est que dans 15 jours. Pire encore, Caro a sans doute déjà payé nos billets qui ne sont pas remboursables. Notre vol part à 5 h 40 cette nuit même. J'ai l'impression de jongler avec de la dynamite prête à me sauter au visage. Je prends une grande respiration, je croise les doigts sous la table et j'entreprends l'impossible. Avec toute la diplomatie dont je suis capable, j'obtiens, trois heures et demie plus tard, une demi-heure avant la fermeture du bureau, le précieux document. Saisir la signification de l'expression «diplomatie bureaucratique» est un atout majeur: en gros, ça veut tout simplement dire de lécher le cul d'un incompétent et lui demander, avec le plus beau sourire du monde, s'il peut travailler à la vitesse d'une tortue plutôt qu'à celle d'une limace. Évidemment, tout cela après l'avoir convaincu qu'il doit terminer le dossier commencé sans le relayer à son voisin qui dort à côté.

Épuisé mais content, je retrouve Caro qui m'attend, inquiète. Sans plus tarder, nous nous rendons à l'aéroport pour passer la nuit, couchés par terre. Nous avons tellement peur de manquer l'avion que nous n'osons pas fermer l'œil.

JOUR 5 – Après toutes ces démarches, nous quittons Bornéo à l'heure prévue sous l'éclat lumineux des premiers rayons de soleil. De notre fauteuil de président, un verre de champagne à la main, le Sabah, en la personne du géant Kinabalu, nous fait ses excuses et ses derniers adieux.

JOURS 6 à 14 – Arrivés à Kuala Lumpur depuis hier,

c'est une autre course contre la montre. Notre certificat stipule que nous avons 14 jours pour quitter la Malaisie avant d'être considérés comme immigrants illégaux. Dans les jours qui suivent, on récupère nos cartes de crédit, nos passeports temporaires valides pour un an et nos nouveaux visas australiens. C'est triste à dire, mais je dois avouer que la bureaucratie occidentale pratiquée dans les ambassades n'est pas plus reluisante.

JOUR 14 - Après 14 jours d'enfer, nous quittons la Malaisie et entrons à Singapour, une seule journée avant l'expiration de notre passe spéciale.

Plus nous réfléchissons à ce qui nous est arrivé, plus nous nous posons des questions qui restent toujours sans réponse. Notre porte était verrouillée. Comment un voleur a-t-il pu entrer? Comment a-t-il réussi à mettre la main exactement là où il le fallait, en dessous des vêtements, bien au fond du sac à dos placé près de nos têtes, et pendant notre sommeil? Comment pouvait-il savoir que tout notre argent et nos papiers se trouvaient au même endroit?

À quoi bon. Maintenant que tout est fini, il ne nous reste plus qu'à en tirer une leçon et essayer d'oublier.

Jour 475
Singapour - Le 1er novembre 1995

Aujourd'hui, il faut prendre une décision et refaire un itinéraire adapté aux circonstances. Mon énergie vitale est sur la réserve d'urgence. Ma résistance aux imprévus est nulle. La chaleur est en train de m'achever.

Notre plan d'origine nous amenait aux îles de Riau, au

sud de Singapour. Ensuite, c'est par bateau que nous nous rendions à Java, Bali et Timor d'où un vol nous aurait amenés à Darwin, en Australie. De là nous devions repartir à vélo pour Brisbane, notre destination finale. Mais le portefeuille est trop mince. En fait, nos finances sont dans le rouge vif.

Le vol Singapour - Bali - Brisbane offert par la compagnie aérienne Garuda Indonesia est le moins cher. Nous profiterons de l'arrêt permis à Bali pour jouir de la tranquillité de la mer et reprendre un peu de force avant d'arriver en Australie, où il faudra à tout prix trouver un emploi.

Jour 477
Singapour - Le 3 novembre 1995

Quoi dire, quoi penser de Singapour? Considérant qu'elle est une ville asiatique, il serait injuste de ne pas mentionner son incroyable avancement technologique. Les télécommunications et les transports en commun sont remarquables. Du même coup, son modernisme la dépouille du charme de ses voisines. Le temps où l'on pouvait y faire de bonnes affaires est révolu. Singapour est devenu si cher que même le prix d'une bière le long du «waterfront», pour reprendre l'expression d'ici, est une folie.

Après avoir apprécié les beautés de l'Asie, trois jours dans cette ville nous suffisent. Les marchés populaires sont rares, mais, heureusement, ceux qui restent ont encore une couleur typique. Celui du quartier chinois est particulièrement vivant, mais j'ai été déçu de ne pas retrouver la chaleur de l'Inde dans celui du *Little India*.

À première vue, il me semble que cette cité moderne

n'est pas conçue pour y vivre, mais uniquement pour y travailler et être productif. Le gouvernement tente par tous les moyens de modeler une société parfaite. Le meilleur exemple est la manipulation des naissances. Autrefois, alors que l'on craignait un boom démographique, le gouvernement offrait une prime de 10 000 dollars à toute femme qui acceptait de se faire stériliser. Le programme a eu tant de succès que l'inverse se produit aujourd'hui. Voyant un déséquilibre dans la pyramide, les autorités offrent maintenant une récompense de 10 000 dollars à toute femme professionnelle qui accouche. On espère que cette mesure rétablisse la situation, mais il ne semble pas y avoir de place pour les femmes au foyer dans ce système.

La population doit se conformer à des lois très strictes. Par exemple, il est défendu de mâcher dans les lieux publics et de traverser la rue à un feu rouge. Il est illégal de ne pas utiliser la chasse d'eau dans les toilettes publiques. On a installé récemment des caméras pour mettre à l'amende les fautifs. Fumer dans sa voiture était interdit, mais cette loi a été abolie à cause de sa difficulté d'application. La campagne anti-cheveux longs des années 80 était sans pardon pour les étrangers se présentant à la frontière. La possession et le trafic de la drogue sont passibles de la peine capitale: deux joueurs de rugby australiens viennent d'être pendus, malgré toute la pression exercée par les paliers diplomatiques.

L'initiative du gouvernement pour améliorer la qualité de vie est louable, et son rendement économique a dépassé toutes les attentes. Même si on applique des lois qui feraient transpirer nos défenseurs des droits de la personne, leur réussite économique demeure un tour de force. Pour nous qui cherchons encore à nous donner un pays économiquement viable, il serait peut-être pertinent d'en tirer quelques idées.

Jour 479 et suivants
Bali - Le 5 novembre 1995

Est-ce une coïncidence ou est-ce le prix du billet qui fait qu'on ne prend pas soin des bagages? Je viens de récupérer mon vélo, et la roue arrière est très amochée; la jante est recourbée et enfoncée vers l'intérieur, à deux endroits diamétralement opposés. Je me demande ce qu'ils ont pu placer dessus pour la briser de la sorte. Un éléphant peut-être? Plus rien ne m'étonne et je prends mon mal en patience en attendant de remplir toute la pa-

Le battage du riz soigneusement effectué par les Balinaises.

perasse des réclamations d'usage. Et dire que je suis venu ici pour me reposer.

Bali est l'une des 200 000 îles de l'archipel indonésien et station balnéaire touristique où l'on retrouve un accueil chaleureux bien que parfois envahissant. Nous visitons les rizières, explorons les volcans, plongeons avec les dauphins, profitons du soleil et de la mer.

Nous logeons au Bamboo Losmen Guest house, une petite pension paisible et fort sympathique. Nous passons plusieurs heures à lire calmement sur notre balcon qui donne directement sur un atrium où poussent une panoplie de plantes tropicales et où chantent des oiseaux de toutes sortes. La température est chaude, mais une brise constante d'air salin procure une certaine fraîcheur.

En fin de compte, malgré la roue tordue, nous faisons contre mauvaise fortune bon cœur et profitons de trois magnifiques semaines avant de repartir pour l'Australie.

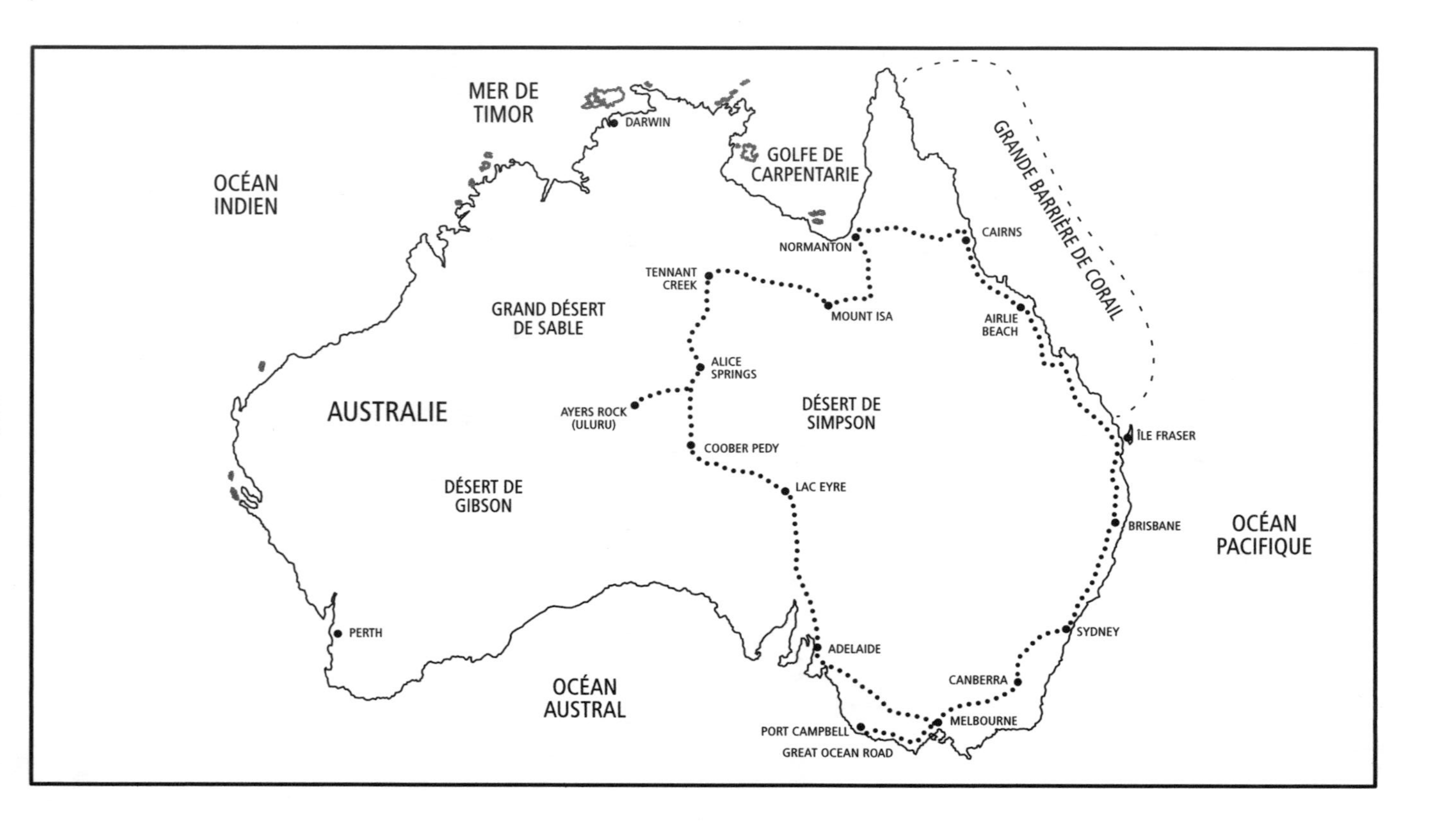
MER DE TIMOR
DARWIN
GOLFE DE CARPENTARIE
GRANDE BARRIÈRE DE CORAIL
OCÉAN INDIEN
CAIRNS
NORMANTON
TENNANT CREEK
GRAND DÉSERT DE SABLE
MOUNT ISA
AIRLIE BEACH
ALICE SPRINGS
DÉSERT DE SIMPSON
AUSTRALIE
AYERS ROCK (ULURU)
ÎLE FRASER
COOBER PEDY
LAC EYRE
DÉSERT DE GIBSON
BRISBANE
OCÉAN PACIFIQUE
PERTH
SYDNEY
ADELAIDE
CANBERRA
OCÉAN AUSTRAL
MELBOURNE
PORT CAMPBELL
GREAT OCEAN ROAD

Vingt et unième chapitre

L'Australie: une transition brutale

Jours 501 à 542
Brisbane, Australie
Du 27 novembre 1995 au 7 janvier 1996

Nous entrons aujourd'hui dans notre nouvelle terre d'accueil: l'Australie, le pays des kangourous et des koalas. Je suis au bout du monde et je le sais. Je suis loin des miens et je le sens. Du haut des airs, tout paraît si petit. Dans ma tête, tout me paraît si gros. Je dois me trouver un emploi dès les premiers jours parce que je n'ai plus d'argent. J'observe la ville comme si je m'apprêtais à affronter un ennemi, comme s'il s'agissait d'une jungle. Je ne suis pas prêt pour cet autre défi. Je ne m'en sens plus la force. À vrai dire, en ce moment précis, je souhaiterais arriver à la maison et ne plus avoir à faire d'efforts. D'un autre côté, je ne suis pas prêt à mettre fin à l'aventure et encore moins à renoncer à mon tour du monde.

Aussitôt sortie de la douane, Caroline se jette sur un téléphone public et contacte systématiquement toutes les auberges de jeunesse inscrites dans notre guide jusqu'à ce que l'une d'entre elles accepte de nous ramener de l'aéroport avec tout notre attirail. Mon vélo n'est pas encore en état de rouler et il est hors de question de prendre un taxi. Après un séjour en Asie, tout nous paraît tellement cher que nous songeons même à faire du camping dans les parcs pour éviter de débourser les 36 dollars qu'il nous en coûterait quotidiennement pour se loger.

Brisbane est une ville d'environ un million d'habitants. L'air frais du matin laisse tranquillement sa place à la chaleur cuisante du soleil des tropiques. L'arrivée du mois de décembre marque le début de l'été. Durant cette période, le mot nuage est inexistant dans les conversations quotidiennes.

Assis sur le banc d'un supermarché, Caroline et moi dégustons un riche yogourt au café, une gâterie que je n'ai pas savourée depuis plus d'un an. Arrivés depuis à peine deux heures, nous sommes au ralenti. À l'image des surfers qui s'adonnent à leur sport favori sur les célèbres plages de la Gold Coast, des gens de tous âges se baladent nu-pieds dans le supermarché. Nos regards fixent distraitement les objets qui nous entourent. Nous causons de tout et de rien lorsque, subitement, j'ai l'impression d'être dans une tour de Babel. Tout le monde court. Les uns pour se ruer aux caisses les moins achalandées, les autres pour emballer leur épicerie à la vitesse de l'éclair avant de disparaître au galop. On dirait qu'il y a le feu. J'ai d'abord cru que ce cycle infernal n'était que passager, mais chacun s'y prête avec tant d'ardeur que je suis désemparé. Caroline me rappelle tout simplement qu'ils font comme chez nous. Cette subtile remarque me fait prendre conscience que j'ai quitté l'Asie et son calme. J'avais cessé de courir. Dans ce monde-ci – mon monde – tout se fait à la vitesse de l'éclair. Je souhaiterais être ailleurs. Là où ça va moins vite. Mais je dois affronter la réalité et réapprendre à vivre.

Par contre, avant de vivre, il faut survivre. Nous sommes au tout début des vacances estivales, et les emplois d'été s'envolent vite. Nous n'avons pas de curriculum vitae et nos vêtements loqueteux ne font guère bonne impression. De plus, notre visa ne nous permet pas d'occuper de poste professionnel au sein d'une compagnie. Pire encore, on nous défend d'avoir un même emploi pour plus de trois mois consécutifs. Avec de telles restrictions, la recherche d'un boulot n'est pas une sinécure. Après avoir essuyé refus sur refus, jour après jour, nous sommes prêts à accepter n'importe quoi.

Caroline, convaincue d'avoir enfin mis la main sur la perle rare, m'annonce qu'elle sera vendeuse itinérante. Muni d'un petit panier de fleurs, elle visitera les restaurants chic de la ville accompagnée de son chauffeur. Si tout se déroule bien, selon les dires de la patronne, elle gagnera environ 150 dollars pour quatre petites heures de travail, soit de huit heures à minuit.

Le soir venu, son petit panier de fleurs se transforme en une large corbeille d'osier tressée, remplie d'une dizaine de variétés de fleurs et de petits oursons en peluche dignes d'un marché aux puces. Son chargement est si lourd qu'elle parvient à peine à le porter sur son épaule. Ses malheurs ne s'arrêtent pas là; les supposés restos huppés du centre-ville ne sont que des bars délabrés de la banlieue où on ne cesse de lui prendre les fesses alors qu'elle est sans défense, les deux bras occupés à tenir son panier.

C'est à cinq heures du matin qu'elle revient à la maison épuisée, dégoûtée et en larmes. Après avoir payé son chauffeur, l'essence et les fleurs qu'on lui a sournoisement subtilisées, il lui reste 50 dollars pour ses douze heures misérables de travail. Si on compte, la jupe et les souliers bon marché qu'elle a dû se procurer, il ne lui reste de cette aventure que 30 dollars, de la honte et des ampoules aux pieds.

«Recherchons aide-cuisinier avec expérience dans les fritures. Horaire variable totalisant 20 heures par semaine. Appeler Mike chez Jaw's fish and chips, au 663-8713.» Cet emploi est pour moi. En plus, c'est à deux pas de notre logement.

Je rencontre le proprio et lui monte - non pas un vélo - mais tout un bateau. J'obtiens l'emploi sur-le-champ. Mais encore faut-il le garder. Je n'ai jamais fait ce métier de ma vie et je tente de dissimuler mon inexpérience. J'arrive sans trop de problème à servir les clients, à faire la vaisselle et à remplir les réfrigérateurs. Lorsque vient le temps de faire ce pour quoi je suis engagé, mon incompétence me rattrape à vive allure. Je signe mon arrêt de mort quand on me demande de sortir les patates et le poisson de la friture. Comme un empoté, je les promène d'un comptoir à l'autre sans me rendre compte que l'huile dégoutte partout. A beau mentir qui vient de loin. Dans mon cas, c'est plutôt un beau menteur qui vient de loin et qui n'ira pas plus loin. J'ai terminé ma journée avec ma paye et mon quatre pour cent.

Par l'entremise de Rory, un Australien que Caroline a rencontré en Écosse, nous faisons connaissance de Keiko, une Japonaise, et Mike, un Australien, deux étudiants avec qui nous partagerons une grande maison en banlieue. Notre nouvelle situation nous facilite la vie et nous permet de réduire le coût du logement. Aidés de nos vélos, nous sillonnons la ville du matin au soir dans l'espoir de trouver un gagne-pain.

Deux semaines s'écoulent ainsi sans emploi à l'horizon. Mon humeur n'est plus la même. J'ai d'abord pensé qu'il s'agissait de la fatigue ou du fait que je n'ai pas encore d'emploi, mais, à bien y penser, j'ai peur qu'il s'agisse du syndrome du retour à une vie régulière, une vie absente d'exotisme.

Je ne suis pas épargné par les problèmes qu'engendrent le changement de culture et de mode de vie. Je croyais qu'ils n'apparaîtraient qu'une fois revenu à la maison. Erreur. Ils surviennent dès que l'on revient au rythme occidental. Je dois faire face à ma nouvelle vie en essayant de me débarrasser du germe de tristesse qui s'est sournoisement enraciné.

Le 15 décembre, soit 20 jours après notre arrivée, Caroline met enfin la main sur un job en or. Non, vraiment, cette fois ce n'est pas du toc. Elle est embauchée dans une épicerie fine, spécialisée dans les fromages et la charcuterie. Son patron, Andreas, un riche Indonésien au cœur tendre, l'adopte dès les premiers instants et fait d'elle son employée préférée. Il trouvera même un subterfuge pour contourner la loi et la garder plus de trois mois. Il nous invite régulièrement à souper chez lui, et des liens d'amitié se tissent enfin. Les week-ends, alors qu'il cède les commandes du commerce à Caroline, nous en profitons, lui et moi, pour jouer au tennis dans un club sélect de la banlieue. Andreas, à peine plus vieux que nous, devient notre grand frère.

Alors que je cherche toujours, Caroline me refile une information qu'elle a obtenue du bureau de placement de l'université: «Demandons étudiant en génie civil pour un projet de revalorisation des résidus de concassage d'agrégats minéraux.» Après avoir contacté la secrétaire, je rencontre M. Dougald Gray, directeur général de la compagnie Nucrush inc. pty. On me charge d'un projet de recherche qui paraît très intéressant mais dont les retombées monétaires, celles dont j'ai le plus besoin, seront tributaires des résultats et du sérieux de mon étude. Je n'ai pas de doute sur mes capacités, mais je ne peux quand même pas falsifier les données pour être mieux payé. Même si cet emploi se trouve à quatre-vingts kilomètres de chez moi et avec tous les problèmes de transport que ça occasionne, j'accepte sans même m'enquérir du salaire de base.

Je suis content et triste à la fois. Noël s'en vient et on dirait que la maison me manque encore plus. Je suis déprimé et je ne dois pas me le cacher. Si je regarde la situation de façon rationnelle, j'ai peu de raisons de me plaindre, mais c'est plus fort que moi. On dirait que j'ai perdu le feu sacré, le feu de l'aventure. J'ai vécu une expérience difficile mais enrichissante et je dois maintenant me remettre sur la voie d'une vie sédentaire, sans perdre ma bonne humeur et ma joie de vivre. J'y arriverai, ce n'est qu'une question d'ajustement.

J'ai ma première paye. Cinquante heures de travail, sans compter les dix heures de déplacements, pour la mirobolante somme de 200 dollars. Un salaire moyen de 4 dollars l'heure. Ce n'est pas logique quand on pense que je gagnais 10 dollars l'heure à faire frire des *fish and chips* dans le casse-croûte du coin et que Caro en fait quatorze à couper du fromage. Pourquoi faut-il toujours payer pour apprendre?

Voyant que nous sommes seuls pour Noël, Elizabeth,

une cliente régulière de Caroline, nous invite chez elle. C'est mon anniversaire aujourd'hui et j'ai droit à un petit gâteau avec une bougie que l'on ne parviendra pas à allumer. Le ventilateur fonctionne à plein régime, il fait chaud et humide et nous suons à grosse gouttes. La maison est décorée de guirlandes, et une musique de Noël accompagne nos conversations. Étrangement, je ne ressens pas pour autant l'esprit des fêtes. Peut-être me manque-t-il le froid, la neige ou simplement ma famille.

Mon mal de vivre ne disparaît qu'en ce deuxième jeudi de la nouvelle année, six semaines après mon arrivée. Pour la première fois, je me sens enfin chez moi. La semaine tire à sa fin et tout se déroule comme je le souhaite au travail. Une lettre du Québec m'attend et des copains nous rendront visite ce soir. Il tombe des cordes, je suis complètement détrempé en rentrant chez moi, mais dans mon petit monde intérieur, je file presque le parfait bonheur. Que s'est-il donc passé?

J'ai été déstabilisé dès mon arrivée dans ce pays. Je me croyais à l'abri et capable de résister à cette déprime qui happe tous les aventuriers. J'en ai rencontré qui ne sont jamais parvenus à reprendre une vie normale. Certains choisissent de voyager pour s'évader, fuir la réalité. Je voyage, au contraire, pour découvrir cette réalité: je vais à la rencontre de la vie, de mes capacités et de mes limites, de mes émotions et de tout ce qui me pousse à continuer, à persévérer. Je ne peux prétendre tout connaître et tout comprendre, mais je peux sans doute me réjouir du chemin que j'ai parcouru. Finalement, je me rends compte que le bonheur est extrêmement difficile à cultiver si on ne le sème pas dans une terre riche en volonté.

Au travail, un copain journalier se démarque par sa bonhomie et son sourire. Il est un modèle pour moi. On le surnomme Potsy, et lorsqu'il sourit, j'ai l'impression qu'il nous dévoile son cœur. C'est une leçon de vie qu'il m'enseigne sans le savoir. Il est pauvre, mais au lieu de se plaindre, son cœur entretient sa grande richesse humaine. Saint-Exupéry écrit, dans *Terre des hommes*: «En travaillant pour les seuls biens matériels, nous bâtissons nous-même notre prison. Nous nous enfermons solitaire, avec notre monnaie de cendre qui ne procure rien qui vaille de vivre.» Par sa bonté, mon ami Potsy rayonne sur tous ceux qui l'entourent.

Son influence m'a permis de m'arracher de mon marasme et d'intégrer une vérité fondamentale: à défaut de pouvoir changer le monde, je dois accepter la société telle qu'elle est, car le bonheur réside d'abord et avant tout dans la capacité de vivre en harmonie avec son environnement immédiat.

Jour 556

Brisbane, Australie - Le 21 janvier 1996

Caroline a travaillé sans relâche pendant toute la période des fêtes. Elle a non seulement hérité d'un horaire de 70 heures par semaine, mais elle en a aussi profité pour bosser durant les jours fériés qui sont grassement rémunérés. Pour ma part, je me lève quotidiennement à 4 h 30 le matin, je fais ensuite une heure de vélo, suivie d'une heure de voiture avec un collègue pour me rendre au bureau. La journée terminée, je me couche, fourbu, avant même que Caro ne soit revenue du travail.

Aujourd'hui, c'est notre premier jour de congé depuis longtemps. Nous le passons au sanctuaire de koalas de Lone Pine, le plus grand centre de protection de l'espèce en Australie. À cause de la chasse et de la coupe des forêts d'eucalyptus dans lesquelles ils vivent, ces adorables petites bêtes ont failli être éradiquées complètement de la planète. Depuis, des mesures concrètes ont été pri-

Certes, un souvenir que nous souhaiterions ramener avec nous.

ses pour rétablir leur population, et on a mis sur pied des sanctuaires afin de connaître leur mécanisme de survie pour mieux les protéger. Les efforts pour les sauver portent leurs fruits. Pour une somme minime, on nous permet de prendre dans nos bras cette petite boule de poils parfumée qui s'agrippe à nous comme un enfant. Le koala est doux et immobile comme un ourson en peluche.

Il se nourrit uniquement des feuilles de l'eucalyptus qui l'imprègnent d'un parfum unique. Grâce à un système digestif spécialement adapté, il est le seul animal à pouvoir survivre à cette alimentation toxique et pauvre en éléments nutritifs. Faute d'énergie, il mène ainsi une vie sédentaire. Il dort de 17 à 18 heures par jour et mange pendant trois à quatre heures. Il ne lui reste donc que deux à trois heures pour s'amuser. Bien qu'elles soient toxiques, les feuilles d'eucalyptus renferment toute l'eau dont il a besoin pour survivre. C'est pour cette raison que les aborigènes l'ont appelé «koala», c'est-à-dire «qui ne boit jamais».

Jour 564
Brisbane, Australie - Le 29 janvier 1996

Brisbane est une ville subtropicale située juste au-dessous du tropique du Capricorne. Il pleut rarement l'été. En regardant la finale du Ford Australian Open tenue par une chaleur et une humidité insupportables, alors que Becker est en train de ne faire qu'une bouchée de son adversaire, un voyant lumineux scintille au bas de l'écran: «Storm approaching!» On se trompe sûrement puisque le ciel est sans nuage. L'air est rare, on a peine à respirer, mais en moins de temps qu'il ne faut pour le dire, le ciel tourne au gris puis au noir. Un orage de grêle éclate. Je veux bien renouer avec cette saison oubliée, mais malgré ma ferveur, je n'arrive pas à tenir plus d'une seconde sous cette pluie d'immenses projectiles glacés. Le ciel redevient bleu aussitôt, Becker a gagné et on attend que la nuit nous apporte un autre moment de fraîcheur.

Jour 573
Brisbane, Australie - Le 8 février 1996

Je travaille toujours chez Nucrush, une entreprise minière qui produit des agrégats minéraux distribués aux compagnies de béton ainsi qu'aux constructeurs routiers. Lors du concassage de la pierre, on génère ce qu'on appelle des résidus de concassage qui sont ni plus ni moins que des petits fragments minéraux recouverts d'une fine poussière de pierre. J'ai donc été embauché comme stagiaire pour mener une étude sur les possibilités de revalorisation de ces tonnes de résidus afin de les intégrer à des produits déjà existants.

L'idée première est d'en inclure une partie dans les recettes de béton couramment utilisées. Comme prévu, je me bute à une forte opposition de la part des fabricants, et mon premier objectif est de dresser une liste de tous les commentaires négatifs ou positifs concernant son utilisation. J'ai donc consacré ma première semaine à visiter les clients et à analyser leurs besoins. La seconde, je l'ai passée à lire des articles scientifiques sur ce sujet. La troisième semaine, je débutais mes expériences.

Les résultats obtenus à la fin des deux premiers mois sont concluants. Bien qu'il existe des limitations, les bénéfices sont significatifs pour les deux parties, et un premier client accepte d'en faire l'essai.

Voilà maintenant deux semaines que je travaille sans avoir reçu un sou. Chacun reçoit son enveloppe de salaire et moi je reste les mains vides. Il fait chaud à mourir dehors, et sous l'impulsion du moment, je remets ma démission à la secrétaire. Je ne veux plus travailler pour des gens qui ne respectent pas une entente. «Le dossier sur lequel j'ai travaillé vous appartient. Tout y est et oubliez-moi!»

J'ai le goût de brailler. Je ne suis qu'un touriste qui n'a aucun pouvoir légal. On ne m'a pas seulement volé de 400 $, mais on vient de m'enlever tout le plaisir que j'avais à m'investir dans ce projet. Si je dois faire la vaisselle dans un restaurant, ce sera au moins pour être payé.

J'arrive à la maison soulagé mais déçu de la tournure des événements. Caro me félicite d'avoir eu le courage de partir. «S'ils ne savent pas t'apprécier à ta juste valeur, ce sont eux les perdants. Tu trouveras un autre emploi et tu seras fier de t'être tenu debout.» Ça me rassure, mais je reste pensif. J'ai peur d'avoir agi trop vite.

Alors que je suis sous la douche, Caro interrompt ma réflexion. Elle est tout excitée: «Le directeur général, monsieur Gray, est au téléphone et il veut te parler.» Inquiet, je prends le combiné. «Pierre-Yves, je suis vraiment désolé! Tu n'es pas un employé au même titre que les autres et celui qui a la responsabilité de te payer a complètement oublié. J'ai déjà travaillé à l'étranger comme toi et je sais combien il est difficile de demander son dû. Je m'engage à corriger la situation si tu veux bien reprendre le travail.»

Comme si mon chagrin ne pouvait être effacé par

quelques excuses, je reste muet. Caro dresse l'oreille. Je la regarde distraitement sans manquer un seul mot de mon interlocuteur. «Le travail que tu fais est excellent et nous l'apprécions grandement.» La balle est maintenant dans mon camp et je ne manque pas ma chance: «Vous savez, lorsque je vous ai rencontré, il était convenu que le contrat durerait au maximum huit semaines. J'étais alors prêt à sacrifier un meilleur salaire au profit d'une expérience de travail dans mon domaine. Je dois aujourd'hui gagner de l'argent, sans quoi je ne pourrai payer mon billet de retour et encore moins visiter votre beau pays. La saison des fruits approche et j'ai pensé offrir mes services dans les fermes du coin où le travail est bien rémunéré.» Sur-le-champ, il m'offre d'emblée une augmentation et me donne la fin de semaine pour y réfléchir. À ma grande joie, le coup de fil se termine sur une note amicale et sincère. Je regarde Caroline qui a le sourire fendu jusqu'aux oreilles. Elle est impressionnée. Et moi donc!

Ce lundi, mon salaire passe de 200 $ à 500 $ dollars par semaine.

Je vis dans les mois qui suivent une véritable aventure professionnelle. Nous parvenons à recycler et commercialiser la totalité des résidus minéraux et on me donne carte blanche pour mener de front trois autres projets: évaluer l'efficacité de la chaîne de production, mettre sur pied un laboratoire de contrôle de qualité et former le personnel responsable.

Comme m'a toujours dit mon grand frère: «L'important, c'est de se mettre un doigt dans la porte de la compagnie, ensuite le pied, puis finalement tout le corps.»

Nous aurons bientôt économisé près de 10 000 $ à deux. Caroline souhaite revenir au Québec pour la fin de l'été et moi avant l'hiver. Nous sommes parvenus à refaire nos vies et à retrouver un certain équilibre sur ce nouveau continent. Le 17 mai prochain, nous laisserons tout derrière pour repartir à l'aventure.

Voyager c'est découvrir, mais c'est aussi abandonner ce que l'on a construit.

Jour 529
Brisbane, Australie - Le 15 avril 1996

Des économies de bouts de chandelles!

Malgré la réticence de Caro, je veux une voiture pour faire le tour de l'Australie. Elle compare mon insistance à un mal de ventre tenace et je m'acharne à la convaincre. Elle est exaspérée par ma fixation et elle accepte de fournir sa part, mais refuse catégoriquement de faire les démarches pour trouver une bonne occasion et encore moins de perdre ses rares heures de congé pour effectuer des réparations.

Avec mon ami Lucas, le mécano de la compagnie, je passe des heures à éplucher les journaux: 1 400 dollars pour une Ford Falcon familiale 1961. Malgré ses 35 ans, elle n'a aucune tache de rouille et n'a eu qu'un seul propriétaire. Lucas m'assure qu'elle est en excellente condition, et surtout qu'elle sera facile à revendre avant de quitter le pays. Je tombe amoureux de la voiture ou plutôt de l'immense faucon métallique qui orne le capot. Nous sommes conscients qu'il y a quelques ajustements à effectuer avant de prendre la longue route qui nous attend, mais

Lucas m'offre son aide pour une somme modique... et la bière en travaillant. Vendu!

Trois semaines ont passé depuis, où chaque minute de mes temps libres sert à rafistoler Princesse. Mais voilà que ce matin, alors que nous venons d'acheter quatre pneus neufs pour chausser notre trésor fraîchement remonté, elle s'arrête sans crier gare à l'entrée du pont qui mène à Brisbane. Lucas sort de la voiture, se penche sous le capot. Le moteur est extrêmement chaud. Sans ses outils, il est incapable de le faire redémarrer. La tête basse, il m'annonce que le joint de culasse est probablement foutu: une réparation de 400 $ au garage, mais pour 25 $ et une journée de travail, il pourra le remettre à neuf. Je regarde Caro comme un pauvre abruti. Ça fait trois semaines que je lui casse les oreilles en lui disant qu'on a une excellente voiture entre les mains. Cette fois, je serais prêt à la donner au premier passant et Dieu sait qu'il y en a ici. Nous sommes à l'entrée du pont qui mène à Brisbane et notre rafiot en panne cause tout un ralentissement. Caro m'a fait confiance. Notre bagnole est bonne pour la casse. Le gars qui l'a acheté aussi. Et je parie que Caro serait prête à payer pour se débarrasser des deux.

Ma première erreur a été d'acheter une voiture. La deuxième, de l'acheter très usagée. La troisième serait de garder ce tas de ferrailles une journée de plus. J'ai perdu mon argent, j'ai perdu mon temps, mais pire encore, j'ai perdu mon engouement. Je n'ai plus aucune envie de me promener dans le désert avec un pareil tacot. J'aurais donc dû écouter ma blonde.

Dès que le moteur tourne à nouveau, je vends. Mais

bon sang, y a-t-il seulement, dans ce pays, une seule autre poire comme moi?

Alors que Gilles Vigneault chante: «Qu'il est difficile d'aimer...» (Caro aussi sans doute), moi c'est: «Qu'il est difficile d'apprendre...» Après avoir fait des pieds et des mains, on vend notre princesse détrônée à un ami de Lucas pour 1 650 $. Perte sèche de 500 $. Pense positif, mon Pierre-Yves: tu as appris quelques chose. Surtout que j'ai une blonde qui m'aime assez pour me pardonner mes coups de tête infantiles. L'argent de la vente étalé en forme d'arc-en-ciel sur le lit, nous nous sentons de nouveau riches.

Après avoir annulé ses projets de visite en Inde à cause d'une forte grippe, ma mère me confirme enfin qu'elle viendra me rejoindre en Malaisie pour un séjour de trois semaines. Depuis le temps que j'attendais ce moment! Ce périple n'aurait pas été complet si je n'avais pu en partager une petite partie avec elle qui rêve de vivre ce que je lui raconte dans mon journal. Elle le recopie fidèlement depuis le tout début et le connaît mieux que moi.

C'est fait: nos billets d'avion sont achetés, et nous pouvons partir l'esprit tranquille pour une tournée de trois mois en Australie... en bus. Caro retourne au bercail le 4 août alors que je quitterai le 13 pour la Malaisie. Contre toute attente, nous venons de recevoir le fameux colis posté à Agri. Perdu en Turquie, il s'est retrouvé chez nous dans notre boîte aux lettres 20 mois après son envoi. Couvert d'estampes de toutes les couleurs, il a sûrement fait plusieurs fois le tour de la terre. Chanceux, va.

Vingt-deuxième chapitre

Un séjour de rêve au pays des kangourous

Jour 685
Sydney, Australie - Le 29 mai 1996

Confiants que le magot accumulé par notre travail sera suffisant, nous avons repris la route, après dix jours de vie sauvage à la résidence d'été de Tony, notre proprio, et nous mettons les pieds dans la vivante métropole de Sydney. Son port, en plein cœur du centre-ville,

En grande conversation avec Skippy et ses amis.

sert de transit pour les traversiers qui se rendent dans les banlieues situées le long de la rivière Paramatta. À l'heure de pointe, l'atmosphère est à son meilleur. Tout près du port s'élève le majestueux pont Sydney Harbour, «the world's largest single arch bridge» jamais construit. Sa splendeur forme une paire parfaite avec son frère cadet le Sydney Opera House, symbole national depuis sa construction en 1973. Peu importe l'angle sous lequel on la regarde, cette réalisation futuriste est toujours aussi grandiose et démesurée.

À la tombée du jour, alors que le soleil se couche sous le tablier du pont, quand l'Opera House passe du blanc cassé au rose orangé et que les géants de verre scintillent sous les derniers rayons, on comprend pourquoi on dit que Sydney est l'une des cinq plus belles villes du monde.

Elle est aussi une ville cosmopolite où toutes les cultures et les croyances s'entremêlent. C'est le Paddys Market, marché de fin de semaine, et le quartier chinois où l'Orient déploie ses parfums. Mais c'est aussi King's Cross et Oxford Street où l'on assiste à la déroute des sexes. C'est dans ces rues que se déroule annuellement le plus grand rassemblement mondial de gais et lesbiennes, que les *drag queens* se pavanent avec leurs costumes d'apparat, à la fois superbes et excentriques.

Jour 703
Port Campbell, Australie - Le 16 juin 1996

Après avoir passé quatre jours à Canberra, la capitale la plus ennuyeuse du monde, et plus d'une semaine dans la séduisante ville gastronomique de Melbourne, nous sommes à Port Campbell, le long de la Great Ocean

Road, une route spectaculaire qui longe la côte de l'extrême sud de l'Australie. D'une longueur approximative de 300 kilomètres, elle côtoie l'océan tantôt au niveau de la mer, tantôt perchée à flanc de montagne. Où que vous soyez, elle ne déçoit jamais. Queenscliff, l'un des plus vieux villages d'Australie, révèle une architecture typiquement britannique. Bell's Beach, site des championnats mondiaux de surf, nous exalte par la hauteur de ses vagues. Lorne, situé entre la mer et la montagne, offre des sentiers pédestres bordés de chutes et de rivières. Cape Otway, un parc national surplombant l'immensité de l'océan, regorge d'une flore exceptionnelle. Malgré toutes ces beautés naturelles, c'est ici à Port Campbell, petit village de pêcheurs, que nous découvrons les joyaux de cette Great Ocean Road. Que ce soit pour admirer les Douze Apôtres, ces énormes rochers alignés comme des soldats qui émergent de l'océan, pour descendre dans la gorge de Loch Ard, là où un bateau anglais s'est échoué au début du siècle, pour photographier Island Arch, réplique fidèle du rocher Percé, pour admirer les tenaces «muttonbirds», ces oiseaux qui ont volé plus de 15 000 kilomètres pour venir se reproduire ici, ou simplement pour contempler, du haut d'une falaise, les immenses vagues qui se brisent dans un fracas terrifiant, chacun y trouve son compte.

Il est 6 h du matin, je suis bien assis sur un monticule de pierre qui s'avance dans la mer. Une épaisse couche de brume s'écoule de la falaise pour rejoindre l'écume des vagues. Le soleil émerge de l'horizon et colore le ciel d'un rose bleuté. L'air salin est frais. J'ai vu des levers de soleil sur la côte turquoise, sur les plus hautes montagnes de l'Himalaya et sur le sable du désert iranien, et celui-ci fait partie des grands moments de ce voyage. Caroline est éblouie.

La côte regorge de décors féeriques à couper le souffle.

Jour 712
Coober Pedy, Australie - Le 25 juin 1996

Il n'y a pas que du sable dans le désert du Stuart. Il y a aussi des opales qui sont la seule raison d'être de cette affreuse cité où il fait tellement chaud en été que les gens n'ont d'autre choix que de creuser leur maison sous la terre. C'est pour cette raison que les aborigènes l'ont baptisée Coober Pedy, qui signifie «trou de l'Homme blanc dans le sol». Ici, l'eau est rare. Le combustible est inabordable. Il n'y a aucune verdure. Le vent soulève une poussière étouffante qui camoufle, à chaque coin de rue, des carcasses de voitures en décomposition. Un décor de fin du monde.

L'économie de la région est prospère depuis la découverte de gisements d'opales en 1911. On a creusé depuis 250 000 mines. Chacune a laissé d'immenses cônes de roches, cicatrices des fouilles passées. Pour empêcher que le centre-ville ne prenne, lui aussi, des allures de fourmilières géantes, il est interdit de prospecter à l'intérieur des limites de la banlieue. Ceux qui trouvent des filons d'opales en construisant leur maison contournent la loi en prétendant agrandir leur domicile - bien souvent pour se retrouver chez le voisin. Comme on dit ici: «C'est de l'aménagement à grands bénéfices!»

Ce soir, c'est à notre tour de coucher dans une auberge de jeunesse souterraine. Il fait frais, et lorsque les lumières s'éteignent, c'est l'obscurité totale. Après seize heures de bus, 1 000 kilomètres sur une route de sable, personne n'a besoin d'une berceuse pour s'endormir.

Jour 719
Uluru, Australie - Le 2 juillet 1996

Nous sommes en plein centre du continent australien, au beau milieu de nulle part, sur un territoire que l'on appelle «The Red Center» en raison de la couleur du sol. À part quelques rares arbrisseaux à peine verts, des touffes de foin jauni et le bleu immaculé du ciel, on ne voit aucune autre couleur. Pourtant, l'homme que l'on appelle ici aborigène y vit depuis 22 000 ans! S'abreuvant des «waterholes» (points d'eaux), il se nourrit de kangourous, de chenilles et de quelques petits fruits saisonniers. Il a fait de cette terre inhospitalière son pays.

Nous sommes au parc national d'Uluru, berceau de cette culture et endroit célèbre où se trouve le plus gros

Même en plein cœur du désert de Simpson, il y a toujours de quoi se rafraîchir!

monolithe au monde. Plongé au fond d'une mer qui a disparu depuis, il émerge miraculeusement au milieu d'un désert. C'est comme si une roche de 300 mètres de haut sur 1 500 mètres de long se trouvait dans un immense carré de sable de plusieurs milliers de kilomètres. Pour les Pitjantjatjaras, propriétaires et occupants des lieux, cette roche aurait été formée pendant le Tjukurpa, période de création durant laquelle tous les caractères physiques possibles auraient été conçus. En voyant ce désert où ils habitent depuis des milliers d'années, on comprend mieux comment ils en sont arrivés à élaborer de telles légendes. Malheureusement, leurs riches traditions sont jalousement gardées et nous n'en connaissons qu'une infime partie.

Après avoir assisté à un spectacle de danse et de musique traditionnelles, l'activité principale consiste à escalader ce monolithe au petit matin pour arriver au sommet avant le lever du soleil. Équipés de cordes pour les parties abruptes, nous faisons l'ascension dans l'obscurité quasi complète. Elle dure environ une heure et demie. Ni la peur ni la fatigue ne nous arrêtent. Tout ce qui compte, c'est d'arriver au sommet. La nature, ici, se surpasse.

Cairns, Australie - Juillet 1996

Voilà deux mois que nous nous baladons à travers l'Australie, et notre course s'arrête à Cairns, fleuron du pays et le plus grand centre de villégiature du continent. Saut en bungy, parachutisme, plongée sous-marine dans la Grande Barrière de Corail, rafting, escalade, deltaplane, randonnées pédestres dans la forêt tropicale, séjour de voile en mer avec plongée en apnée, excursion en jeep sur le territoire non balisé du cap York, et bien d'autres choses encore. Peu importent vos goûts, on saura les satisfaire! Ici, le tourisme est la principale industrie. On s'y prend tellement bien pour vous enrôler dans diverses activités qu'on parviendrait à vendre une randonnée de canot d'écorce même à un Inuit.

Avec Idel et Geraldine, deux Irlandaises que nous avons rencontrées à Uluru, nous dénichons un hôtel où on peut loger gratuitement moyennant deux heures de travail quotidien. Grâce à notre bonne étoile, Caro et moi héritons du sarclage de la haie de cèdres bordant la piscine creusée alors que nos deux amies, plus malchanceuses, sont assignées aux tâches ménagères et au torchage des toilettes communes. Quelques jours suffiront pour que notre clan s'élargisse, et, le soir, après une journée à s'amuser et à se

Un aperçu de la beauté légendaire des plages désertes de l'Australie.

faire dorer au soleil, nous nous retrouvons au «Wool Shed», où nous dépensons nos dernières énergies à danser.

Nous profitons de ce dernier mois de vacances pour prendre un cours de plongée sous-marine dans la très célèbre Grande Barrière de Corail. Après deux jours de théorie et de pratique en piscine, nous voilà prêts pour la mer. Un bateau équipé de puissants moteurs nous amène droit au large, là où se trouve, à plus de 80 kilomètres de la côte, un voilier de 38 pieds qui nous hébergera pour les trois jours à venir. Je souhaitais fortement vivre cette expérience, mais à mesure que les hautes montagnes de la cordillère australienne fondent dans l'océan, que le paysage n'est plus qu'une vaste étendue sinistre cachant un monde que je ne connais pas, que les nuages teintent le turquoise des eaux en un noir lugubre, ma peur de l'eau - ma plus grande peur - elle, refait surface. Sous l'eau, je suis désorienté, assommé, incapable de me remettre sur pied. Les bras en croix et le visage tourné vers le sol, je ne vois qu'un nuage de sable embrouillé par la vague qui s'est rabattue sur moi. Je suis inerte et ne ressens que le picotement de l'eau salée qui brûle mes yeux. J'ai la mâchoire crispée, l'eau monte tranquillement dans mes narines. Chaque seconde s'étire jusqu'à ce que le temps s'arrête.

Une main me saisit vigoureusement par les cheveux pour me sortir de là. J'ai quatre ans. Nous sommes à Wells Beach, dans le Maine, et mon père vient de me sauver de la noyade.

C'est dans les eaux limpides de la mer de Corail que je surmonte cette frayeur. Des poissons de mille et une couleurs, des tortues géantes, des requins inoffensifs, des carpes volantes nagent paisiblement au travers de larges bandes lumineuses formées par les rayons du soleil, telles des filaments de soie. Les carpes déploient leurs nageoires comme si elles souhaitaient prendre leur envol. Les poissons clowns, colorés de vives bandes orangées, chatouillent les anémones qui répliquent par de lents mouvements oscillatoires. En quête de nourriture, les poissons perroquets, à la manière des piverts, mordillent les coraux. Les tortues, véritables sous-marins, plongent vers les profondeurs après avoir pris une bouffée d'air frais en surface. Les requins, rois et maîtres, explorent nonchalamment les fonds en fouettant l'eau de leurs puissantes nageoires. Ici, dans ce monde marin, nous n'avons qu'un droit: demeurer spectateurs.

Jour 749
Cairns, Australie - Le 4 août 1996

Caroline quitte aujourd'hui pour l'Amérique. Elle est triste; non pas de retourner à la maison, mais plutôt de savoir que nous serons séparés pour les quatre prochains mois. Sa famille et ses amis, qu'elle n'a pas revus depuis 20 mois, vont s'agglutiner à l'aéroport de Dorval. Elle se sent prête, mais mettre une croix sur une vie de rêve n'est jamais facile. Il lui faudra maintenant trouver un emploi du temps autre que celui d'avoir du bon temps. Et échanger un peu de paresse contre un peu de stress.

Comme prévu, je rejoins ma mère dans une semaine à Kuala Lumpur. Nous passerons plus de trois semaines ensemble. Après quoi, je m'envole pour Los Angeles. Puis Chicoutimi.

Vingt-troisième chapitre

Une mère hors pair

Jour 758

Kuala Lumpur, Malaisie - Le 13 août 1996

«Selamat datang ke Malaysia!» Quel bonheur de se sentir de nouveau chez soi! De retour en Malaisie, les seuls mots qui me viennent à la bouche sont: «I love Malaysia!» J'ai le goût de dire à tous les habitants à quel point il fait bon vivre dans leur pays. La Malaisie, c'est la couleur et l'abondance de ses nombreux marchés au grand jour, c'est sa cuisine gastronomique. C'est le sourire des gens qui discutent inlassablement le long des rues, mais c'est aussi la difficulté avec laquelle certains gagnent leur vie. C'est le bruit ininterrompu des bus, des voitures, des motos, mais c'est aussi le calme du vendeur de rue. C'est l'anarchie qui semble régner, mais c'est aussi le charme d'une subtile organisation. C'est le modernisme de certains services, mais aussi la décrépitude de plusieurs autres. C'est un peuple qui a su évoluer et grandir tout en gardant sa simplicité et son cœur d'enfant. C'est ce qui fait son charme.

Jour 759

Kuala Lumpur, Malaisie - Le 14 août 1996

Les extrêmes m'inspirent: je suis de nouveau en Asie et j'ai l'impression de retrouver mon goût de l'aventure. Oui, les extrêmes m'inspirent: je suis actuellement au consulat canadien et cela constitue un extrême bien en son genre, notamment l'extrême incompétence et insouciance. J'ai téléphoné ce matin pour qu'on m'éclaire au sujet des procédures à suivre pour la prolongation de mon passeport temporaire, mais je me rends vite compte que c'est peine perdue. Mieux vaut monter dans un minibus pour me rendre sur la rue Jalang Ampang, là où se trouvent la plupart des ambassades de même que les célèbres Twin Towers, les plus hautes du monde, fraîchement achevées.

J'avais oublié que les réceptionnistes ont le même air désintéressé et le même visage impassible que certains douaniers canadiens qui s'imaginent qu'il faut avoir une face de carême pour être crédible. Au travers d'une vitre épaisse, munie d'un trou si petit qu'il faut crier pour se faire entendre, je lui soumets mes requêtes. Sans même me regarder, elle décroche le combiné et semble s'adresser à un supérieur. N'obtenant aucun signe en retour, je m'assois dans la salle d'attente en prenant bien soin de garder mon «calme consulaire», expression que j'utilise pour désigner l'attitude que je m'impose lorsque mon gros orteil franchit la porte d'une ambassade.

Deux heures plus tard, je retourne voir la réceptionniste qui me dit tout bonnement, sans la moindre excuse, qu'elle m'avait oublié. Stupide d'avoir attendu si longtemps? Après deux ans de voyage, j'ai appris à mes dépens que l'attente dans les ambassades se compte en heures. Comme si les minutes n'existaient pas sur les montres des employés.

Une heure plus tard, je retrouve la préposée qui a fait nos passeports temporaires après notre histoire de vol à Bornéo l'an passé. Sachant à l'époque que je me rendais en Australie et voulant probablement se débarrasser de moi, elle m'avait juré que j'obtiendrais un renouvellement de six mois sans problème. Aujourd'hui, les règles ne sont plus les mêmes et elle m'annonce, en inventant toutes sortes de raisons, que ce sera impossible. Inutile de rouspéter ou d'élever la voix, ça ne fera que retarder le règlement du dossier. Songer une seconde que la bureaucratie canadienne est gérée chez nous de la même façon qu'à l'étranger, ça donne des frissons dans le dos. Dire que j'ai déjà voulu devenir ambassadeur. Si jamais une pareille envie me reprend, qu'on me pique de force et qu'on me contentionne.

Jour 761
Kuala Lumpur, Malaisie - Le 16 août 1996

Il est 21 h 10 et l'avion qui transporte ma mère s'apprête à atterrir. Il y a 25 mois, jour pour jour, heure pour heure, je quittais le Québec.

À Islamabad, au Pakistan, alors que j'attendais ma roue de vélo qui arrivait de Londres par le vol de British Airways, je prenais plaisir à observer la joie de ceux qui accueillent leurs proches. Et moi, la larme à l'œil, j'imaginais Caroline ou ma mère sortir de cette foule pour venir à ma rencontre.

Aujourd'hui, c'est mon tour. J'ai encore cette fameuse boule oppressante dans la gorge, mais cette fois, ce n'est pas de la tristesse. Un fils qui retrouve sa mère après 25 mois, ça peut pleurer de joie. La joie d'avoir enfin la chance de partager mon bonheur avec celle qui m'a supporté et encouragé tout au long de ma vie. La joie de lui faire vivre ce que je vis. La joie de lui faire connaître ce que l'aventure, la découverte nous apportent.

Elle est là qui cherche, comme une girouette, la tête au-dessus des gens. Puis, le sourire fendu jusqu'aux oreilles, elle court à ma rencontre et me sert dans ses bras. Elle veut me présenter à ses copains de voyage: des ministres du gouvernement canadien qui viennent à Kuala Lumpur pour un congrès. Elle leur a parlé de mon aventure, bien sûr. Elle s'occupe déjà de ma publicité. Elle n'a pas changé. Pas une miette. Comme si je n'étais jamais parti.

Pressé de tout lui montrer, je la tire en direction de la navette qui se rend au centre-ville. Elle n'a pas eu le temps de reprendre son souffle. Elle m'a montré à lire, à écrire, à réciter des fables de La Fontaine, et maintenant, c'est à mon tour de lui enseigner. Je sais qu'elle sera une bonne élève. Après avoir sacrifié sa profession d'infirmière pour nous éduquer, elle s'est reconvertie en agent de voyages et a parcouru le monde. Elle a déjà l'expérience des petites auberges, mais l'aventure que je lui propose n'a rien à voir avec le luxe des grands hôtels où les tapis rouges se déroulent jusqu'à la porte d'un autobus nolisé climatisé. Elle est prête. À ma grande satisfaction, elle a respecté à la lettre la liste d'articles que je lui ai permis d'apporter: un bermuda foncé, deux t-shirts, une seule paire de bas et une paire de sandales, un maillot de bain, un chapeau et de la crème solaire. Pas le droit au maquillage, ni aux mille et un cosmétiques qu'elle traîne habituellement. Un rouge à lèvres, point final. Son sac à dos est si petit qu'on dirait son sac à main.

Après 22 heures de vol et des escales à Vancouver et Taipei, sur l'île de Taïwan, elle se sent fraîche comme une rose, mais une bonne nuit de sommeil ne lui fera pas de tort. Nous nous faufilons au travers des étalages de vêtements, de bijoux, de chaussures et de montres installés chaque soir dans les rues du quartier chinois pour finalement aboutir devant le Backpacker où j'ai réservé une chambre pour la nuit. Incrédule, elle me regarde en croyant que je lui joue un tour. Pour se rendre au portique de ce qui ressemble de l'extérieur à un bordel, il faut se frayer un chemin parmi les larges chaudrons encore fumants à côté desquels mangent tranquillement quelques Chinois, le nez plongé dans leur bol de riz. À cette heure tardive, on s'apprête à démonter les comptoirs pour faire place à la circulation automobile du lendemain.

Elle a déjà visité plusieurs quartiers chinois en Asie, mais jamais elle n'aurait osé y passer la nuit. Pour 15 dollars, on a droit à quatre murs de ciment sans fenêtre, un grand lit recouvert uniquement d'un drap contour et une toilette commune pour 10 personnes.

J'ai à peine le temps de m'installer confortablement sur le lit qu'elle revient découragée en me disant qu'il n'y a même pas de douche dans l'hôtel. J'ai oublié de lui mentionner que le boyau d'eau froide qui pend au mur à deux pas du trou de la toilette est *la douche* et qu'elle ne doit pas se surprendre non plus s'il n'y a pas de porte-savon, et encore moins de miroir. Le plancher fissuré laisse paraître certains cernes qui, étant si près de la toilette, nous incitent à regarder plutôt au plafond, là où les *geckos* (petits lézards des régions chaudes dont les pattes sont adhésives), comme des équilibristes, se promènent sur les tuyaux recouverts de rouille. Elle revient une deuxième fois en me disant qu'à bien y penser, elle sera propre pour quelques jours encore. Elle refuse catégoriquement de déménager de l'autre côté de la rue, là où se trouvent de luxueuses chambres à 140 dollars la nuit. Je ne l'ai pas ménagée pour cette première journée, mais à l'entendre ronfler, je crois qu'elle s'en remettra vite. Elle adore la simplicité - en voyage.

Je souhaiterais que mon père soit aussi présent, mais comme il le dit si bien: pour que l'un puisse voyager, ça en prend un qui travaille. Il est à la maison, tranquille, et ne s'ennuie jamais. Il taquine souvent ma mère en lui disant que seul, il se sent presque en vacances. Sportif inépuisable, il joue au hockey, au tennis, et fait du ski régulièrement, sans compter les heures interminables qu'il passe à bricoler pour ma sœur Maryse et mon frère François. Il sait tout faire. Depuis plus de 20 ans, été comme hiver, beau temps mauvais temps, il se rend au travail, grimpé sur son vélo archaïque. On l'a surnommé le «dentiste à vélo». À 64 ans, après 40 ans de pratique, il prendra bientôt sa retraite, non pas pour arrêter de travailler, mais pour se consacrer entièrement à ce qu'il aime le plus: faire du sport et, surtout, «s'amuser» à rendre service aux autres.

Jour 762 et suivants
Kuala Lumpur, Malaisie - Le 17 août 1996

Notre plus grand plaisir est de marcher et de fouiner des jours entiers à travers les petites rues des différentes villes des côtes est et ouest de la Malaisie péninsulaire. La température est chaude, humide, suffocante, et Lili, malgré ses 60 ans et la vitesse de mes longues enjambées, me suit sans problème. Nous profitons de la gastronomie locale, de la beauté des plages, de la variété et de l'exotisme des marchés de nuit, des randonnées dans la jungle, des conversations enrichissantes avec les gens du peuple et les autres voyageurs venus de partout.

À mesure que les jours avancent et qu'elle prend goût à son nouveau rythme de vie, nous mangeons dans de petites échoppes toujours plus rudimentaires, mais où l'excellence de la nourriture se surpasse et le contact avec le peuple s'intensifie. Lili s'est si bien acclimatée aux petites chambres pour jeunes voyageurs avertis qu'elle qualifie de palais royal notre première chambre d'hôtel. L'air climatisé est remplacé par un ventilateur qui fait un tel vacarme qu'on a l'impression que le toit va s'envoler. Les toilettes se sont éloignées de la chambre, et le boyau d'eau froide est substitué par un baril métallique dans lequel on doit puiser une eau trouble ambrée par la rouille. Une planche de bois sans ressort nous sert de lit. Nous dormons sous une moustiquaire suffocante pour éviter que nous piquent les maringouins qui entrent librement par les fe-

Gourmande, Lili ne se lasse pas des ramboutans, petits fruits à la chair tendre et juteuse.

nêtres sans vitre. Ce qu'elle est venue chercher en Asie, c'est regarder vivre les gens, manger ce qu'ils mangent et de la même façon qu'ils le mangent, boire ce qu'ils boivent, se déplacer comme ils se déplacent, avec des moyens de transport parfois désuets. Regarder sans juger et sans comparer, avec des yeux d'enfant; vivre au rythme du peuple et s'imprégner de leurs coutumes et apprécier leurs différences.

Nous sommes souvent en compagnie de jeunes voyageurs qui partagent nos intérêts et notre vision du monde, et Lili fait partie du groupe au même titre que les autres. Plusieurs sont stupéfaits d'apprendre qu'elle est ma mère et loin d'être un fardeau; elle sait retenir l'attention par son laisser-aller, sa bonne humeur et son humour de gamine. Sa taille élancée et sa démarche ne donnent pas l'impression un instant qu'elle approche de «l'âge d'or». Malgré quelques rides qu'elle souhaiterait bien faire disparaître, elle réussit toujours, par son charme et sa diplomatie, à obtenir des faveurs inespérées et même de nombreux passe-droits. Si c'est de mon père que j'ai hérité de l'amour du vélo, c'est sans aucun doute de ma mère que j'ai appris à être si «ratoureux» et convaincant.

Lili est fascinée de voir comment les gens nous reçoivent. Nous sommes allés à Seremban chez les parents de mon amie Pui-Leng Lee, là où Caroline et moi avions passé plusieurs semaines. Après un accueil chaleureux, madame Lee offre à ma mère de prendre une douche pour se rafraîchir. Surprise, Lili refuse, mais se ravise aussitôt lorsque je lui fais signe qu'il s'agit de la coutume.

Mes amis, heureux de me revoir et curieux de rencontrer ma mère, arrivent à tour de rôle dans le petit appartement modeste de nos hôtes: l'esprit de famille est très fort chez les Chinois et les nouvelles voyagent vite. On nous sert le traditionnel thé aux herbes chinoises et on nous garde même à coucher. Ma mère en profite pour poser toutes les questions auxquelles je n'avais pu lui fournir de réponse. Chacun tient à apporter son grain de sel, sa propre petite opinion. Ce bouillon de culture a conquis ma mère dès les premiers instants. Nos conversations se poursuivent de longues heures sous le bruit sourd du ventilateur enterré par les voix chinoises du téléviseur toujours allumé. La fraternité devient si grande que monsieur Lee nous remet une potiche en terre cuite simplement parce que ma mère lui a mentionné qu'elle la trouvait fort jolie. C'est seulement plus tard que sa fille nous apprendra

De jeunes étudiantes malaises en route vers l'école.

qu'elle a été fabriquée en 1956 sur l'île de Bornéo. Regrettant d'avoir accepté ce présent, elle tentera par tous les moyens de le lui remettre mais en vain. Ce bon vieux Chinois nous répète que notre amitié vaut plus que des objets et que, si nous sommes heureux, il l'est tout autant.

Monsieur Lee, toujours aussi intéressé à initier ma mère aux plaisirs de la cuisine chinoise, nous trimballe des soirées entières pour nous faire goûter les spécialités des différents comptoirs du marché de nuit. En Malaisie, le sport national est de manger. Jamais beaucoup mais toujours un peu à toute heure du jour et de la nuit. Prendre un petit bol de nouilles le long d'une rue équivaut pour nous à siroter une bière froide sur une terrasse de la rue Saint-Denis.

Jour 785
Kuala Lumpur, Malaisie - Le 9 septembre 1996

Pour cette dernière nuit, nous couchons au Swiss Inn, l'hôtel luxueux où Lili avait refusé de dormir à son arrivée. On offre non seulement une navette pour l'aéroport, mais on lui promet qu'elle y sera sans faute pour son départ à 5 h demain matin.

Tout est étalé sur ce grand lit d'une blancheur éblouissante. Je lui remets le matériel dont je n'ai plus besoin. Elle tente de me convaincre d'apporter plus de vêtements chauds, mais je souhaite réduire au minimum le poids de mon chargement qui dépasse déjà les cent livres. De toute façon, je serai à la maison avant le début des grands froids. Elle insiste. Elle a cessé d'être ma copine de voyage pour redevenir ma mère, une mère inquiète pour son fils. Elle regarde le matériel, pensive, réalisant tout à coup qu'elle est encore sur le point de me laisser partir.

C'est maintenant l'heure des confidences. Lili me dit combien elle se sent rajeunie. Ce voyage lui a donné des ailes et elle s'est prouvée qu'elle pouvait dépasser ses limites, elle aussi. Il n'est jamais trop tard. Elle comprend mieux ma passion fougueuse pour l'aventure. Elle a partagé cette liberté qui fait qu'on oublie que la vie continue ailleurs et que la routine nous attend de pied ferme au détour. Elle a vécu le plaisir de voyager léger sans se préoccuper de sa tenue du lendemain ni de son maquillage – ni même de ses cheveux ébouriffés.

C'est avec fierté que je lui remets son diplôme de grande voyageuse et de mère hors pair.

Il se fait tard. Elle éteint la lumière, mais elle n'est pas prête à jeter le flambeau. Elle rêve déjà au temps où nous repartirons ensemble. En Inde peut-être. Mais avant tout, elle rêve de mon retour à la maison – en santé.

Il ne me reste plus qu'à pédaler les 6 000 kilomètres qui séparent la Californie de Chicoutimi. Je sais que j'y arriverai, mais je me sens fatigué. Fatigué de ce que j'ai accompli et peut-être bien fatigué de ce qu'il me reste à accomplir. Je ne sais pas, je ne sais plus.

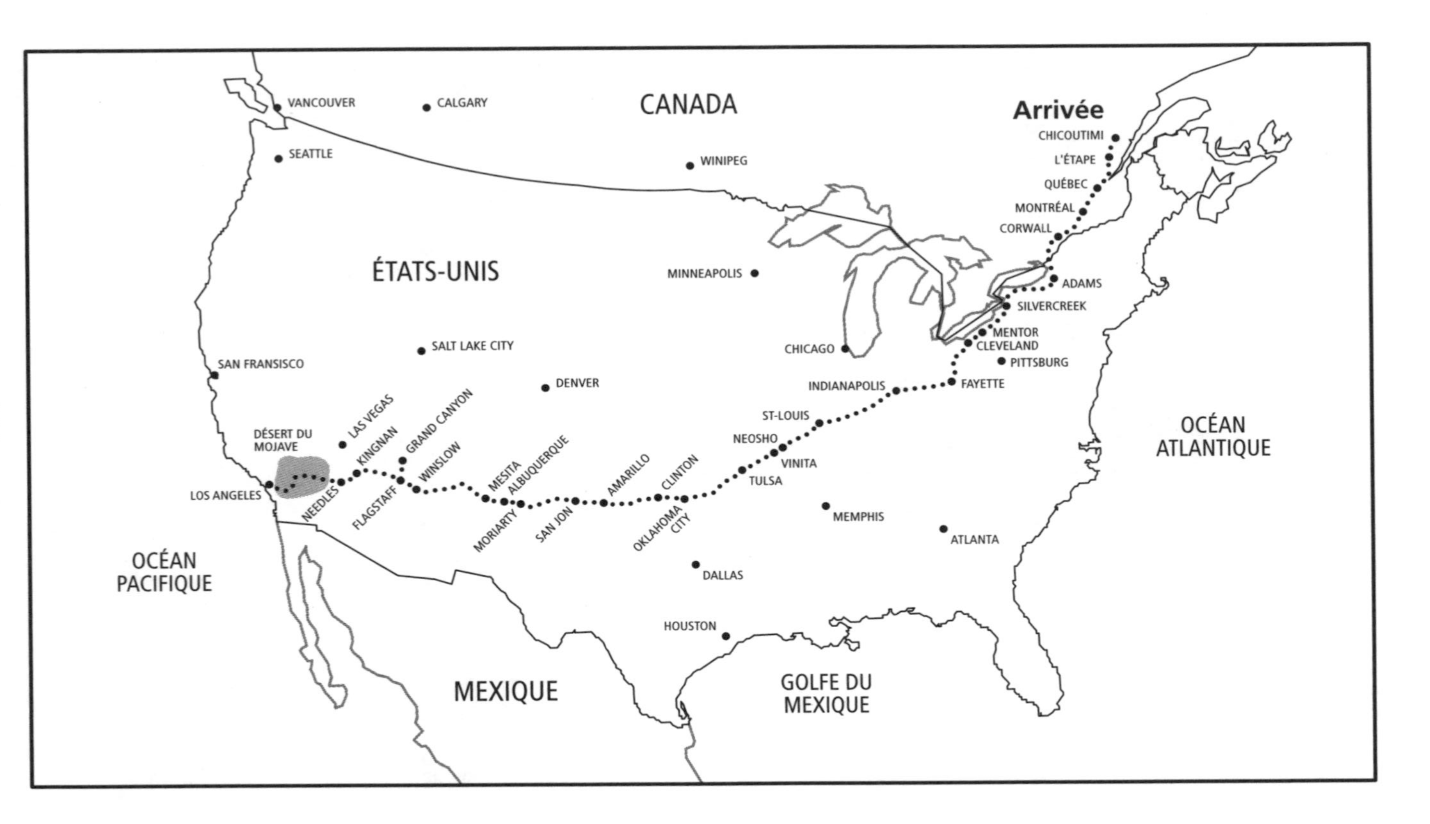
VANCOUVER
CALGARY
CANADA
Arrivée
CHICOUTIMI
L'ÉTAPE
QUÉBEC
MONTRÉAL
CORWALL
SEATTLE
WINIPEG
ÉTATS-UNIS
MINNEAPOLIS
ADAMS
SILVERCREEK
MENTOR
CLEVELAND
PITTSBURG
SALT LAKE CITY
CHICAGO
SAN FRANSISCO
DENVER
INDIANAPOLIS
FAYETTE
ST-LOUIS
NEOSHO
VINITA
TULSA
OCÉAN ATLANTIQUE
DÉSERT DU MOJAVE
LAS VEGAS
KINGNAN
GRAND CANYON
WINSLOW
MESITA
ALBUQUERQUE
AMARILLO
CLINTON
LOS ANGELES
NEEDLES
FLAGSTAFF
MORIARTY
SAN JON
OKLAHOMA CITY
MEMPHIS
ATLANTA
OCÉAN PACIFIQUE
DALLAS
HOUSTON
MEXIQUE
GOLFE DU MEXIQUE

Vingt-quatrième chapitre

Si près et pourtant si loin

Jour 793
Los Angeles, Californie, USA
Le 14 septembre 1996

Après exactement deux ans et deux mois de voyage, je m'apprête à enfourcher ma bécane pour traverser les États-Unis, la dernière étape de mon tour du monde. Je suis craintif et mes tripes veulent exploser, c'est la chamaille entre mon corps, mon cœur et mon esprit. Je me

Ma première nuit de camping aux États-Unis!

sens comme un taureau de rodéo avant qu'on ouvre la cage. Je sais que je pourrai y arriver, mais j'ai peur de la souffrance, des peines et des misères qui accompagnent la réussite.

Il n'y a plus qu'une longue ligne droite qui me sépare de la réalisation complète de mon rêve. Je ne suis plus qu'à 6 000 kilomètres de la ville qui donnera un nom à tout ce que j'ai enduré. Je me revois étendu sur le lit de l'auberge de jeunesse de Dijon à souhaiter si fort qu'on me laisse une seconde chance. Cette pensée me fouette. Je pense à ma famille et à tous mes amis qui attendent mon retour et j'enchaîne les premiers coups de pédale. Direction Chicoutimi.

Jour 797
Désert de Mojave, Californie, USA
Le 18 septembre 1996

Je roule depuis quelques jours et je me réveille courbaturé. Mon épaule droite me fait si mal la nuit que la douleur m'empêche de dormir. Accroupi sur un guidon huit heures par jour finit par fatiguer mes muscles, surtaxer mes tendons et favoriser l'apparition de tendinites.

Qui a dit que les vents dominants viennent de l'ouest? Je les ai en pleine face depuis trois jours. La température tourne autour de 35°C et le soleil frappe comme une masse. Je suis dans le désert de Mojave, et pour ceux qui croient qu'un désert, c'est plat, c'est la place parfaite pour refaire son éducation. Je sillonne une série de faux plats entrecoupés de montagnes affaissées. Avec ce vent de face, j'ai l'impression de toujours monter. L'angoisse prend le dessus lorsque la fatigue de fin du jour s'installe et qu'il n'y a toujours rien à l'horizon. Le désert, c'est une mer sans vie sauf que la tranquillité de la mer apporte la quiétude tandis que celle du désert, l'inquiétude.

Jour 798

Needles, Californie, USA - Le 19 septembre 1996

Ces derniers jours ont été très difficiles. Je m'arrête ici, à Needles, le long de la rivière Colorado, tout juste à la frontière de l'Arizona. J'ai besoin d'une journée de repos.

Je m'étais convaincu que ce serait facile et me voilà victime de mon manque de préparation mentale. Je retombe sur terre et ça cogne dur. Je suis dans une phase critique. Quand je regarde tout le chemin qu'il me reste à parcourir, j'ai le sentiment de creuser ma tombe. Je suis impatient d'arriver et chaque kilomètre me pèse. J'ai l'impression de n'être qu'une machine à pédaler. Le ressourcement que j'obtenais de l'apprentissage d'une nouvelle culture, de nouveaux mets, de nouvelles religions et de nouvelles coutumes a disparu. Je n'ai plus que les décors pour me recharger, et à force de rouler en plein désert, mes batteries se vident rapidement.

Jour 800

Kingman, Arizona, USA - Le 21 septembre 1996

5 h 40 et je roule, pressé de partir et d'arriver. Je quitte la verdoyante vallée du Colorado pour entrer en Arizona, dans le «Grand Canyon State». Dès le départ, un col de 1 060 mètres m'attend. Ma bicyclette pèse une tonne. Il faut croire que j'aime me prendre pour un mulet. À quelques kilomètres du sommet, j'ai une vue plongeante sur toute la vallée. Je m'arrête au village fantôme d'Oatman, construit en 1906 par les chercheurs d'or. Sa rue princi-

pale s'étend sur 600 mètres et reflète bien l'image que l'on se fait du far west. Des enseignes comme *Tavern, Bank, Barber shop, Hotel* sont encore clouées sur les constructions de bois en décrépitude. Il y a même les typiques touffes d'herbe séchée qui tournoient au vent. Il ne manque que le battement des portes de taverne pour croire qu'il s'agit réellement d'un village fantôme.

Après l'ascension, une descente de 15 kilomètres m'amène sur une autre plaine suffocante. Alors que je suis en train de fondre, mon oasis se dessine: un restaurant. Ils sont rares mais toujours les bienvenus. J'ai encore cette insupportable douleur à l'épaule droite. Après une nuit de repos, ça peut aller, mais plus la journée avance, plus la douleur s'intensifie.

En fin de journée, en changeant de vitesse dans une pente, ma chaîne s'enroule autour du pédalier. Il n'y a jamais de bons moments pour ces incidents. Le soleil va bientôt se coucher et il me reste une quinzaine de kilomètres à franchir avant d'arriver à la seule halte de cette partie du désert. Paniqué, j'essaie de la décoincer en la forçant; mais si elle casse, je serai piégé. Je prends quelques minutes pour retrouver mon calme, je respire profondément et je démonte le pédalier. En moins de dix minutes, me voilà de nouveau sur mes roues.

Comme les poids lourds chargés de marchandises, je quitte l'autoroute et me dirige vers le *truck stop*. Collés les uns sur les autres sur des centaines de mètres, ces monstres de la route, le moteur toujours ronronnant, s'arrêtent pour la nuit. J'apprécie énormément ces haltes du désert, car non seulement on y mange bien, mais je peux me servir des boyaux à radiateur pour prendre une douche. Vêtu uniquement de mon cuissard moulant, je me savonne abondamment pour enlever toute la crasse et la poussière collées à la crème solaire. Les gens me regardent et se demandent en silence qui peut bien être cet énergumène qui se lave les os.

Après un copieux repas, je pose ma tente au milieu de ce champ de bitume où il n'y a pas un seul carré de pelouse. J'ai fait 112 kilomètres et plus de 1 500 mètres de montée. Je suis exténué, et alors que je m'apprête à me réfugier sous mon abri de toile, un camionneur, croyant bien faire, me conseille de prendre garde aux serpents à sonnettes. «Il y en a partout dans cette région.» «Merci du conseil, mais la fermeture de ma tente ne fonctionne plus.»

Une douche improvisée fort appréciée.

En d'autres termes, les serpents à sonnettes n'auront pas besoin de sonner pour entrer. Et si l'un d'eux doit sonner la fin de mon voyage, eh bien, amen.

Jour 806

Winslow, Arizona, USA - Le 27 septembre 1996

Hier, j'ai visité le Grand Canyon et il est à la *profondeur* de sa réputation. Pour la circonstance, le coucher de soleil, qui projetait des couleurs de feu sur les rochers, a été suivi par une éclipse totale de lune. Cachée du soleil par la terre, la lune s'est transformée en un halo laiteux avant de reprendre sa brillance au milieu d'un ciel rempli d'étoiles.

Ce début de journée est beaucoup moins poétique. Un

Entre ciel et terre.

fort vent du nord fait chuter la température sous le point de congélation. Je suis transpercé par le froid. Mon vêtement thermal ne réussit pas à me réchauffer. Je recours à ma bonne vieille technique du papier journal. Avec ça, j'arrête de grelotter comme une poule mouillée.

Mon trajet est tracé d'avance: Arizona, Nouveau-Mexique, Texas, Oklahoma, Missouri, Illinois, Indiana, Ohio, Pennsylvanie, New York, Ontario, Québec et la maison.

Jour 808
Chambers, Arizona, USA
Le 29 septembre 1996

Cher désert: on gèle la nuit et on rôtit le jour.

Après avoir roulé 130 kilomètres, il ne m'en reste plus que 40 pour franchir la frontière du Nouveau-Mexique. Ces calculs répétitifs m'encouragent. Chaque jour, je dois contrôler ma hâte de savourer l'arrivée pour éviter de surdoser mes efforts. Je souhaiterais tant me fermer les yeux et me réveiller miraculeusement à quelques kilomètres de chez moi.

Jour 809
Mesita, Nouveau-Mexique, USA
Le 30 septembre 1996

Mon intuition m'a bien servi jusqu'à maintenant, mais aujourd'hui, c'est son jour de congé. Arrivé à Laguna, en fin de journée, après avoir roulé 125 kilomètres, quelque chose me pousse à poursuivre. Logiquement, je devrais m'arrêter ici. Malgré la fatigue, je roule jusqu'au village de Mesita, quelques kilomètres plus loin.

Mesita est une réserve indienne et l'enseigne posée à l'entrée du village diffère des mots habituels de bienvenue: «Strictement défendu de séjourner sans permission sur la réserve sous peine d'amende.» Je n'ai aucune idée de la sévérité de la peine. J'ai presque envie de faire comme si de rien n'était, mais, à bien y penser, j'ai besoin d'eau pour cuisiner. Aussi bien demander, du même coup, la permission de séjourner pour la nuit et l'utilisation d'un boyau d'arrosage pour prendre ma douche.

Comme s'il s'agissait d'un jeu où l'on doit choisir la maison gentille du village, je passe une dizaine de minutes à sillonner les rues avant de tenter ma chance. Après les présentations d'usage, on me donne de l'eau. Mon discours ne suscite aucune sympathie et j'abandonne l'idée de la douche. Je me risque toutefois à demander la permission d'installer ma tente quelque part, n'importe où. «Vous devez demander à l'officier.» Je suis fatigué et impatient. J'ai faim et j'ai hâte de me coucher. Je n'ai aucune envie de me conformer à tout ce semblant de bureaucratie indienne. «Il habite la maison blanche derrière le gros arbre.» Sans trop savoir ce qui me pousse à me soumettre à cette loi débile, je me rends à la petite maison blanche pour me faire dire, par une vieille Indienne, qu'elle n'est pas l'officier du village. Après un rapide coup de fil, elle m'indique la route à suivre: «Prends ce chemin qui monte au village et va rencontrer Philap Camaja. Il demeure juste devant l'église.»

Je reprends ma bécane, en route vers la maison du grand chef. Un chemin de gravier. No problem, man. J'ai passé six semaines dans du gros concassé au Cachemire; un petit 800 mètres ici, je fais ça les doigts dans le nez.

Mais cette fois le mauvais sort m'attend de pied ferme; mon pneu éclate. J'aurais dû le savoir: une crevaison, ça survient en fin de journée, quand je suis fatigué ou quand il pleut. Pas de panique. Je sais que j'ai une bonne étoile et qu'elle me réserve souvent une récompense après une malchance. Je monte lentement les 400 derniers mètres à côté de mon vélo en étant convaincu que le «big chief» m'accueillera comme un grand explorateur venu d'Europe avec ses coffres remplis de whisky et d'armes à feu.

Je frappe à la porte. Une dame vient me répondre. Elle marmonne quelques mots incompréhensibles vers le fond de la pièce. Philap Camaja n'est pas là. Je décide d'attendre le chef, le vrai.

J'enlève tout mon bagage arrière, la roue, et finalement le tube. Il y a des trous partout. Trois, juste au premier coup d'œil. Alors que j'entreprends la réparation, une crampe intestinale me traverse le ventre comme un courant électrique, et les deux litres d'eau que j'ai enfilés d'un trait avant d'arriver au village me donnent une envie à me couper en deux. Plutôt mourir que d'aller demander la charité à cette ingrate qui m'observe de sa fenêtre.

J'ai mon coup de mort quand le chef arrive. Pour se ressembler comme ça, ils doivent s'aimer d'un grand amour, ces deux-là. «Tu peux mettre ta tente sur le terrain de base-ball, mais pas plus.» Sans trop savoir comment, je répare mon pneu et je réinstalle mes sacoches avant de mettre fin au supplice sur le terrain de base-ball – dans la zone des circuits. Soulagé, je monte ma tente par un vent de tornade. Je n'ai plus la force ni l'envie de préparer mon repas. À vrai dire, je n'ai même plus faim. Je change d'État demain; c'est ma seule consolation.

J'ai su trop tard que Camaja n'était même pas le chef de la réserve.

Jour 810
Albuquerque, Nouveau-Mexique, USA
Le 1er octobre 1996

Faire le tour du monde, ça se dit vite, mais c'est un peu plus long pour le faire. Mon destin n'en avait pas encore fini avec moi. Il m'accordait tout simplement une nuit de répit!

Une journée magnifique se prépare. Je me rends à mon vélo qui est barré contre une clôture, pour m'assurer que les réparations de la veille tiennent toujours bon.

Non. C'est pas vrai. J'ai une autre crevaison, cette fois, à l'avant. J'ai une faim de loup, mais je ne mangerai rien avant d'avoir réparé ce pneu de malheur et quitté ce trou maléfique.

Je n'ai plus de tube de rechange; il me faut réparer celui qui est en place. Il est criblé de minuscules trous et je n'ai toujours que cette vieille colle qui date de l'Iran. Comble de malheur, de nouveaux trous réapparaissent lorsque je regonfle mon pneu. Il faut tout recommencer. Ce cycle infernal dure deux heures et demie. Je plie bagages à la vitesse de l'éclair et j'ai si peur que mon vélo touche le sol que je le porte sur mon épaule jusqu'à la sortie du village, là où la route est asphaltée. Je fais la navette pour apporter tout mon attirail. Les passants doivent bien se demander à quoi sert un vélo si on est obligé de le transporter sur son dos. Je suis enfin prêt à partir, tout y est.

Eh oui. Le pneu arrière, dont je ne me souciais plus, dégonfle lentement. Je le regonfle à moitié en espérant qu'il tienne le coup. S'il le faut, je recommencerai l'opération tous les 5 kilomètres. Je me croise les doigts en implorant mon ange de me laisser en paix quelques heures, juste assez pour me rendre à la prochaine ville, Albuquerque.

Soixante kilomètres plus tard, les yeux toujours rivés sur mes roues, je franchis les limites de la ville. J'arrête au premier resto en vue. Le menu du jour est un pain de viande. J'ai tellement faim que je mangerais même du vieux chien écrasé. Je suis concentré sur mon repas quand une dame indienne s'approche de moi. «Je suis de Mesita, je t'ai vu sur la route ce matin, je te trouve très courageux!» Je lui raconte brièvement mon voyage, et avant de me quitter, elle me dit tout bonnement: «Ne t'en fais pas pour ton repas, je m'en occupe!» Surpris, j'ai à peine le temps de lui envoyer la main qu'elle est déjà partie.

J'entre dans la ville pour me procurer de la colle et surtout trois nouvelles chambres à air. Le commerçant de vélo est mort de rire quand je lui raconte mes déconvenues. «Bienvenue au Nouveau-Mexique, le paradis des crevaisons.» Il détache un petit sachet, épinglé au mur, contenant de courtes épines aussi effilées que des aiguilles. «Voici la cause de tes problèmes! Elles collent et vous suivent partout où vous allez, c'est pourquoi on les appelle les «hitch hickers». Elles proviennent d'un arbrisseau qui est unique au désert et se retrouve en dehors des chaussées pavées.» Pour éviter d'autres crevaisons, on me conseille d'acheter une chambre à air super résistante, spécialement conçue pour les États désertiques. Avec une telle pièce de caoutchouc aussi épaisse qu'un condom pour gorille, je n'ai plus rien à craindre.

Je parcours 32 kilomètres avant de sortir partiellement de la zone urbaine. Après une bonne douche directement du boyau d'arrosage d'un poste d'essence, je déniche un petit parc, tout près de la route, et j'attends qu'il fasse noir avant d'aller m'installer. J'évite ainsi les problèmes avec les flâneurs et les policiers.

Moi qui croyais en avoir fini avec les montagnes. On vient de me dire qu'il y a une montée de 24 kilomètres, tout juste à la sortie de la ville, et que ça descend ensuite jusqu'au Mississippi. C'est une farce ou quoi? Le Mississippi se trouve encore à 1 200 kilomètres. Je ne vois pas comment ça pourrait descendre si longtemps à moins d'aboutir dix mille lieux sous les mers!

Jour 811
Moriarty, Nouveau-Mexique, USA
Le 2 octobre 1996

Au beau milieu de la nuit, une pluie torrentielle se met à tomber, tomber et tomber. Il pleut si fort que je n'arrive pas à me rendormir. Après à peine quelques minutes, l'eau s'infiltre sous ma tente et imbibe mon matelas de sol. En peu de temps, le plancher se tranforme en une vraie pataugeuse. Mon sac de couchage et mes sacoches remplies de vêtements baignent dans l'eau. Elle vient de partout, d'en haut d'en bas, je ne sais plus. C'est d'autant plus bizarre que je n'ai pas l'impression que les camions roulent sur un pavé mouillé. Je décide d'en avoir le cœur net et je me pointe le nez dehors. Je n'en crois pas mes yeux. Je me trouve au centre de cinq arrosoirs à pelouse. Pas ceux qui font «chik e chik e chik e chik» sans arrêt mais plutôt ceux qui, sans aucun bruit, envoient en l'air l'équivalent d'un boyau de pompier. Comme ils sont dissimulés sous le sol, je ne pouvais les voir en montant ma tente. De la haute technologie. Le plus frustrant, c'est qu'ils sont placés exactement là où je me trouve et pas ailleurs. Et moi qui me méfiais des flâneurs et des policiers.

Jour 812
Santa Rosa, Nouveau-Mexique, USA
Le 3 octobre 1996

Je suis debout deux heures avant le lever du soleil. J'ai dormi comme un ange. J'ai faim. Après avoir avalé six œufs, des fèves au lard, du pain, du beurre d'arachides, un litre de lait, une banane, une pomme, des protéines en poudre et deux tablettes de chocolat, je repars en «œuf». La nature poursuit son combat et moi le mien. Ce matin, je pédale dans le brouillard. Ça monte tellement que je me demande si je ne suis pas en train d'aller au ciel. Dire que ça devait descendre jusqu'au Mississippi!

Je suis prêt pour la guerre. Cent vingt-deux kilomètres dans le froid. Demain, j'attaque Tucumcari et ensuite, la frontière du Texas. Ce soir, la nuit s'annonce froide, sûrement la plus froide depuis longtemps.

Jour 813
San Jon, Nouveau-Mexique, USA
Le 4 octobre 1996

Enfin, une vraie journée de cycliste, un léger vent de dos en quittant les montagnes, peu de trafic et une température idéale. Malgré deux crevaisons, j'en profite pour me farcir 148 kilomètres et compléter ma traversée du Nouveau-Mexique.

Demain, en quittant les États du Sud-Ouest, je change d'heure et j'entre dans le Texas. C'est un signe tangible que j'avance.

Jour 814
Vega, Texas, USA - Le 5 octobre 1996

Il y a des jours où j'ai l'impression qu'il n'y a plus rien pour m'arrêter et d'autres où j'ai le goût de crier: «Maman, viens me chercher!» J'ai essuyé un orage électrique cette nuit. Ma tente a été submergée. Il pleut toujours à boire debout. Je suis mouillé. Tout est mouillé. On vient de m'annoncer que tout le centre-ville d'Albuquerque, là où j'étais il y a trois jours, est inondé et que la route qui traverse la rivière est fermée. Il a plu là-bas sans arrêt ces trois derniers jours et nous recevons ici la queue de la tempête. Si j'attends qu'il fasse beau, j'arriverai chez moi en l'an 2000.

Vêtu d'un sac de poubelle renforcé de ruban adhésif, j'entre dans les plaines dorées du Texas. Étrangement, comme si le gros nuage gris chargé de me rendre la vie si difficile avait été intercepté à la frontière, le soleil réapparaît.

Je rencontre un cycliste qui a fait plus de 50 000 kilomètres aux États-Unis. Il m'assure que jamais je ne me rendrai à Montréal avec le temps qu'il fera d'ici novembre. «File plutôt vers le sud pour l'hiver, tu ne te rendras jamais au nord. Tu seras pris par la neige avant même de t'en rendre compte! J'espère que tu as l'équipement pour le camping d'hiver parce que ce sera froid, très froid!» Il est d'Austin au Texas et j'imagine qu'il doit être frileux, du moins je l'espère. Rien ne m'encourage plus que de me faire dire que je n'y arriverai pas. Ça me motive et, curieusement, ça me prépare mentalement pour le pire. Je suivrai quand même son conseil et je bifurquerai vers le nord avant le Tennessee pour éviter les Appalaches. Je devrai aussi me procurer des vêtements chauds, car je n'ai plus que le matériel d'été que j'ai utilisé en Asie. J'avais traversé le Canada en 30 jours et je n'avais pas anticipé que mon rythme serait si lent. Les jours raccourcissent et je n'ai plus la fougue ni l'énergie pour pousser la machine à fond de train. J'arriverai certainement un mois plus tard que prévu, soit à la mi-novembre - au début de l'hiver.

Au Texas, je retrouve le décor des prairies canadiennes que j'ai déjà traversées à vélo. Tout est plat. Des silos à grain, dispersés ici et là, sortent de l'horizon. Dans ces plaines, où la distance perd son nom, les kilomètres paraissent des milles et les minutes des heures. Je n'ai pas l'impression d'avoir roulé, même après 90 kilomètres. Je m'arrête. Je suis las. J'ai besoin d'une journée de congé, mais je ne la prendrai sûrement pas dans ce bled où habitent quelques nostalgiques encore attachés à ce village autrefois prospère.

Jour 815

Groome, Texas, USA – Le 6 octobre 1996

Le bris de ma chaîne me force à terminer la journée après la tombée du jour. Les fins de journée sont de plus en plus pénibles et laborieuses. Un ami m'a fait un cadeau en argent pour que je puisse dormir à l'hôtel, mais à 55 $ la nuit, je me réserve ce luxe uniquement pour mes jours de congé. Ce soir, je planterai ma tente derrière la station-service fantôme du village, mais demain, à la première heure, j'irai à l'hôtel. Ce sont mes oasis de confort dans ce désert de kilomètres où j'en profite pour m'allonger sur un vrai lit à écouter de la musique tout en étudiant les cartes routières.

À ma grande surprise, le boyau d'arrosage de la station fonctionne. Mon corps a sûrement repris son métabolisme nordique pour endurer cette douche à l'eau glaciale, au grand vent.

Vingt-cinquième chapitre

Les anges n'ont pas tous des ailes

Jour 818

Clinton, Oklahoma, USA - Le 9 octobre 1996

Au revoir Texas et bienvenue Oklahoma. Finis les champs à perte de vue. Le terrain est vallonné et parsemé d'arbres. Je regarde le soleil se coucher. Je suis songeur et je ne peux m'empêcher de penser à tout le chemin que j'ai parcouru depuis 2 ans, 2 mois et 25 jours. Je suis paisible et je vois tranquillement le couronnement de mes efforts. Je sais que je peux y arriver, mais le prix à payer est de plus en plus difficile à supporter. Hier, j'ai connu une journée sans anicroche, mais aujourd'hui, je me suis battu contre une tornade. Ces journées me vident. Ça démoralise et ça tue de lutter contre le vent, cet adversaire invisible et cruel. Lorsqu'il se déchaîne, rien ne peut lui résister, pas même le plus entêté des cyclistes.

Jour 821

Chanders, Oklahoma, USA - Le l2 octobre 1996

C'est pénible et j'en arrache. Le vent veut ma peau. On dit qu'il vente toujours ici. À en juger par les éoliennes qui bordent les routes, je sais qu'on ne ment pas. Pour la première fois ce matin, j'aimerais mieux rester couché. Ma flamme vacille.

Les jours qui suivent me pèsent comme si je devais grimper l'Himalaya... sur une seule roue. Je souhaiterais que cette torpeur disparaisse à mesure que rétrécit l'écart qui me sépare de la maison, mais c'est le contraire. Quand je pense à mon retour, je deviens survolté; lorsque je retrouve la réalité, je m'écroule.

Jour 823
Vinita, Oklahoma, USA - Le l4 octobre 1996

J'ai une boule dans la gorge. Cette fois, j'ai vraiment l'impression que je ne pourrai pas terminer, fermer la boucle. Je suis au bout du rouleau. Continuer ne fait que creuser le fossé qui me sépare de mon objectif. Je croyais prendre un repos dans deux jours, mais je n'ai pas la force de continuer. Il faut que j'arrête ici. Je me rends à l'hôtel le plus proche, après on verra. Comme je me sens loin de la maison.

Jour 825
Vinita, Oklahoma, USA - Le 16 octobre 1996

Je suis toujours à Vinita. Après deux jours de repos complet, j'ai la tête remplie de questions sans réponse. Je réduirai la distance quotidienne de 110 à 85 kilomètres. Finies les journées de 150 kilomètres. Finis les repas de camping, je n'ai plus l'envie ni l'énergie de les préparer. Je dois utiliser toutes mes ressources, même financières. Et je triple mes doses de vitamines.

Avant de me quitter à Téhéran, Jean-Pierre m'a dit: «Courage, car tout ce qui ne tue pas, renforce.»

Je repars demain à la première heure.

Jour 826

Neosho, Missouri, USA – Le l7 octobre 1996

Je suis pris d'une crise d'angoisse intenable. J'ai appelé Caroline; elle n'est pas chez elle.

J'ai quitté Vinita par une belle journée chaude et voilà que je me retrouve encore dans un froid glacial. La température a chuté de 25°C à 5°C. On annonçait cette vague de froid, mais jamais je n'aurais cru qu'elle déferlerait si brutalement.

Ça n'a aucun sens de me mettre dans un état physique et mental aussi lamentable. J'implore mon ange de me donner un signe: «Si tu es avec moi, fais-le-moi savoir et je poursuivrai, sinon j'abandonne. Je ne peux terminer ce voyage par mes propres forces. S'il vous plaît, j'ai besoin d'un signe.»

Je cherche un terrain vacant pour poser ma tente. Le soleil tombe et la nuit s'annonce froide. Mon choix s'arrête sur l'arrière d'un dépanneur. Le gérant m'accorde la permission de camper sans trop comprendre ce que son terrain a de si particulier. La pelouse est comme un champ de pommes de terre. Je m'en fiche. Je veux dormir pour oublier, oublier que tous ces efforts ne verront jamais le couronnement que je souhaitais depuis le premier coup de pédale. J'abandonne.

Ma tente faseye sous ce fort vent du nord. La mort dans l'âme, comme un automate, je décharge mon vélo. Je n'ose confronter mon regard à ceux des passants qui sont intrigués par ma présence. Je ne saurais leur dire que mon voyage s'arrête ici. Je baisse la tête devant les quelques sourires qu'on me lance. Qu'on me laisse! Je veux être seul pour vivre cette douleur que je ne saurais partager.

«Tu peux venir chez moi si tu veux!» La larme à l'œil, je rejette froidement son offre. Il insiste: «Il va faire très froid cette nuit!» Quelques secondes s'écoulent avant qu'il poursuive. «On te servira un repas, tu pourras prendre une douche et dormir dans un bon lit chaud. Si tu veux, je peux t'aider à mettre tes bagages dans le coffre de la voiture et tu me suivras en vélo jusqu'à la maison.» Ému, je place tout mon attirail à l'arrière de sa voiture et je le suis.

Jour 827
Neosho, Missouri, USA - Le 18 octobre 1996

Me voilà rescapé des ténèbres. Mon ange m'a encore entendu.

Après une douche chaude, un deuxième souper en la chaleureuse compagnie de ce couple, et une nuit réparatrice, je me réveille au son de la musique, avec l'odeur exquise du bacon. Il est 6 h et déjà nous poursuivons les conversations inachevées de la veille. Je leur raconte tout. Ils sont des mordus du cyclotourisme et s'intéressent non seulement à mon récit mais aussi à mes malheurs. Ils me comprennent et trouvent les mots pour me rassurer. L'atmosphère est sereine. Il y a des lunes que je ne me suis senti aussi bien.

Kelly me répète sans cesse qu'il est heureux de m'avoir rencontré. Il demande à sa femme de nous prendre en photo pour prouver à ses copains qu'il a hébergé un gars qui a fait le tour du monde à vélo. Comme si leur accueil n'était pas suffisant, il revient avec une pile de vêtements: un ensemble de goretex, des gants de ski et un passe-montagne en laine polaire. Tout pour affronter l'hiver. Je n'en crois pas mes yeux. Je regarde sa femme, incrédule. Elle me répond tout bonnement que son mari a pris du poids, que ces vêtements ne lui vont plus, et qu'il semble si heureux de me les offrir que je dois les accepter. Peu importe si la taille n'est pas parfaite, je suis aux anges. J'ai l'air d'un gamin qui vient de recevoir un camion Tonka pour son anniversaire. «Nous sommes heureux de contribuer à la réalisation de ton rêve», me disent-ils. Et ils me serrent dans leurs bras comme si j'étais leur fils.

Kelly m'accompagne à vélo pour sortir de la ville. Je lui donne une dernière fois l'accolade. «Si je termine ce

Mes amis de Neosho: les anges n'ont pas tous des ailes!

voyage, dis-je, bouleversé, ce sera grâce à vous!» Je voudrais lui dire des millions de mercis, mais il m'interrompt. «Tout le plaisir a été pour nous.» Et comme il est très croyant, il ajoute: «Prends bien soin de toi et que Dieu te bénisse.»

Par cette glaciale matinée d'automne où tout est givré, je reprends la route. Hier, j'étais seul. Aujourd'hui, je ne le suis plus.

Jour 829
Rolla, Missouri, USA - Le 20 octobre 1996

«À force de vouloir sans cesse aller de l'avant, on finit par ne plus être capable d'avancer.» Je me bats contre moi-même comme je l'ai fait dans le désert de l'Iran. En

Étriqué mais bien au chaud, je repars confiant. Plus que 3 000 kilomètres

quittant Neosho, j'ai pris une résolution qui m'interdit pendant dix jours de me situer sur une carte, de calculer la distance qu'il me reste à faire, de regarder ma montre. J'ai encore moins le droit de rêver à mon arrivée. Quand j'ai faim, je mange et quand je suis fatigué, j'arrête, peu importe l'heure. Ce n'est pas facile de respecter la consigne, alors que ces rêveries ont fait partie de mon quotidien pendant tout le voyage. J'ai complété trois jours en respectant cette façon de faire et il m'en reste sept. C'est la seule chose que je peux compter: les jours de ma résolution.

Jour 831
St. Louis, Missouri, USA - Le 22 octobre 1996

Après une nuit sous les éclairs à me demander si je ne serai pas électrocuté, j'oublie mon casque de vélo dans le portique d'un restaurant. J'étais si emmitouflé sous les sacs de plastique que j'ai mis 35 kilomètres avant de m'en rendre compte. Heureusement qu'un bon Samaritain canadien, rencontré à la station d'essence où j'ai réalisé l'erreur, m'a embarqué pour refaire le trajet, aller et retour. Quarante-cinq minutes plus tard, je repars, la tête bien protégée, sous une pluie si forte que la visibilité est nulle et la chaussée couverte d'eau. J'arrive tout à coup sur les lieux d'un accident. Une voiture est dans le fossé... puis une autre... et encore une autre. J'en compte huit! La route est bloquée. On sort deux blessés du ravin, tandis que le troisième est recouvert d'un drap. «Il n'avait que 15 ans...» L'ambulancier ajoute que ça vient d'arriver - il y a à peine 45 minutes. J'aurais pu être du nombre.

Cette image me marque et je n'arrive pas à la quitter des yeux. C'est alors que deux policiers me crient: «Enlève-toi du chemin, tu vas te faire tuer!» Leurs traits s'adoucissent quand je leur dis que je suis canadien et que je cherche la meilleure route à suivre. Ils discutent brièvement entre eux et m'informent que la route secondaire est en très mauvais état et qu'elle n'a pas d'accotement. Elle n'est pas plus sécuritaire. Ils me permettent donc de continuer sur l'autoroute. «Fais de ton mieux pour rester à l'écart, à 50 milles à l'heure, ça ne prend qu'un pouce d'eau pour qu'une voiture fasse de l'aquaplaning et te frappe!» Je jette un dernier coup d'œil sur le gamin au fond du précipice et je reprends la route.

Effrayé par tout ce qui est arrivé, épuisé par la peur et par ces 93 kilomètres sous une pluie torrentielle et des vents déracinant les arbres, j'arrive finalement chez les amis de Kelly qui m'attendent à bras ouverts. Quel bonheur de me retrouver à nouveau dans une vraie famille. Ça ne pouvait mieux tomber, car on annonce ce temps de chien pour encore quelques jours. J'ai retrouvé ma confiance. J'ai bon espoir de réussir, mais il me reste encore cinq jours avant d'avoir le droit de rêver.

Je changerai d'heure pour la dernière fois dès la traversée du Mississippi, tout juste à la sortie de St. Louis. Je crois être à 2 500 kilomètres de la maison. Oups! Je me rappelle à l'ordre, j'ai déjà oublié ma résolution! Bravo quand même!

Jour 841
Fayette, Illinois, USA - Le 1er novembre 1996

Je campe dans un relais pour routiers. Deux inconnus viennent secouer ma tente en me disant que je n'ai pas le droit de rester là. Je saute dans mes vêtements en vitesse, confiant de pouvoir régler ce malentendu sur place. Mais ces deux tâcherons ne peuvent rien pour moi et me réfèrent au patron qui est à l'intérieur.

Calmement, comme j'ai l'habitude de le faire, je lui raconte brièvement mon aventure et lui dis que j'utilise ces relais depuis le début de mon voyage, sans jamais avoir été embêté. C'est la raison pour laquelle je n'ai pas demandé de permission. Après tout, qu'est-ce qu'une petite tente peut changer sur un si grand terrain bondé de camions? Avant même que je termine mon discours, il se met à rugir que son stationnement n'est pas un camping. Je le supplie de faire exception pour cette nuit et je lui promets même de partir très tôt demain matin. Il ne veut rien entendre. Pire encore, il ne veut même pas m'écouter.

Une des nombreuses crevaisons.

Il ne cesse de répéter que ce n'est pas son problème et m'ordonne de lever les feutres. Il fait un temps glacial à l'extérieur, tout mon matériel est en place pour la nuit, je suis crevé et je n'ai aucune idée où je pourrai m'installer à cette heure tardive. Je sens la colère qui monte en moi. J'essaie encore une fois de l'attendrir, mais rien à faire. Je me sens ridicule de m'humilier ainsi devant une pareille buse. Tant qu'à partir, aussi bien me faire plaisir et lui dire ma façon de penser. Je ne me gêne tellement pas qu'il appelle la police.

Je retourne à la tente pour tout démonter. Au moment de quitter, une voiture patrouille arrive sur les lieux et m'intercepte. Après une brève discussion avec le propriétaire, le policier revient en me disant qu'il est en droit de refuser car il est chez lui. «Ça, je le savais, mais il aurait pu comprendre et ne pas être aussi borné.» J'ai l'estomac comme une boule de quille.

Je repars avec mes bagages empilés sur le vélo. J'ai l'allure d'un clochard, mais je pique la curiosité d'un jeune. Je lui donne la version très abrégée de ma situation et il m'obtient la permission de camper sur le terrain du McDonald's, géré par son copain. J'ai droit à un deuxième souper contre une version plus élaborée de mon récit, et on m'offre d'avance le petit déjeuner. J'adore lorsque mon ange est au poste. Il est d'une efficacité sans pareil.

Jour 843
Lafayette, Ohio, USA - Le 3 novembre 1996

J'ai forcé la note pour arriver jusqu'ici, mais ça valait la peine. La gérante de la seule taverne en ville s'intéresse à mon histoire pendant que les hommes, accoudés au bar, sont captivés par le match de football. Elle me déclare son héros, et les hommes délaissent quelque peu le petit écran. Ils sont impressionnés, eux aussi, par mes prouesses. Chacun renchérit de ses propres exploits en mentionnant toutefois qu'il s'agit de peccadilles si on les compare aux miens. Ils ont franchi le même trajet américain, en moto, et ils l'ont trouvé long. Je ne m'attendais pas à une telle popularité dans ce petit bled perdu de l'Ohio, mais je les laisse volontiers me flatter. Un repas gargantuesque atterrit devant moi sans que j'aie commandé quoi que ce soit.

Un «doggy bag» vient à ma rescousse avant que j'explose. Le repas terminé, je me retrouve dans les cuisines. Je me sens chez moi. Les derniers remerciements formulés et les poches pleines à craquer de toutes sortes de gâteries, je quitte les cuisines fumantes et la chaleur de ces gens pour retrouver une tente glaciale et la solitude.

C'est à ce moment que le ciel me tombe sur la tête. J'ai oublié mon sac de linge propre à l'intérieur et tout le monde est parti. Pris de panique, je tourne en rond comme un chien en cage. Chaque demi-journée est comptée. Si j'attends l'ouverture à onze heures demain matin, jamais je n'aurai le temps de me rendre à Cleveland. Je cours à la station d'en face pour demander si on connaît le proprio. On sait qu'il s'appelle Jeff. «Mais Jeff qui?» Personne ne sait. Je refuse de croire que dans un village de 150 habitants, on ne connaisse pas Jeff. Les gens que je questionne se sauvent. Ai-je l'air d'un vagabond? Je me rends au poste de police pour me buter à une porte close. Une femme étend son linge dehors et je saute sur l'occasion pour l'interroger. Elle ne connaît pas Jeff. Mais peut-être son mari le connaît-il. J'entre tout de go dans la maison pour expliquer moi-même pourquoi j'ai tant besoin de rejoindre ce Jeff. L'homme se rend compte à quel point je suis remué. Trois coups de fil et le tour est joué. «Retourne à la taverne; d'ici une demi-heure, quelqu'un viendra t'ouvrir.» Vingt minutes suffisent pour que rapplique le Jeff en question. Je suis désolé de le déranger à cette heure. Je me couche transi par le froid. Par ma faute, par ma faute, par ma très grande faute.

Jour 844
Mentor, Ohio, USA – Le 4 novembre 1996

Ce matin, je m'habille avec du linge qui tient debout tellement il est gelé. Je pousse un cri au contact de mes cuisses sur mon pantalon de nylon et je sors de la tente en sautillant pour me réchauffer. Je ne m'habitue pas.

Les chauffards du lundi matin me donnent des sueurs froides. Je ne m'habitue pas non plus. Je roule vers Medina, là où les restaurants abondent. Je prends mon déjeuner en compagnie d'un gentil retraité qui s'occupe de la facture. Le nuage de ses Craven A est, lui aussi, offert gracieusement. Ça ne peut jamais être parfait.

Me voilà reparti sur une petite route de campagne qui monte et descend sans cesse. Puis, j'aperçois l'autoroute: une belle route avec un accotement, bien peu de circulation et, par surcroît, un vent de dos. Oui, monsieur. C'est défendu, mais je ne résiste pas à la tentation. Je jubile, mais pas pour longtemps. À peine entré, un policier m'intercepte. J'ai roulé sur plusieurs autoroutes dans le Midwest et j'ai toujours réussi à me faufiler. Cette fois, il n'y a rien à faire.

J'ai beau répéter que les foutues routes secondaires sans accotement sont mille fois plus dangereuses, c'est peine perdue. Je continuerai mon petit bonhomme de chemin à zigzaguer sur les artères pleines de trous du grand Cleveland. Je traverse finalement cette métropole d'un million d'habitants après m'être égaré à plusieurs reprises. Ma seule consolation est que je couche à l'hôtel ce soir et que je prends congé demain. Quarante-cinq dollars américains qui partent encore en fumée. Une bonne raison pour coucher souvent dehors.

Jour 845
Mentor, Ohio, USA – Le 5 novembre 1996

«Jour d'élection, jour de congé!» J'ai bien l'impression que Clinton va gagner.

Un «day off» sans vélo, ça n'existe pas. Toujours quelque chose à faire. J'ai dû pédaler 15 kilomètres pour me rendre à la buanderie.

La température est clémente, mais on prévoit de la neige pour la fin de semaine. Demain, je quitte l'Ohio pour entrer hardiment dans le dernier État américain sur ma route: New York. Je suis presque arrivé et pourtant il reste encore 1 500 kilomètres.

Ça y est, Clinton est réélu.

Jour 847
Silver Creek, New York, USA
Le 7 novembre 1996

J'ai trop hâte d'arriver et j'ai trop roulé; 123 kilomètres aujourd'hui. C'est un cercle vicieux que je commence à comprendre: plus je fais une grosse journée, plus je suis fatigué, moins je sens l'énergie pour en faire une autre, et plus je me sens loin. Mais c'est formidable de réaliser que le corps humain pardonne tout après une bonne nuit de sommeil, du moins jusqu'à maintenant.

Jour 848

Si ce n'était de mon propre poids et de celui de mes bagages alignés du même côté, ma tente s'envolerait comme un cerf-volant. Plus tard, c'est au tour de la pluie de faire ses ravages. Enveloppé dans un plastique, je somnole jusqu'à ce que les premières lueurs du jour me permettent de lever le camp.

Une journée guère plus reluisante suit cette nuit agitée. Cette basse pression a déjà causé passablement de dommages en Pennsylvanie et elle s'apprête à en faire autant dans la région des Finger Lakes. Des rivières coulent le long des chemins mal entretenus. La température oscille autour du point de congélation et rend la pluie meurtrière. Je roule plusieurs heures avant de trouver refuge dans une buanderie. Le temps de manger et de tout sécher, je repars sans trop savoir ce qui me pousse à continuer.

Je couche illégalement dans un parc, à l'écart d'un sentier que les policiers patrouillent sans relâche. Je reprends tranquillement mes esprits. Les dernières 24 heures m'ont tellement mis à l'épreuve que j'ai peine à tenir mon crayon pour écrire mon journal. J'avais offert cette journée à mon grand-père qui est à l'hôpital, c'est sans doute ce qui m'a donné la motivation de continuer.

Jour 852

Adams, New York, USA - Le 12 novembre 1996

Après avoir tant souhaité que la pluie cesse, voilà que la neige se met à tomber. On ne voit ni ciel ni terre. Quinze centimètres de lourde neige recouvrent déjà le sol. Les voitures, prisonnières de ces routes impraticables, paralysent la circulation. Les restaurants sont fermés. Déguisé en bonhomme de neige, je pousse ma bécane jusqu'à une station d'essence. Le pompiste m'accueille avec un mot de bienvenue et des encouragements mitigés: «Il est tombé 25 centimètres au Nord, mais rassure-toi, elle sera fondue avant midi.» Il avait raison.

Quelle journée, et elle n'est pas terminée! L'hôtel où je devais passer la nuit a fermé ses portes il y a quelque temps. Le proprio a été assassiné. Après 76 kilomètres à me faire éclabousser, je n'ai d'autre choix que de poser ma tente sur un tapis de neige. La température est tombée à -8°C, et, selon les prévisions, cette vague de froid se terminera vendredi, le 15 novembre, jour prévu de mon arrivée à Montréal.

Jour 853

Vers Cornwall, Canada - Le 13 novembre 1996

Je me lève en pleine tempête après avoir roulé 10 kilomètres, je sors de ce corridor de neige comme s'il existait une coupure dans le décor. Je poursuis ma route au sec, avant de monter ma tente.

Jour 854

Cornwall, Canada - Le 14 novembre 1996

«Welcome to Canada... Quelque chose à déclarer?...» Je regarde le douanier dans les yeux et lui réponds solennellement: «Je suis heureux de rentrer dans mon pays.» J'ai le goût de hurler ma joie mais son indifférence me laisse coi. D'un geste banal, comme il le fait sans doute cent fois par jour, il pose le sceau officiel et me fait signe de poursuivre. *Cornwall, Canada, 14 novembre 1996*. Ça fait deux ans et quatre mois...

Je traverse la ville en vitesse en espérant me rapprocher le plus possible de Montréal. Demain, je suis attendu par l'équipe de Radio-Canada... Il ne me reste plus que 130 kilomètres.

Jour 855
Vers Montréal – Le 15 novembre 1996

Il fait -13°C; -17°C avec le facteur vent. Après une nuit campé sur un terrain vacant aux abords du Saint-Laurent, je repars à la noirceur. Je n'aurais pas la force de subir une autre journée semblable si ce n'était la dernière avant Montréal.

Vingt-sixième chapitre

La Terre est bel et bien ronde

Jour 862
L'Étape, parc des Laurentides
Le 22 novembre 1996

Quatre jours s'écoulent à regarder défiler les interminables kilomètres...

Après les interviews radio et télé, les gens me reconnaissent et s'empressent de me féliciter. Ces encouragements me donnent des ailes. «Let's go, mon homme, t'es presque rendu!» «Pierre-Yves! Chicoutimi!» «Allez, y t'reste rien qu'un p'tit bout!» «Lâche pas, tu y es presque!» Je réalise peu à peu ce que je viens d'accomplir. C'est peut-être le rêve de plusieurs. C'est aussi le mien. Merci à tous ceux qui ont rendu ce voyage possible. J'ai le cœur gros, rempli d'émotions confuses. Je suis parti depuis si longtemps. Je rêvais du tour du monde et voilà que cette grande aventure s'achèvera bientôt. Je suis sous le choc. Les dernières semaines ont été si éprouvantes que je n'arrive pas à croire que la fin approche. J'aurais le goût d'exprimer ce que je ressens, mais quelque chose me retient. J'ai tant appris durant ce voyage; j'ai aussi tant souffert. Je ne peux crier ma joie sans que des larmes me trahissent. Je suis comme un rescapé à qui on demanderait de se réjouir. Je suis incapable de sourire sans penser à ce qu'il m'en a coûté pour arriver jusqu'ici. Mon cœur garde en vie un corps épuisé. Je n'ai plus la force de rêver. J'espère seulement passer sans incident à travers une dernière journée. Plus qu'une seule.

Ce soir, le concierge de L'Étape me prête sa chambre pour la nuit. Un cadeau du ciel offert sur un plateau d'argent. Les Québécois sont des gens extraordinaires. L'autre jour, un résidant de Grondines m'a gentiment hébergé pour la nuit. À Louiseville, un automobiliste s'est arrêté pour m'offrir 50 $ pour une nuit à l'hôtel. L'authenticité de leurs paroles dans une langue bien de chez nous n'a pas d'égal. Partout dans cette belle province, je me sens chez moi. Pourtant, je n'y serai réellement que demain...

Dernier jour
Samedi le 23 novembre 1996 - Jour 863

Après une nuit agitée, je pars plus entêté que jamais. La voie est libre. Il n'a pas neigé et je sens que la nature est de mon côté. Tout au long de ce voyage, elle m'a malmené, m'a fait subir sa puissance et sa domination. Aujourd'hui, elle accepte ma victoire. Elle tourne la page et je tournerai bientôt la mienne.

Bien campé sur ma bécane, je me sens glorieux. Rêveur, je regarde les centimètres qui défilent à vive allure sous ma roue avant. J'ai l'impression de voguer sans effort sur un océan de bitume. Mon esprit vagabonde dans une mer de tranquillité. La circulation est nulle. Paisible, je savoure ces instants de bonheur intense.

Comme si un trop grand bonheur engendrait un plus grand malheur, la température change brusquement du tout au tout. Les quelques flocons isolés qui flottaient dans le ciel envahissent maintenant le sol tout entier. À peine

10 kilomètres suffisent pour que cette mince couche de neige s'épaississe de plusieurs centimètres. Aucune trace de voiture. Je descends les pentes, une fesse sur la barre horizontale, et je laisse glisser mes deux pieds de chaque côté afin de garder l'équilibre. Je suis lourdement chargé, et l'étroitesse de mes pneus fait que je n'ai aucune adhérence. J'ai besoin de toute ma concentration pour ne pas tomber. Rouler dans de telles conditions est suicidaire.

Un bruit sourd arrive par-derrière et me sort de ma bulle. Je ne vois qu'un nuage blanc duquel s'échappe un grondement qui me fiche une peur bleue. Je n'ai pas fait le tour du monde pour me faire écraser par une déneigeuse à deux pas de chez moi. Je m'écarte vivement et agite les bras pour signaler ma présence. Le conducteur ralentit son train d'enfer, mais passe si près de moi qu'une vague de neige vient me cimenter au sol. J'en ai jusqu'aux cuisses sans compter celle qui s'est frayée un chemin dans mon dos et même jusque dans mon cou.

La neige tombe toujours à plein ciel et le trafic qui s'intensifie me donne des angoisses supplémentaires. Comme je roule au centre de ma voie pour profiter des roulières, je force les voitures à me contourner dangereusement. Lorsqu'il s'agit de véhicules lourds, je me lance sur l'accotement, au risque de me blesser. Malgré mon entêtement à vouloir accélérer la cadence, les kilomètres me paraissent interminables. C'est insensé de poursuivre. Je suis engagé dans une partie de roulette russe et je ne peux déclarer forfait. C'est plus fort que moi.

Un policier arrive en renfort pour m'escorter. Il prétend avoir reçu des appels de camionneurs jurant avoir vu un fou à vélo sur la route. Il m'escorte sur une quinzaine de kilomètres en roulant derrière moi.

Mon frère François arrive à ma rencontre pour prendre la relève. Il remercie le policier puis me regarde avec fierté. Son sourire en dit long. Je suis heureux de le revoir, mais je reste préoccupé par ce qui m'attend. J'ai peur que la chance ne me quitte au dernier moment. Peur que mon ange, épuisé lui aussi, m'abandonne dans les griffes du diable.

En temps normal, je m'arrêterais pour la nuit, mais aujourd'hui, je troque ma vie pour la folie.

«Chicoutimi, 21 kilomètres.» Anesthésié par le stress de la route, je mets quelques minutes à réaliser ce qui m'arrive. Je me répète sans cesse que j'ai réussi. J'ai parcouru le monde grâce à ma seule force. Si je laissais couler toutes les larmes que j'ai refoulées en pensant à cet instant, ce serait un autre déluge pour la région. Heureusement, j'ai le cœur à la fête. Je suis allé au bout de mon rêve. Par la grâce du ciel et de tous ceux qui m'ont envoyé de l'énergie, je reviens sain et sauf.

13 h 30 – J'arrive au club de golf, à 10 kilomètres du centre-ville de Chicoutimi. Ma famille et mes amis sont rassemblés le long de la route. La radio, les journalistes, la télévision, tout y est. Je ne m'attendais pas à un si bel accueil. Ça me fait chaud au cœur de les revoir tous. Curieusement, personne n'ose s'approcher. Je suis au centre d'une foule qui observe mes faits et gestes. Je me sens comme dans une cage invisible. Un silence plane. Chacun veut vivre cet instant de bonheur qui coule en moi

comme une bénédiction. Une seule phrase, aussi juste soit-elle, ne ferait que rompre la magie du moment.

Une image vaut mille mots... et combien d'efforts... J'ai rêvé de cet instant depuis le jour où j'ai quitté Paris... il y a deux ans, quatre mois et neuf jours...

Les flocons tombent du ciel comme des étoiles filantes. Je suis couvert de neige et, malgré la transpiration qui me glace, je souhaiterais que cet instant reste à jamais en suspens. C'est Caroline, Lili et Élizabeth, une amie d'enfance, qui brisent finalement cette inertie collective pour venir me serrer dans leurs bras. Mon père reste à l'écart, visiblement fier de son fils. Tous se présentent à tour de rôle, comme s'ils venaient m'offrir leurs condoléances.

Après le départ des journalistes et des photographes qui se sont accaparé quelques instants de mon retour, il est temps de remonter en selle. Accompagné à vélo par mon ami Jean-François et par une bruyante escorte motorisée, je franchis les derniers kilomètres qui me séparent de l'hôtel de ville, là où une fête officielle m'attend.

Au volant de ma bécane, je me sens invincible. Plus rien ne peut m'arrêter. Comme si elles n'aspiraient plus au repos définitif, mes jambes oscillent de haut en bas sans le moindre commandement. Mes efforts, aussi énormes et monstrueux furent-ils, n'ont toujours été que millimètres sur l'immense carte du monde. Aujourd'hui, tous ces millimètres s'additionnent pour me prouver que la terre est bel et bien ronde.

Il est quatre heures du matin. J'ai fêté toute la nuit avec mes copains. Je suis couché sur mon lit. Pour la première fois, je ne rêve pas à ce que je veux accomplir, mais bien à ce que je viens d'accomplir. Mes paupières sont lourdes, et derrière elles se cachent des images qui ne pourront jamais s'effacer: le sourire rayonnant des réfugiés tibétains, l'odeur de l'honnête travailleur de la plaine indienne, les parfums de la gastronomie malaise, la main glacée d'un pauvre Kurde qui demande la charité, l'angoisse solitaire d'une nuit frigorifique en plein désert iranien, la quiétude sur l'un des plus hauts cols du monde...

C'était un rêve fou. Un rêve fabuleux.

Ce sont maintenant des souvenirs précieux. Des souvenirs inestimables.

Mon tremplin vers d'autres rêves...

OCÉAN
OCÉAN
INDIEN
ÉAN
TIQUE

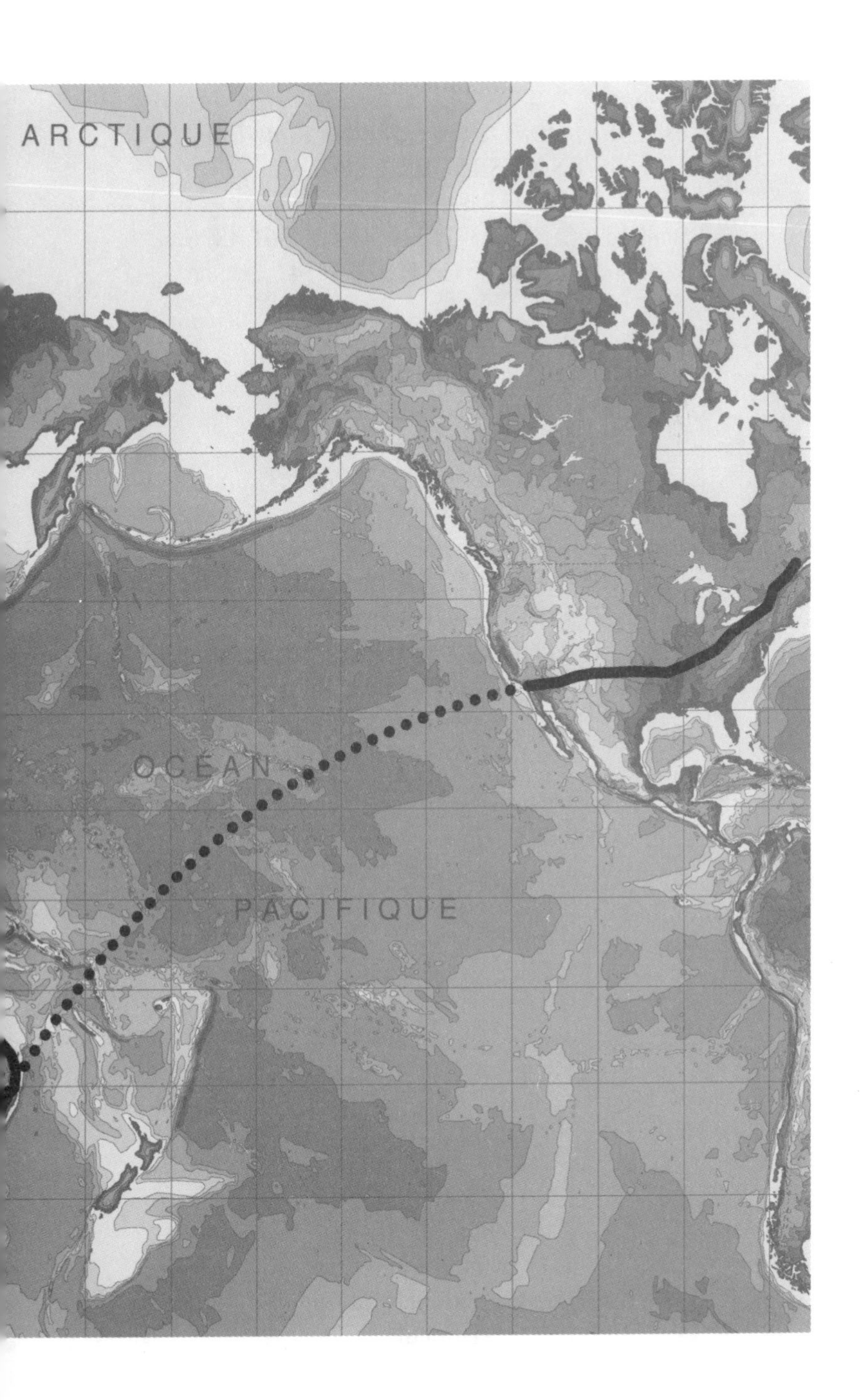
ARCTIQUE
OCÉAN
PACIFIQUE

DISTRIBUTEURS EXCLUSIFS

Distributeur pour le Canada et les États-Unis
LES MESSAGERIES ADP
MONTRÉAL (Canada)
Téléphone: (514) 523-1182 ou 1 800 361-4806
Télécopieur: (514) 521-4434

Distributeur pour la Suisse
TRANSAT S.A.
GENÈVE
Téléphone: 022/342 77 40
Télécopieur: 022/343 46 46

Distributeur pour la France et autres pays européens
HISTOIRE ET DOCUMENTS
CHENNEVIÈRES-SUR-MARNE (France)
Téléphone: (01) 45 76 77 41
Télécopieur: (01) 45 93 34 70

Dépôts légaux
3e trimestre 1999
Bibliothèque nationale du Canada
Bibliothèque nationale du Québec